O Aprendiz

Obras do autor publicadas pela Galera Record

Série *Conjurador*

O aprendiz

A inquisição

O mago de batalha

TARAN MATHARU

Tradução
Edmo Suassuna

9ª edição

Galera
RIO DE JANEIRO
2022

CIP-BRASIL. CATALOGAÇÃO NA FONTE
SINDICATO NACIONAL DOS EDITORES DE LIVROS, RJ

Matharu, Taran
M378a O aprendiz: O conjurador - vol. 1 / Taran Matharu;
9ª ed. tradução Edmo Suassuna. - 9ª ed. - Rio de Janeiro: Galera Record, 2022.
(O conjurador; 1)

Tradução de: The novice: Summoner vol. 1
ISBN 978-85-01-10577-6

1. Ficção juvenil britânica. I. Suassuna, Edmo. II. Título. III. Série.

15-23945 CDD: 028.5
CDU: 087.5

Título original:
The novice: Summoner vol. 1

Publicado originalmente na Grã-Betanha em 2015 por Hodder Children's Books

Composição de miolo: Abreu's System

Direitos exclusivos de publicação em língua portuguesa somente para o Brasil adquiridos pela
EDITORA RECORD LTDA.
Rua Argentina, 171 - Rio de Janeiro, RJ - 20921-380 - Tel.: (21) 2585-2000,
que se reserva a propriedade literária desta tradução.

Impresso no Brasil

ISBN 978-85-01-10577-6

Para minha mãe, que sempre me apoiou.

Para Alice, a pedra fundamental desta história.

E para meus leitores do Wattpad,
sem os quais nada disso seria possível.

1

Era agora ou nunca. Se Fletcher não abatesse o animal, passaria fome aquela noite. O crepúsculo se aproximava rapidamente e ele já estava atrasado. Precisava voltar logo à vila ou se depararia com os portões fechados. Se isso acontecesse, Fletcher teria que subornar os guardas com um dinheiro que não tinha ou correr o risco de passar a noite na floresta.

O jovem alce tinha acabado de esfregar os chifres num pinheiro alto, raspando o veludo macio que os recobria para revelar as pontas afiadas por baixo. Pelo tamanho e pela altura diminutos, Fletcher diria que se tratava de um animal de pouca idade exibindo a primeira galhada. Era um belo espécime, com pelo brilhoso e olhos luminosos, inteligentes.

Fletcher quase sentiu vergonha de caçar uma criatura tão majestosa, porém já calculava mentalmente seu valor. O pelame espesso renderia um bom dinheiro quando os peleteiros chegassem, especialmente porque já era inverno. Daria pelo menos uns cinco xelins. Os chifres estavam em bom estado, ainda que fossem um tanto pequenos, e renderiam talvez quatro xelins, com sorte. Era a carne, entretanto, que o rapaz desejava acima de tudo, de cor vermelha e sabor intenso, pingando gordura no fogo.

Uma névoa densa se espalhava no ar, pesada, cobrindo Fletcher com uma fina camada de orvalho. A floresta estava anormalmente quieta. Geralmente, o vento agitaria os galhos, permitindo que o rapaz se esgueirasse pela mata sem ser ouvido. Naquele momento, no entanto, ele mal se permitia respirar.

Fletcher pegou o arco e preparou uma flecha. Era o seu melhor projétil, com haste reta e certeira, e aletas feitas de boas penas de ganso, em vez das plumas baratas de peru que ele comprava no mercado. Inspirou de leve e puxou a corda. Estava escorregadia em seus dedos; o menino a untara com gordura de ganso para protegê-la da umidade do ar.

A ponta entrava e saía do campo de visão do caçador enquanto ele mirava no alce. Fletcher estava agachado a uns bons dez metros de distância, escondido na grama alta. Era um tiro difícil, mas a falta de vento também tinha lá suas vantagens. Nada de rajadas para desviar a flecha de seu caminho.

O rapaz expirou e disparou em um único movimento fluido, incorporando o momento de imobilidade de corpo e alma conforme tinha aprendido pela experiência amarga e faminta. Ouviu o vibrar seco da corda e então o baque da flecha atingindo o alvo.

Fora um belo tiro, perfurando o alce no peito, através de pulmões e do coração. O animal desabou e entrou em convulsão, debatendo-se no solo. Os cascos escavavam uma tatuagem na terra com seus espamos de morte.

Fletcher disparou em direção à presa e sacou uma faca de esfolamento da bainha fina em sua coxa, mas o alce estava morto antes que o alcançasse. Um abate bom e limpo, isso que Berdon lhe diria. Mas matar era sempre uma sujeira. A espuma sangrenta que borbulhava da boca do animal atestava o fato.

Fletcher removeu a flecha com cuidado e ficou feliz ao ver que a haste não tinha se partido nem a ponta de sílex se lascado nas costelas do alce. Mesmo que seu nome, Fletcher, significasse "aquele que faz flechas", o rapaz se frustrava com o longo tempo que levava amarrando setas. Ele preferia o serviço que Berdon ocasionalmente lhe passava, de martelar e moldar ferro na forja. Talvez fosse pelo calor, ou pela forma como seus músculos doíam deliciosamente depois de um longo dia de trabalho árduo. Ou talvez fossem as moedas que pesavam em seus bolsos quando ele era pago após a entrega.

O jovem alce era pesado, mas a vila não estava longe. As galhadas serviam bem como alças, e a carcaça deslizava com facilidade sobre a relva molhada. A única preocupação agora seriam os lobos ou os gatos selvagens. Não era raro que eles roubassem a refeição ou até mesmo a vida de um caçador que levava a presa para casa.

O rapaz estava caçando na crista das montanhas Dentes de Urso, assim chamada por seus distintos picos gêmeos, que se assemelhavam a dois caninos. A vila ficava na crista acidentada entre os dois, e o único caminho até lá era uma trilha íngreme e rochosa, bem à vista dos portões. Uma grossa paliçada de madeira cercava a vila, equipada com pequenas torres de vigia a intervalos regulares. A vila não era atacada havia muito tempo; apenas uma vez nos quinze anos desde o nascimento de Fletcher. Mesmo então, fora apenas um pequeno bando de ladrões, em vez de uma incursão dos orcs, algo muito improvável tão longe ao norte das selvas. Apesar disso, o conselho da vila levava a segurança muito a sério, e entrar após o nono sino era sempre um pesadelo para os retardatários.

Fletcher manobrou a carcaça do animal até a relva grossa que crescia ao lado da trilha rochosa. Não queria danificar o pelame, a parte mais valiosa do alce. Pele de animais era um dos poucos recursos que a vila tinha a oferecer, e daí ela tirou seu nome: Pelego.

A subida era dura e o caminho, traiçoeiro aos pés, ainda mais no escuro. O sol já tinha desaparecido atrás da crista, e Fletcher sabia que o sino soaria a qualquer minuto. O rapaz trincou os dentes e se apressou, tropeçando e praguejando ao arranhar os joelhos no cascalho.

O desânimo tomou seu coração ao alcançar os portões principais. Já estavam fechados, com os lampiões ao alto acesos para a vigília noturna. Os guardas preguiçosos tinham fechado mais cedo, ansiosos pela bebedeira na taverna da vila.

— Seus palermas preguiçosos! O nono sino ainda nem tocou. — Fletcher praguejou e soltou a galhada do alce no chão. — Me deixem entrar! Eu não vou dormir aqui fora só porque vocês não podem esperar para encher a cara. — Ele chutou o portão com força.

— Ora, ora, Fletcher, dá para falar mais baixo? Tem gente de bem dormindo aqui dentro. — Era uma voz vinda do alto. Didric. O guarda se debruçou sobre o parapeito acima de Fletcher, com a grande cara redonda sorrindo maldosamente.

O rapaz fez uma careta. De todos os guardas que poderiam estar de serviço hoje, tinha que ser Didric Cavell, o pior do bando. Ele tinha 15 anos, a mesma idade de Fletcher, mas se achava adulto. Eles não se gostavam. O guarda era um valentão, sempre procurando uma desculpa para exercer sua autoridade.

— Eu dispensei mais cedo o turno do dia. Veja bem, levo meus deveres muito a sério. Não podemos vacilar, considerando que os mercadores chegarão amanhã. Nunca se sabe que tipo de ralé fica se esgueirando aí fora. — Ele riu da própria provocação.

— Me deixe entrar, Didric. Você sabe tão bem quanto eu que os portões deveriam ficar abertos até o nono sino! — exclamou Fletcher. Enquanto falava, ouviu o sino começar seu dobrar reverberante, ecoando fracamente nos vales abaixo.

— O que foi que você disse? Não consigo escutar — gritou Didric, levando uma das mãos à orelha de forma teatral.

— Eu falei para você me deixar entrar, seu paspalho. Isto é ilegal! Vou ser obrigado a te denunciar se não abrir os portões agora mesmo! — berrou o rapaz, furioso com o rosto pálido sobre a paliçada.

— Bem, você poderia muito bem fazer isso, e eu certamente não negaria o seu direito de fazê-lo. Muito provavelmente, nós dois seríamos punidos, e isso não faria bem a ninguém. Então, por que não fazemos um acordo? Você me dá esse alce, e eu lhe poupo o aborrecimento de dormir na floresta esta noite.

— Pode enfiar no seu rabo, babaca — retrucou Fletcher, sem poder acreditar. Até para Didric, isso era uma chantagem descarada demais.

— Vamos lá, Fletcher, seja razoável. Os lobos e os gatos selvagens virão rondar, nem uma fogueira muito forte os manterá afastados no inverno. Você poderá dar no pé quando eles chegarem, ou ficar aqui e servir de aperitivo. De qualquer maneira, mesmo se você durar até o amanhecer, vai entrar por estes portões de mãos abanando. Me deixe ajudar você. — A voz de Didric era quase amistosa, como se estivesse fazendo um favor.

O rosto de Fletcher ardia, vermelho. Isso ia muito além de qualquer coisa que ele já tivesse passado. A injustiça era comum em Pelego, e o rapaz aceitara havia muito que, num mundo de privilegiados e desfavorecidos, ele certamente fazia parte da segunda categoria. Mas agora esse moleque mimado, ainda por cima filho de um dos homens mais ricos da vila, o estava roubando.

— É assim, então? — indagou Fletcher, num tom baixo e furioso. — Você se acha muito esperto, não acha?

— É só a conclusão lógica de uma situação na qual calhei de ser o beneficiário — argumentou Didric, afastando a franja loira dos olhos.

Todos sabiam que o rapaz recebia aulas particulares, e ostentava sua educação através da fala floreada. Seu pai tinha esperanças de que Didric um dia se tornasse juiz, possivelmente em um tribunal de alguma das maiores cidades de Hominum.

— Você esqueceu uma coisa — grunhiu Fletcher. — Que eu prefiro muito mais dormir no mato a deixar você roubar minha presa.

— Hah! Acho que vou pagar para ver seu blefe. Tenho uma longa noite pela frente. Vai ser divertido assistir enquanto você tenta rechaçar os lobos. — Didric riu.

Fletcher sabia que Didric o estava provocando, mas isso não fez seu sangue ferver menos. O rapaz suprimiu a raiva, mas continuou furioso no fundo da mente.

— Eu não vou te dar o alce. Só a pele já vale uns cinco xelins, e a carne vai render mais uns três. Se me deixar entrar, eu esqueço de denunciar você. Podemos deixar essa confusão toda para trás — sugeriu Fletcher, engolindo o orgulho com dificuldade.

— Vamos fazer assim: não posso sair dessa de mãos vazias; isso não seria justo, seria? Mas, como estou me sentindo generoso, se você me der esses chifres que por acaso deixou de mencionar, eu encerro o assunto, e nós dois conseguimos o que queremos.

Fletcher estremeceu com o descaramento da sugestão. Resistiu por alguns momentos, então cedeu. Uma noite na própria cama valia quatro xelins, e para Didric aquilo não passaria de uns trocados. O rapaz grunhiu e sacou a faca de esfolamento. Era afiadíssima, mas não tinha sido feita para cortar chifres. Ele odiava ser forçado a mutilar o alce, mas teria que decapitá-lo.

Um minuto mais tarde, depois de serrar as vértebras, tinha a cabeça nas mãos, pingando sangue nos mocassins. Fletcher fez uma careta e a ergueu para que o guarda a visse.

— Muito bem, Didric. Venha buscar — chamou Fletcher, brandindo o troféu grotesco.

— Jogue aqui para cima — respondeu Didric. —Não confio que você vá me entregar depois.

— O quê? — retrucou o rapaz, incrédulo.

— Jogue para mim, ou nada de acordo. Não estou com paciência de tomar isso de você e ficar com o uniforme todo ensanguentado — ameaçou Didric.

Fletcher grunhiu e a atirou para o alto, lambuzando a própria túnica com sangue. A cabeça voou por sobre Didric e caiu no parapeito. O guarda não fez menção de pegá-la.

— Foi muito bom fazer negócios com você, Fletcher. Vejo você amanhã. Espero que se divirta acampando na mata — disse ele, animado.

— Espera! — berrou o garoto. — E quanto ao nosso acordo?

— Eu mantive minha parte no trato, Fletcher. Disse que encerraria o assunto, e que nós dois conseguiríamos o que queríamos. E você disse há pouco que preferiria dormir no mato a me dar o seu alce. Então, aí está, você recebe o que prefere, e eu fico com o que quero. Você deveria realmente prestar mais atenção aos termos e condições de qualquer contrato, Fletcher. É a primeira lição que um juiz aprende. — O rosto do guarda começou a sumir atrás do parapeito.

— Esse não foi nosso acordo! Me deixa entrar, seu vermezinho! — rugiu Fletcher, chutando o portão.

— Não, não, minha cama está me esperando em casa. Não posso dizer o mesmo da sua, porém. — Didric ria enquanto se virava.

— Você está de guarda esta noite, não pode ir para casa! — gritou de volta o rapaz. Se Didric abandonasse o serviço, Fletcher poderia se vingar delatando a falta. Ele nunca tinha se considerado um dedo-duro, mas por Didric abriria uma exceção.

— Ah, não estou de guarda hoje. — O grito de Didric soou baixo conforme ele descia os degraus da paliçada. — Eu nunca disse que estava. Falei a Jakov que ficaria de olho enquanto ele usava a latrina. Deve estar de volta a qualquer minuto.

Fletcher cerrou os punhos, quase incapaz de compreender a real dimensão do golpe de Didric. Contemplou a carcaça decapitada ao lado dos mocassins arruinados. Enquanto a fúria subia como bile à sua garganta, o rapaz tinha só um pensamento: isso não acabaria ali. Nem em um milhão de anos.

2

— Saia dessa cama, Fletcher. Este é o único dia do ano em que eu realmente preciso de você acordado na hora certa. Não posso cuidar da barraca na feira e ferrar cavalos ao mesmo tempo. — O rosto avermelhado de Berdon surgiu assim que Fletcher abriu os olhos.

O rapaz grunhiu e puxou os cobertores sobre a cabeça. Jakov o tinha feito esperar do lado de fora por uma hora antes de deixá-lo entrar, com a condição de que Fletcher lhe pagasse um drinque da próxima vez que os dois estivessem na taverna.

Antes que pudesse se deitar, Fletcher teve de estripar e esfolar o alce, além de cortar a carne e pendurá-la junto à lareira para secar. O rapaz se permitiu apenas uma única fatia suculenta, assada por alguns poucos minutos no fogo, antes que ele perdesse a paciência e devorasse tudo. No inverno era sempre melhor salgar e secar a carne para mais tarde; Fletcher geralmente não tinha como saber quando faria a próxima refeição.

— Agora, Fletcher! E vá se lavar. Você está fedendo como um porco. Não quero que afaste os clientes. Ninguém vai querer comprar de um vagabundo. — Berdon arrancou as cobertas e saiu do minúsculo quarto do aprendiz, nos fundos da forja.

O rapaz estremeceu com a perda dos cobertores e se sentou. O quarto estava mais quente do que ele esperava. Berdon provavelmente passara a noite toda na forja ardente, se preparando para o dia de feira. Fletcher já aprendera havia muito tempo como se manter adormecido sob o retinir de metal, o rugido dos foles e o chiado das armas incandescentes sendo temperadas.

Ele atravessou penosamente a sala da forja até o pequeno poço do lado de fora, do qual Berdon costumava tirar a água de têmpera. Puxou o balde e, após um único instante de hesitação, despejou a água gelada na cabeça. A túnica e as calças também se encharcaram, mas, considerando que ainda estavam cobertas do sangue da noite anterior, isso deveria lhes fazer algum bem. Depois de vários outros baldes e uma esfregada enérgica com pedra-pomes, Fletcher estava de volta à forja, tremendo de frio e com os braços cruzados.

— Venha cá, deixe-me dar uma olhada em você.

Berdon estava parado à entrada do próprio quarto, com os longos cabelos ruivos iluminados pela lareira. Era de longe o maior homem da vila, e as longas horas martelando o metal na forja lhe concederam ombros largos e um peitoral sólido como um barril. Ele fazia com que Fletcher, um rapaz pequeno e magro para a idade, parecesse ainda menor.

— Bem como eu pensava. Você precisa se barbear. Minha tia Gerla tinha um bigode mais grosso que esse. Livre-se dessa penugem rala até que você tenha um de verdade, como o meu.

Os olhos de Berdon brilhavam enquanto ele torcia as pontas do próprio bigode ruivo que se eriçava, espesso, acima da barba grisalha. Fletcher sabia que o ferreiro tinha razão. Hoje os mercadores viriam à vila, e eles frequentemente traziam as filhas, meninas da cidade grande com longas saias plissadas e madeixas cacheadas. Mesmo que o rapaz já soubesse, graças à amarga experiência, que elas torceriam o nariz quando o avistassem, não faria mal algum se estivesse apresentável.

— Vamos lá. Enquanto se barbeia, vou separar a roupa que você vai vestir hoje. E nada de reclamar! Quanto mais profissional você parecer, melhor nossa mercadoria parecerá.

Fletcher saiu novamente para o frio congelante. A forja ficava bem ao lado dos portões da vila, cuja paliçada de madeira terminava a menos de um metro da parede dos fundos do seu quarto. Havia um espelho e uma pequena bacia largados ali perto. Fletcher sacou a faca de esfolamento e aparou a penugem, antes de inspecionar o próprio rosto no espelho.

Ele era pálido, o que não era surpreendente, já que estava tão ao norte de Hominum. Os verões eram curtos em Pelego, onde o garoto passava algumas curtas, mas divertidas, semanas com os outros meninos na floresta, pescando trutas nos córregos e assando avelãs na fogueira. Era a única época na qual Fletcher não se sentia um forasteiro.

A expressão dele era séria, com maçãs do rosto definidas e olhos castanho-escuros um tanto encovados. O cabelo era um denso emaranhado negro, que Berdon era obrigado a literalmente tosar quando ficava selvagem demais. Fletcher sabia que não era feio, mas também não exatamente belo se comparado aos meninos mais ricos, bem alimentados, de cabelos loiros e bochechas coradas da vila. Cabelos escuros eram incomuns nos assentamentos do norte, porém, tendo sido abandonado aos portões quando era só um bebê, Fletcher não ficava surpreso ao notar que não se parecia em nada com os outros. Era só mais uma coisa que o separava do resto.

Berdon tinha deixado uma túnica azul-clara e calças verde-limão na cama do rapaz. Fletcher empalideceu perante aquelas cores, mas engoliu os comentários quando percebeu a advertência no olhar de Berdon. As roupas não pareceriam estranhas num dia de feira. Os mercadores eram conhecidos pelos trajes extravagantes.

— Vou deixar você se vestir — comentou Berdon com uma curta risada, enquanto saía do quarto.

Fletcher sabia que as provocações do ferreiro eram sua maneira de demonstrar carinho, então elas não o incomodavam. O rapaz nunca fora do tipo tagarela, preferindo a companhia de si mesmo e dos próprios pensamentos. Berdon sempre respeitara sua privacidade, desde que o menino começara a falar. Era um relacionamento estranho, o solteirão rústico e bondoso com seu aprendiz introvertido, porém eles conseguiam fazer dar certo. Fletcher sempre seria grato por Berdon tê-lo acolhido quando ninguém mais o quis.

O menino tinha sido abandonado sem nada, nem mesmo uma cesta ou trouxa. Apenas um bebê nu na neve, berrando a plenos pulmões diante dos portões. Os ricos esnobes não acolheriam a criança abandonada, e os pobres não tinham condição de fazê-lo. Aquele era o inverno mais severo da história de Pelego, e a comida era escassa. No fim, Berdon se oferecera para ficar com o menino, já que tinha sido ele quem o encontrara em primeiro lugar. O ferreiro não era rico, mas não tinha outras bocas a alimentar nem dependia das estações para trabalhar, então era a pessoa ideal em vários aspectos.

Fletcher nutria um ódio profundo pela mãe, mesmo que não fizesse ideia de quem ela fosse. Que tipo de pessoa deixaria seu bebê nu para morrer na neve? O menino sempre se perguntava se não teria sido uma garota de Pelego, incapaz ou indisposta a criá-lo. Às vezes vasculhava os rostos das mulheres ao seu redor, comparando suas feições às próprias. Não sabia por que se dava a tal trabalho; nenhuma delas se parecia em nada com ele.

A barraca de Fletcher, carregada de espadas e adagas brilhantes, já estava montada junto à estrada principal, que ia do portão até os fundos da vila. E não era a única. Pelo caminho havia outras, lotadas de carnes e pelos. Outras mercadorias também estavam à mostra: móveis construídos com os altos pinheiros que cresciam no Dente de Urso e flores da montanha, de pétalas prateadas, em jarros para os jardins das ricas donas de casa da cidade.

Couro era outro produto famoso de Pelego, cujas jaquetas e os gibões eram valorizados acima de todas as outras pela qualidade do corte e da costura. Fletcher estava de olho numa jaqueta em particular. O rapaz tinha vendido quase todas as peles que conseguira naquele ano a caçadores, e fora capaz de economizar mais de trezentos xelins para essa compra. Ele a viu pendurada mais adiante, mesmo que Janet — a mercadora que tinha passado várias semanas fazendo o casaco — tivesse lhe dito que ele só poderia comprar pelos trezentos xelins se ninguém fizesse uma oferta melhor até o fim do dia.

A jaqueta era perfeita. Forrada com pelo ultrafelpudo de lebre da montanha, macio e cinzento, salpicado de castanho. O couro propriamente dito era de um mogno profundo, robusto e imaculado. Era à prova d'água e não mancharia fácil, nem se rasgaria quando Fletcher perseguisse uma presa por entre os espinheiros da floresta. O rapaz já se via vestindo o casaco; agachado na chuva, bem aquecido e camuflado com uma flecha preparada no arco.

Berdon estava sentado atrás dele, diante da forja, ao lado de uma bigorna e uma pilha de ferraduras. Mesmo que suas armas e armaduras fossem de alta qualidade, ele tinha aprendido que havia muito dinheiro a se ganhar ferrando os cavalos de carga dos mercadores exaustos, cuja longa jornada pelas vilas remotas ao longo do Dente de Urso tinha apenas começado.

No último ano que os mercadores apareceram, Fletcher passara o dia inteiro ocupado, até mesmo afiando as espadas depois que a barraca ficara vazia. Tinha sido um ótimo ano para se vender armas. O Império de Hominum havia declarado guerra numa nova frente ao norte das montanhas do Dente de Urso. Os clãs élficos tinham se recusado a pagar o imposto anual, dinheiro que o Império de Hominum exigia em troca da proteção contra as tribos órquicas das selvas do sul, lá do lado oposto do país. O império declarara guerra para cobrar as dívidas, e os mercadores temiam grupos de elfos saqueadores. No fim, acabou sendo uma guerra de princípios com algumas escaramuças e nada mais, e acabou num acordo de cavalheiros, acertando que o conflito não se agravaria. Havia uma coisa na qual tanto Hominum quanto os clãs élficos concordavam implicitamente: os orcs eram o verdadeiro inimigo.

— Será que eu vou ter tempo de dar uma olhada na feira este ano? — perguntou Fletcher.

— Acho que sim. Não há muita demanda por armas novas desta vez. As novas tropas do Dente de Urso podem ser compostas de velhos e aleijados, mas acho que os mercadores acreditam que a presença dos militares vá desencorajar os salteadores a vaguear por estas bandas e atacar seus comboios. O pior é que provavelmente estão certos; não acho que terão de se defender muito este ano. Não faremos muitos negócios com *eles*. Mas, pelo menos, sabemos que ainda há necessidade dos meus serviços da parte dos militares, depois da sua visita à linha de frente no mês passado.

Fletcher estremeceu com a lembrança da jornada sobre a montanha até o forte mais próximo. A linha de frente era um lugar tenebroso, cheio de homens com olhares vazios, esperando pelo fim de seu período de serviço. A frente élfica era o lixão onde eram despejados os homens que o exército não queria mais, as barrigas vazias incapazes de lutar.

Fricção. Era assim que alguns soldados explicavam. Alguns a consideravam uma bênção, longe dos horrores das trincheiras na selva. Os homens morriam aos milhares na frente órquica, suas cabeças eram tomadas como troféus e abandonadas em estacas à beira da mata. Os orcs eram uma raça selvagem e brutal, criaturas de trevas com intenções implacáveis e sádicas.

Porém, havia um tipo diferente de horror na fronteira com os elfos: uma degradação constante. Inanição lenta e crescente pela ração insuficiente. Exercícios sem fim aplicados por sargentos cansados que não sabiam mais o que fazer. Generais tacanhos que permaneciam em seus gabinetes aquecidos enquanto seus homens tremiam em seus catres.

O intendente estivera relutante em comprar qualquer coisa, mas ele precisava cumprir a quota, e as linhas de suprimentos sobre o Dente de Urso tinham se reduzido a um fiapo havia muito, devido ao aumento da demanda na frente órquica. O fardo de espadas que Fletcher estivera carregando nas costas desde aquela manhã fora vendido por muito mais dinheiro do que valia, deixando a bolsa do garoto pesada com xelins de prata, ainda que consideravelmente mais leve que antes. Se tivesse trazido mosquetes, teria sido pago com soberanos de ouro. Berdon estava torcendo para que os mercadores trocassem armas de fogo por espadas. Se fosse o caso, ele poderia revender os mosquetes ao intendente na próxima estação.

Naquela noite, enquanto jazia deitado no beliche que lhe emprestaram no alojamento do quartel, esperando a manhã para que pudesse voltar a Pelego, Fletcher decidiu que, se algum dia se alistasse no exército, jamais se permitiria acabar num lugar como aquele.

— Você, garoto. Tire sua barraca da frente dos portões. Vai bloquear o caminho dos mercadores — ralhou uma voz imperiosa, interrompendo seus pensamentos.

Era o pai de Didric, Caspar; um homem alto e magro vestido com roupas caras de veludo, costuradas a mão com tecido púrpura bordado delicadamente com ouro. Encarava Fletcher como se sua mera existência o ofendesse. Didric se escondia atrás dele, com um sorriso no rosto e o cabelo loiro emplastrado de cera, dividido para o lado. Fletcher olhou a barraca vizinha, consideravelmente mais próxima da estrada que a dele.

— Não vou mandar de novo. Tire agora, ou chamarei os guardas — mandou Caspar, com rispidez. Fletcher olhou para Berdon, que ergueu os ombros largos e lhe deu um aceno de cabeça. No fim das contas, não faria a menor diferença. Se alguém precisasse de armas, conseguiria encontrá-los.

Didric piscou um olho e fez um gesto de "xô". Fletcher ficou vermelho, mas começou a se mexer para cumprir a ordem. A hora de Didric ainda chegaria, mas o pai do guarda era um homem incrivelmente poderoso. Era agiota e tinha a vila quase inteira no bolso. Quando um bebê precisava de remédio da cidade, Caspar estava lá. Quando uma temporada de caça ia mal, Caspar estava lá. Como poderia um camponês que mal era capaz de assinar o próprio nome compreender o conceito de juros compostos ou os números complexos escritos acima? No fim, todos descobriam que o preço da própria salvação era muito maior do que eles poderiam pagar. Fletcher odiava que Caspar fosse reverenciado por tanta gente na vila, já que não passava de um vigarista.

Enquanto Fletcher lutava para puxar a barraca, derrubando várias adagas cuidadosamente polidas na terra, o sino da vila começou a soar. Os mercadores tinham chegado!

3

A feira começou, como de costume, com o ranger de rodas e o estalar de chicotes. A trilha encosta acima era irregular e íngreme, porém ainda assim os mercadores forçavam seus cavalos ao limite no trecho final, ansiosos para pegar os melhores pontos no fim da estrada principal da vila. Aqueles que chegavam por último inevitavelmente acabavam perto do portão, longe do movimento dos pedestres que vagavam pelo interior.

Caspar estava parado na entrada, chamando-os com acenos, sorrindo e concordando com a cabeça aos cocheiros dos carroções lotados conforme eles entravam pelos portões. Fletcher percebia como os cavalos tinham se esforçado nessa jornada; seus flancos brilhavam com uma camada de suor e os olhos estavam selvagens de exaustão. O rapaz abriu um sorriso culpado com o estado dos animais, sabendo que Berdon se manteria ocupado hoje. Fletcher esperava que eles tivessem ferraduras suficientes para todos.

Após a passagem do último carroção, dois homens com pesados bigodes loiros e quepes entraram trotando na vila. Seus cavalos não eram as bestas de carga que puxavam os veículos do comboio, mas corcéis pesados com flancos largos e cascos do tamanho de pratos. Eles balançaram as rédeas ao passar da trilha de terra aos paralelepípedos irregulares. Fletcher ouviu Berdon praguejar atrás e fez uma careta de solidariedade.

Os uniformes negros lustrosos com botões de latão os identificavam como Pinkertons — homens da lei da cidade grande. Os mosquetes que traziam nas mãos não deixavam dúvida alguma. Fletcher olhou de relance para os porretes com tachas de metal embainhados nas selas. Poderiam quebrar braços e pernas sem dificuldades, e o fariam sem escrúpulos, pois os Pinkertons só respondiam ao próprio rei. Fletcher não fazia ideia de por que estavam escoltando o comboio, mas a presença dos dois significava que haveria pouca necessidade de proteção no caminho. As vendas em sua barraca seriam escassas naquele dia.

Os dois homens poderiam ser irmãos de tão parecidos, com cabelos loiros encaracolados e olhos cinzentos e frios. Eles desmontaram, e o mais alto da dupla caminhou até Fletcher, levando o mosquete casualmente nas mãos.

— Garoto, leve nossos cavalos ao estábulo da vila e lhes dê água e comida — comandou com voz severa. Fletcher o encarou boquiaberto, espantado com a ordem tão direta. O homem indicou os cavalos enquanto o garoto continuava parado, não querendo deixar a barraca sozinha.

— Não perca tempo com esse moleque, ele é meio lerdo — interveio Caspar. — Nós não temos um estábulo da vila. Meu filho vai tomar conta dos seus cavalos. Didric, leve-os aos nossos estábulos particulares e mande o cavalariço dedicar a eles uma atenção especial.

— Mas, pai, eu queria... — começou Didric, com voz lisonjeira.

— Vá agora, e não demore! — interrompeu o pai. Didric corou e lançou um olhar furioso a Fletcher antes de pegar as rédeas dos dois cavalos e guiá-los pela rua.

— Então, o que os traz a Pelego? Não vemos nenhuma cara nova há semanas, se estiverem perseguindo foras-da-lei — contou Caspar, estendendo a mão.

O Pinkerton mais alto apertou-lhe a mão com relutância, forçado a ser educado agora que seu cavalo estava sob os cuidados de Caspar.

— Nossos assuntos são com o exército na fronteira élfica. O rei expressou o desejo de recrutar criminosos às tropas e, ao fazê-lo, dar baixa em suas sentenças de prisão. Estamos investigando se os generais seriam receptivos a isso, em nome de Sua Majestade.

— Fascinante. É claro que sabíamos que os alistamentos se reduziram recentemente, mas isso muito me surpreende. Que solução elegante ao problema — elogiou Caspar, com um sorriso duro. — Quem sabe poderíamos conversar sobre o assunto durante o jantar, com um pouco de conhaque? Cá entre nós, a estalagem local é imunda, e ficaríamos felizes em lhes oferecer camas confortáveis depois da sua longa jornada.

— Ficaríamos agradecidos. Viemos de Corcillum e não dormimos numa cama limpa há quase uma semana — admitiu o Pinkerton, tirando o chapéu.

— Então vamos lhes preparar um banho e um desjejum quentinho. Meu nome é Caspar Cavell, e sou uma espécie de conselheiro da vila... — continuou o agiota, guiando os dois homens rua abaixo.

Fletcher considerou as notícias enquanto as vozes se afastavam. Criminosos sendo recrutados nas forças armadas era algo que ele jamais tinha considerado. Muitos rumores afirmavam que o recrutamento forçado de todos os jovens era iminente, o que o empolgava e preocupava igualmente. O alistamento obrigatório havia sido implementado na Segunda Guerra Órquica, séculos antes. Aquela guerra fora motivada por bandos de orcs saqueadores que roubavam gado e massacravam os aldeões do nascente Império de Hominum. Centenas de vilas acabaram exterminadas antes que os orcs fossem, enfim, rechaçados de volta às selvas.

Desta vez fora Hominum que iniciara as hostilidades, ao devastar as florestas dos orcs para alimentar a revolução industrial que acabara de começar. Sete anos haviam se passado, e a guerra não demonstrava sinais de que terminaria tão cedo.

— Se eu pudesse forjar aqueles mosquetes, não precisaria sequer abrir a barraca — resmungou Berdon atrás do menino. Fletcher concordou com um aceno de cabeça. Mosquetes, produzidos pelos artífices anões que viviam nas entranhas de Corcillum, estavam em alta demanda na linha de frente. As técnicas empregadas na criação dos canos retos e mecanismos eram segredos muito bem protegidos pelos zelosos anões. Era um negócio lucrativo, ainda que a tecnologia só tivesse sido implementada pelo exército recentemente. Antes os orcs podiam ser capazes de resistir a uma saraivada de flechas em batalha, mas uma barragem de fogo de mosquete tinha muito mais poder para travar seu avanço.

Foi então que Fletcher percebeu um último viajante entrando pelos portões. Era um soldado veterano, com cabelos grisalhos e barba por fazer. Vestia um uniforme branco e vermelho de tecido esfarrapado e gasto, manchado com lama e poeira da viagem. Muitos dos botões de latão da túnica estavam ausentes ou pendurados, soltos. O homem estava desarmado, algo incomum a um membro de um comboio de mercadores, e ainda mais estranho para um soldado.

O veterano não tinha cavalo ou carroça; em vez disso conduzia uma mula sobrecarregada com alforjes. As botas que calçava estavam em estado lastimável, com solas gastas e furadas, balançando soltas a cada passo cambaleante que ele dava. Fletcher observou enquanto o sujeito se instalava no espaço diretamente oposto a ele do outro lado da estrada, amarrando a mula na haste da barraca vizinha e lançando um olhar severo ao vendedor antes que ele pudesse protestar.

O soldado descarregou os alforjes, abrindo uma lona de pano e organizando vários objetos sobre ela. Provavelmente estaria a caminho da frente élfica, transferido do sul por ser velho demais para o combate, porém demasiado incompetente para ser promovido a oficial. Como se pudesse sentir o olhar do menino, o velho se endireitou e sorriu perante sua curiosidade, exibindo uma boca com muitos dentes ausentes.

Fletcher esticou o pescoço para dar uma olhada melhor no soldado, e arregalou os olhos ao ver o que estava à venda. Havia enormes pontas de flecha de sílex do tamanho da mão de um homem, com bordas serrilhadas para criar farpas que se prenderiam à carne. Colares feitos de fileiras de dentes e orelhas dissecadas foram desembaraçados e expostos como os mais delicados pingentes. Um chifre de rinoceronte com uma ponteira de ferro foi destacado à frente da coleção. A peça principal era uma enorme caveira de orc, duas vezes maior que a de um homem. Tinha sido polida e branqueada pelo sol da selva, com um cenho largo se projetando de um jeito bizarro sobre as órbitas oculares. Os caninos inferiores eram maiores do que Fletcher imaginara, estendendo-se como presas de uns 8 centímetros de comprimento. Eram suvenires da frente de batalha, vendidos como curiosidades às cidades do norte, distantes de onde a verdadeira guerra acontecia.

O menino se virou e lançou um olhar pidão a Berdon, que também tinha visto as mercadorias do recém-chegado. O ferreiro balançou a cabeça e indicou a própria barraca com um aceno. Fletcher suspirou e voltou a atenção à arrumação dos produtos. Seria um dia longo e infrutífero.

4

Uma pequena multidão se reuniu em volta do soldado. Era composta principalmente de crianças, mas também se viam alguns guardas que não tinham nada para trocar nem dinheiro para gastar.

— Venham ver, todos vocês! Tudo que se encontra aqui são artigos genuínos, coisa séria. Cada item tem uma história de congelar o sangue, que fará você agradecer à sua estrela-guia por viver no norte — gritou ele com os floreios de um vendedor de frutas, jogando uma ponta de lança ao ar e a pegando habilidosamente entre os dedos.

— Talvez vocês se interessem pela tanga de um gremlin ou um arganel de nariz de orc? Você, meu senhor, o que me diz? — indagou ele a um menininho com um dedo firmemente cravado no nariz, que certamente não se qualificava a ser chamado de "meu senhor".

— Que que é um gremlin? — perguntou o menino, arregalando os olhos.

— Os gremlins são escravos dos orcs. Poderiam ser comparados ao escudeiro de um dos cavaleiros dos velhos tempos, cuidando de todas as necessidades do mestre. Não são grandes guerreiros; foram criados para serem servos. E também pelo fato de que mal chegam à altura do joelho de um homem — explicou ele, demonstrando com a mão.

Fletcher espiou o gesto com interesse renovado. A maioria das pessoas tinha alguma noção do que era um gremlin, mesmo tão ao norte. Eles eram bípedes, como os orcs, mas não vestiam nada além de trapos e retalhos ao redor da cintura. As grandes orelhas de morcego e compridos narizes tortos eram muito característicos, assim como os dedos longos e ágeis, ótimos para tirar lesmas das cascas e insetos de troncos podres. Gremlins tinham pele cinzenta, assim como os orcs, e seus olhos eram grandes e esbugalhados, com pupilas consideráveis.

— Onde você arranjou essas coisas todas? — questionou o menino, ajoelhando-se para ver melhor o que havia disponível.

— Eu as tirei dos mortos, meu menino. Eles não precisam mais delas, não no lugar aonde estão indo. É o meu jeito de trazer um gostinho da guerra aqui para o norte.

— Você está a caminho da frente élfica? — perguntou um guarda.

Fletcher viu que era Jakov, e se escondeu atrás da barraca. Se ele o notasse, poderia cobrar o preço do drinque que Fletcher tinha lhe prometido. O rapaz precisava de todo o dinheiro que tinha para comprar a jaqueta.

— Estou, realmente, mas não por ser um saco de ossos inúteis, não, senhor. Eu fui o único sobrevivente do meu esquadrão. Fomos pegos num ataque noturno durante uma missão de reconhecimento. Não tivemos chance. — Sua voz trazia um indício de tristeza, porém Fletcher não conseguiu detectar se era genuíno.

— O que aconteceu? — insistiu Jakov, com um tom carregado de descrença enquanto media o velho de cima abaixo.

— Prefiro não dizer. Não é uma memória feliz — murmurou o soldado, evitando o olhar de Jakov. Ele baixou a cabeça com tristeza aparente. A multidão vaiou e começou a se dispersar, tomando-o por mentiroso.

— Tudo bem, tudo bem! — gritou o soldado ao ver os clientes escapando. Aquela provavelmente seria sua última parada antes de alcançar a frente élfica, e ele teria dificuldades em vender os produtos aos soldados; muitos deles já seriam muito familiares com os itens que teria a oferecer.
— Tínhamos ordens de fazer o reconhecimento da próxima linha de frente — começou ele, conforme a multidão se virava de volta. — As linhas estavam avançando de novo. Vejam bem, a mata atrás de nós tinha sido toda esvaziada, e precisávamos mover as trincheiras adiante.

O soldado passou a falar com mais confiança, e Fletcher pôde ver que ele era um contador de histórias nato.

— Estava mais escuro que um saco cheio de gatos pretos naquela noite, mal tinha uma lasca de lua para iluminar nosso caminho. Vou te falar, fizemos mais barulho que um rinoceronte nervoso ao abrirmos caminho pela mata fechada. Foi um milagre ter levado mais de dez minutos para sermos notados — continuou ele, com olhos nublados como se ele estivesse lá de novo.

— Vamos logo com isso! — gritou um dos meninos no fundo, mas seu comentário foi recebido com olhares feios e sussurros de "shhh" da multidão que escutava, atenta.

— Nosso mago de batalha ia na frente. O demônio dele tinha boa visão noturna, o que ajudava um pouco; mas, mesmo assim, a gente tinha que dar duro para não disparar os mosquetes sem querer, e ainda mais para não tropeçar e cair. Uma missão suicida como nunca vi. Um desperdício de bons homens, com toda certeza — prosseguiu o soldado, girando a ponta de lança entre os dedos.

— Eles mandaram um conjurador com vocês? Isso sim é um desperdício. Achei que a gente só tinha algumas centenas deles? — indagou Jakov, cujo ceticismo fora substituído por fascinação.

— A missão era importante, mesmo que fosse equivocada. Eu não o conhecia muito bem, mas com certeza era um camarada bem agradável, mesmo que definitivamente não fosse um conjurador muito poderoso. Era fascinado pelos xamãs orcs, sempre perguntando aos soldados o que a gente sabia sobre eles e seus demônios. Estava constantemente rabiscando e desenhando em seu livro, investigando os resquícios das aldeias órquicas pelas quais a gente passava, copiando as runas pintadas nas paredes das cabanas.

O soldado deve ter percebido as expressões que começavam a se dispersar conforme ele saía do assunto principal, então se apressou:

— De qualquer maneira, não demorou muito até que nos perdêssemos, pois as poucas estrelas que tínhamos usado para nos orientar foram cobertas pelas nuvens de chuva. Nosso destino foi selado quando a garoa começou. Você já tentou disparar um mosquete com pólvora molhada? Era um desastre atrás do outro.

O soldado largou a ponta de lança no pano e cerrou os punhos unidos com emoção.

— A arma favorita do orc é a lança de arremesso. Quando uma delas te atinge, te joga longe como uma bala de canhão, te prendendo no chão; isso se ela não te atravessar completamente e se cravar no homem detrás. Elas assoviaram por entre as árvores e nos arrancaram da terra como se o mundo tivesse tombado de lado. Nem chegamos a ver quem estava atirando, mas metade dos homens tinha morrido depois da primeira saraivada, e eu não quis ficar por perto para ver a segunda. O conjurador saiu correndo, e eu o segui. Se tinha alguém capaz de escapar no meio daquela confusão dos diabos, era ele. Disparamos em pânico, seguindo os chilreios do demônio dele.

— Que tipo de demônio era? — perguntou Jakov, com as mãos unidas em atenção total.

— Eu nunca tive uma boa chance de olhar o bicho no escuro. Parecia um besouro voador e era feio como o diabo, mas eu lhe sou grato; sem ele, eu seria um homem morto. No fim, o conjurador tropeçou e caiu, e vi que uma lança o tinha atingido num lado do corpo. O sujeito estava sangrando como um porco abatido. Não havia muito que eu pudesse fazer por ele, mas o maldito demônio não fugiria sem o mestre, então tive que pegá-lo e carregá-lo comigo. O pobre coitado deve ter morrido antes que a gente alcançasse as trincheiras, mas o demônio me guiou de volta mesmo assim. O vermezinho não saiu de perto do mago quando eu trouxe o corpo de volta. Fui julgado por deserção, mas eu disse a eles que estava carregando o ferido e que o resto da tropa ficou para trás e se perdeu. Eles não sabiam o que fazer comigo, com meu esquadrão morto e a minha idade avançada, então, no fim, me mandaram pro norte. Meu único consolo foi a bolsa do conjurador, cheia de alguns dos tesouros que vocês veem diante de si. Mas isso não foi o melhor de tudo... — Ele vasculhou os alforjes aos seus pés e, de repente, Fletcher percebeu que aquele era o clímax da cena toda. Talvez fosse isso que o soldado fizesse em todas as cidades, fisgando-os com a história, depois exibindo o item mais caro.

Porém, o que o soldado removeu com um floreio não foi a cabeça encolhida do demônio ou o corpo empalhado que o menino esperava. Era um livro, encapado em couro castanho pesado e com páginas grossas de pergaminho. Era o livro do conjurador!

5

Se o soldado tinha esperado impressionar a plateia, decepcionou-se. A maioria deu uma olhada ambivalente e houve até alguns resmungos. Numa pequena vila de caçadores como Pelego, a habilidade de ler ficava bem no fim da lista de prioridades. Muitos dos aldeões teriam dificuldades em passar da primeira página, quanto mais desbravar o livrão inteiro. Fletcher, por outro lado, fora encarregado das finanças de Berdon, o que exigia que soubesse ler e dominasse a aritmética. As muitas longas horas que o rapaz passara suando com todos os números e letras lhe custaram um precioso tempo de brincadeiras com as outras crianças, mas ele tinha orgulho da própria educação e estava certo de que era pelo menos tão culto quanto Didric, se não mais.

O soldado sorria enquanto brandia o livro, erguendo-o sob a luz acinzentada do inverno e folheando as páginas, oferecendo a Fletcher uma espiada sedutora da letra manuscrita e dos esboços intrincados.

— O que mais você tem? — indagou Jakov, com a decepção bem clara na voz.

— Muita coisa! Só que mais nada supera isso aqui, se vocês me permitirem explicar. Deixem-me demonstrar, antes que a gente passe ao próximo item — implorou o soldado.

A plateia, mesmo que desprovida de interesse pelo livro, não desperdiçaria entretenimento gratuito. Houve acenos de concordância e comentários de incentivo, e o soldado abriu um sorriso desdentado. Saltou para cima de um caixote vazio da barraca vizinha e chamou a multidão mais para perto, erguendo o tomo sobre a cabeça, onde todos pudessem ver.

— Esse mago de batalha era da patente mais baixa que um conjurador pode ter, um segundo-tenente de um regimento que nem tinha terminado o treinamento. Mesmo assim, ele se ofereceu para aquela missão fatídica, e quando dei uma olhada neste livro, entendi o porquê. O sujeito estava procurando uma arma secreta, uma forma de conjurar criaturas novas.

O soldado conquistara a atenção de todos, e sabia disso. Fletcher fitava do outro lado da rua, boquiaberto, o que lhe rendeu um pigarrear de aviso da parte de Berdon. O rapaz se endireitou e se ocupou da própria barraca, mesmo que já estivesse impecavelmente arrumada.

— Os xamãs orcs invocam todo tipo de demônios, mas são quase todos criaturas baixas e fracas, que não são páreo para aquilo que os nossos próprios conjuradores são capazes de trazer. Porém, nossos conjuradores só conseguem capturar algumas poucas espécies diferentes do outro mundo, com algumas exceções ocasionais. Assim, ainda que os nossos magos sejam muito mais poderosos que qualquer xamã orc, isso nos deixa com menos cordas em nosso arco, digamos assim. E o que esse mago de batalha tentava fazer era encontrar um jeito, usando técnicas órquicas, de conjurar os demônios *realmente* poderosos.

Durante sua noite nos alojamentos da frente élfica, Fletcher tinha ouvido relatos de criaturas horrendas que se esgueiravam pela noite, cortando gargantas adormecidas e escapando ilesos. Feras que saltavam da mata cheias de garras, como gatos selvagens, e lutavam até que seus corpos estivessem retalhados com balas de mosquete. Se essas eram as criaturas fracas de que o soldado falava, Fletcher não queria encontrar o demônio de um mago de batalha veterano.

— Então é para acreditarmos que esse livro contém um segredo que vai mudar o destino da guerra? Ou que ele traga instruções sobre como conjurar nossos próprios demônios? Talvez ele valha seu preço em ouro — zombou uma voz familiar, carregada de sarcasmo.

Era Didric, recém-chegado dos estábulos. O guarda tinha ficado parado atrás da barraca seguinte, fora da vista de Fletcher.

— Palavras suas, e não minhas, meu bom senhor — respondeu o soldado, tocando o nariz com uma piscadela esperta.

— Seria mais válido investir fundos nas armas lamentáveis do outro lado da rua do que no seu livro! — Didric sorriu enquanto Fletcher corava com a alfinetada.

Em seguida, o garoto mimado contornou o caixote até a frente da plateia, descuidadamente chutando o chifre de rinoceronte ao passar.

— Por que um conjurador se ofereceria para tal missão, se já tivesse descoberto tamanho segredo? E por que você o estaria vendendo aqui, se o livro fosse tão valioso? Quanto à possibilidade de ele conter instruções de conjuro, todos nós sabemos que apenas aqueles de sangue nobre e alguns outros sortudos são abençoados com as habilidades necessárias para conjurar. — Didric fez uma careta de desprezo enquanto o soldado ficava boquiaberto de surpresa, mas este se recuperou com agilidade surpreendente.

— Bem, meu senhor, ele provavelmente estava ansioso para ver um demônio orc bem de perto. Não sou letrado, portanto não sei qual é o valor do livro, e ele me seria confiscado se eu tentasse vendê-lo a qualquer mago de batalha, já que foi roubado de um deles. — Ele abriu os braços, e seu rosto era a imagem da inocência.

"Obviamente — continuou —, eu provavelmente vou entregá-lo quando chegar à frente élfica. Mas, se puder faturar alguns xelins adicionais, sabendo que o livro alcançará as mãos de um mago de batalha de qualquer maneira, bem, quem poderia me condenar, depois de eu ter carregado aquele homem por metade da selva? — O soldado baixou a cabeça em falsa modéstia, espiando por entre os cabelos gordurosos. A plateia estava inquieta, sem saber com quem concordar. Didric certamente era popular, especialmente quando estava sendo perdulário com o dinheiro de Caspar na taverna. Porém, o soldado era empolgante, e Fletcher notou que a multidão queria que a história dele fosse verdadeira, mesmo que no fundo soubessem que não poderia ser.

No momento que o povo começou a zombar e Fletcher abriu um sorriso para o valentão que perdia a batalha de conhecimento contra um soldado comum, Didric reagiu:

— Espere. Você não mencionou mais cedo que tinha deduzido o foco dos estudos dele ao folhear o livro? Certamente teria de ler para entender tais coisas. Você é um mentiroso. Uma fraude, e eu deveria mesmo era mandar chamar os Pinkertons. Eles poderiam até incluir uma acusação de deserção contra você também. — Ele riu enquanto o soldado gaguejava.

— Você pegou ele de jeito agora — comentou Jakov, com a mão no cabo da espada.

— Tem figuras no livro... — balbuciou o soldado, que foi imediatamente calado pelos gritos da plateia, que começava a zombar dele.

Didric ergueu a voz e elevou a mão, pedindo silêncio.

— Vamos fazer o seguinte. Gostei do jeito desse livro. São a curiosidade e a vontade de aprender que me motivam, não o desejo de riquezas — declarou o rapaz, com nobreza, conforme o bordado dourado de suas roupas reluzia ao sol. — Voltarei mais tarde para buscá-lo. Que tal, digamos... quatro xelins? Eu por acaso vendi uma bela galhada pelo mesmo preço ontem à noite — afirmou Didric, lançando um olhar triunfante a Fletcher. O filho de Caspar não esperou uma resposta; em vez disso, foi embora cheio de si, seguido por Jakov e a maioria dos clientes do soldado.

O homem fuzilou o jovem guarda com o olhar, mas logo uma expressão de abatimento tomou conta do seu rosto. Sentou-se no caixote com um suspiro audível, largando o livro no chão, derrotado. Aborrecido com a vitória de Didric, Fletcher observou as páginas que eram viradas pela brisa.

O menino não sabia como, mas Didric iria pagar caro naquela noite. De um jeito ou de outro.

6

O dia passou com uma lentidão excruciante. Berdon estava bem ocupado, mas o fedor acre de cascos ardentes estava começando a ficar insuportável. Não se passavam mais do que alguns minutos antes que uma nova pilha macia de esterco de cavalo caísse no chão atrás do menino, piorando o odor existente. Fletcher fez apenas uma venda naquele dia: uma pequena adaga a um mercador que decidiu encurtar a pechincha para fugir do fedor, gerando um faturamento feliz de doze xelins de prata.

O soldado do outro lado da estrada tornou-se mais calado, mas mesmo assim foi muito bem, vendendo quase todos os itens que espalhara no pano diante de si. Só restavam algumas poucas bugigangas, além do chifre de rinoceronte com ponteira de ferro e, é claro, o livro. Fletcher acreditava na maior parte da história do soldado, porém suspeitava que o livro não contivesse nenhum segredo de valor. O rapaz não conseguia entender por que o homem mentiria; independentemente do que guardasse em suas páginas, o livro certamente ofereceria um vislumbre fascinante da vida secreta dos magos de batalha. Só isso já seria um prêmio valioso, e Fletcher já estaria negociando um preço pelo tomo se não quisesse tanto aquela jaqueta de couro.

Enquanto o rapaz encarava o livro, o soldado notou seu olhar e lhe lançou um sorriso astucioso. Percebendo que não havia mais compradores em potencial por perto, ele atravessou a estrada casualmente e apontou uma das melhores espadas na barraca de Fletcher.

— Quanto custa? — indagou ele, erguendo-a do suporte e girando-a de forma profissional. Ela zumbia no ar como uma libélula. A destreza e a velocidade do homem eram espantosas, considerando os cabelos grisalhos e o rosto enrugado.

— Trinta xelins, mas a bainha que vem junto custa mais sete — respondeu Fletcher, ignorando o reluzir da lâmina que girava e prestando atenção na outra mão do soldado. O menino conhecia todos os truques, e o comportamento do soldado o lembrava um dos clássicos. Redirecione o olhar fazendo um alvoroço com um produto mais caro, então surrupie um item menor, como uma adaga, para um bolso profundo enquanto o vendedor está distraído. O soldado bateu os nós dos dedos na mesa para trazer a atenção de Fletcher de volta ao item em questão.

— Vou ficar com ela. Tem um bom equilíbrio e um belo fio de corte. Nada dessas bobagens de esgrima que os oficiais gostam tanto. Você acha que estocar um orc vai detê-lo antes que ele lhe arranque a cabeça? É que nem espetar um lobo com um palito. Eu aprendi rápido: você desfere um golpe nas pernas de um orc e ele cai como qualquer homem. Não que eu precise de uma espada decente para a frente do norte, mas é difícil se livrar dos velhos hábitos.

Ele pontuou a última frase cravando a espada na terra, em seguida puxando a bolsa de dinheiro e começando a contar. Fletcher pegou a bainha atrás da barraca, uma peça simples mas de qualidade, feita com uma moldura de carvalho embrulhada em couro cru.

— Eles não pechincham lá de onde você vem? — indagou o menino, depois de receber o dinheiro.

— Claro que sim. Eu só não gostei do jeito que aquele bastardinho falou da sua barraca. O inimigo do meu inimigo é meu amigo, não é esse o ditado? Queria que os elfos pensassem assim. Com eles seria algo do tipo: o inimigo do meu inimigo está vulnerável, então vamos esfaqueá-lo pelas costas enquanto ele não estiver olhando — resmungou o soldado.

Fletcher continuou calado, sem querer se meter numa conversa sobre política. Havia muita gente solidária à causa élfica, e uma discussão acalorada sobre o assunto poderia afastar alguns dos mercadores que tinham vindo ferrar os cavalos.

— Eu estava curtindo sua história antes de ele chegar. Espero que não se ofenda com a pergunta, mas tinha alguma parte que era verdade? — Fletcher olhou nos olhos do homem, desafiando-o a mentir. O soldado o fitou por um momento, em seguida relaxou visivelmente e abriu um sorriso.

— Eu posso ter... enfeitado um pouco. Li algumas partes do livro, mas não sou muito bom de leitura, então só folheei. Pelo que consegui entender, ele estava estudando os orcs, tentando aprender com eles. Tinha símbolos órquicos por todos os lados, e divagações semitraduzidas sobre os clãs e ancestrais deles. Também havia uns rascunhos de demônios, e muito bons, por sinal. O cara era um bom desenhista, mesmo que não fosse o melhor dos conjuradores.

O soldado deu de ombros e pegou uma adaga da barraca, usando-a para limpar a terra sob as unhas.

— Uma pena, de qualquer jeito. Achei que seria bom desovar o livro aqui. Vou ter que vender barato na fronteira élfica. Tem uns soldados que são loucos pelos magos de batalha, mas nenhum deles tem um tostão. Talvez eu o venda para vários deles, página por página. — Ele pareceu gostar da ideia e assentiu para si mesmo, como se o problema estivesse resolvido.

— E quanto a Didric? O pai dele é poderoso, e os Pinkertons estão ficando na casa deles! Se for a sua palavra contra a de Didric, não sei para que lado a corda vai arrebentar — acautelou Fletcher.

— Bah! Já encarei coisa muito pior que um pirralho nascido em berço de bronze. Não, esses dois policiais já me viram tentando vender o livro antes, e nunca falaram bulhufas. Eles gostam de soldados, esses rapazes Pinkertons, acham que a gente é farinha do mesmo saco, mesmo que os policiais só façam bater nos anões que olham feio para eles. Bote um Pinkerton diante de um orc e você terá o que esses cavalos andaram largando aí no chão atrás de você nestas últimas horas — afirmou o soldado, franzindo o nariz.

— Bem, só não me deixe perder o que vai acontecer quando Didric voltar para buscar o livro. Quero muito ver a cara dele quando você mandá-lo pastar. — Fletcher esfregou as mãos com alegria.

Aquilo seria divertido.

7

O sol estava começando a se pôr, e o humor do soldado ficava cada vez melhor conforme faturava uma pequena fortuna na sua barraca improvisada. Não restava mais nada, exceto o livro, deixado com otimismo no centro do pano aos seus pés. Ao longo do dia, o soldado exaltava as virtudes dos produtos de Fletcher sempre que um cliente inspecionava a barraca. Graças a todos os elogios, o rapaz acabou vendendo mais duas adagas e uma das espadas mais baratas a um bom preço. O saldo do dia não tinha sido assim tão ruim, afinal, e Fletcher mal podia esperar para botar as mãos na jaqueta de couro.

— Talvez pudéssemos tomar um drinque na taverna depois disso para comemorar nossa boa sorte — sugeriu o soldado, enquanto atravessava a estrada novamente.

— A taverna parece uma boa ideia, se você me deixar fazer uma parada rápida antes. Tenho que comprar uma coisa — respondeu Fletcher com um sorriso, erguendo uma bolsa pesada e chacoalhando para o outro ver.

— Isso aí é para o livro? — indagou o soldado meio que brincando, mas com um toque de esperança na voz.

— Não, apesar de que, honestamente, se eu tivesse dinheiro sobrando, eu lhe faria uma oferta justa por ele. Mas tem uma jaqueta que eu quero muito, e tenho o dinheiro contado. Esta barraca é do meu... mestre, Berdon, então o que ganhamos hoje vai para ele.

Ao som do próprio nome, Berdon ergueu o olhar do casco de cavalo que segurava nas enormes mãos e lançou um aceno respeitoso de cabeça ao soldado antes de voltar ao trabalho.

— Meu nome é Fletcher, e o seu? — perguntou Fletcher, estendendo a mão.

— Meu nome de família é Rotherham, mas meus amigos me chamam de Rotter — respondeu ele, segurando a mão de Fletcher com uma palma dura como couro. O aperto de mão lhe pareceu firme e honesto. Berdon sempre falara que dava para dizer muita coisa sobre uma pessoa pelo aperto de mão.

— Você está liberado, Fletcher. Trabalhou bem hoje — disse Berdon. — Eu guardo a barraca sozinho.

— Tem certeza? — indagou o aprendiz, ansioso para se afastar dos cavalos e escutar as histórias de guerra do soldado no calor da taverna.

— Caia fora daqui antes que eu mude de ideia — retrucou o ferreiro, acima do chiado do casco.

A barraca de couros não ficava muito longe, e Fletcher sentiu uma profunda decepção ao notar que a jaqueta que queria não estava mais à mostra. Ele correu à frente de Rotherham rua abaixo, com a esperança de que a peça tivesse sido guardada por engano. Janet olhou para o rapaz enquanto contava o lucro do dia; uma bela pilha de xelins de prata e soberanos de ouro que cobriu com os braços.

— Eu sei o que você vai me perguntar, Fletcher, mas temo que você esteja sem sorte. Vendi a jaqueta faz uma hora. Não se preocupe, porém. Eu sei que a venda será garantida, então começarei a fazer outra imediatamente. Vai ficar pronta em algumas semanas.

Fletcher cerrou os punhos de frustração, mas concordou com a cabeça. Ele teria de ser paciente.

— Vamos lá, garoto. Eu te pago um drinque. Amanhã será outro dia. — Rotherham lhe deu tapinhas nos ombros. Fletcher empurrou o desapontamento para escanteio e forçou um sorriso.

— A temporada de caça está quase no fim — comentou o menino, espantando a frustração com argumentos. — Eu não teria muitos dias para usar a jaqueta neste inverno, de qualquer jeito, porque estarei na forja quente preparando minha próxima viagem à frente élfica. Eles precisam desesperadamente de novas armas para cumprir as cotas.

— Não que a gente vá usá-las. — Rotherham riu.

A taverna estava barulhenta e lotada de aldeões e mercadores que celebravam o fim da feira. Apesar disso, Fletcher e Rotherham abriram caminho até um canto, cada um com uma grande caneca, conseguindo de alguma forma manter a maior parte da cerveja dentro do recipiente, longe do piso de madeira já grudento de drinques derramados. Eles se sentaram num nicho com dois bancos e uma mesa bamba, onde estava mais silencioso e eles poderiam ouvir um ao outro.

— Você se importa se eu perguntar sobre a guerra, ou é um assunto que você prefere evitar? — indagou o rapaz, lembrando-se da emoção que o homem tinha demonstrado ao recontar a noite em que perdera os camaradas na floresta.

— De maneira alguma, Fletcher. É tudo o que eu fiz nas últimas décadas, provavelmente não tenho mais sobre o que falar — respondeu Rotherham, fortificando-se com um longo gole. A cerveja desceu pelo queixo grisalho, e o homem estalou os lábios e suspirou.

— Ouvimos rumores de que a guerra não vai bem para nós. Que os orcs estão se tornando mais ousados, mais organizados. Por que isso acontece? — perguntou Fletcher, mantendo a voz baixa. O pessimismo em relação à guerra era considerado pouco patriótico, talvez até uma traição. Isso era um dos muitos motivos para que as notícias da frente órquica viajassem tão lentamente até Pelego.

— Só posso responder com mais rumores, mas provavelmente de fontes melhores que as suas. — Ele se inclinou para a frente, chegando tão perto que Fletcher sentiu o bafo de cerveja. — Tem um orc unindo as tribos sob uma bandeira, liderando-os como chefe de guerra. Não sabemos muito sobre ele, além do fato de ser albino e o maior orc já visto. As tribos acreditam que ele é algum tipo de messias, enviado para salvá-los da gente, então o seguem sem questionamento. Que a gente saiba, só houve um outro orc desses, nos tempos da Primeira Guerra Órquica, dois mil anos atrás. É por causa desse albino que os xamãs orcs compartilham seu conhecimento e poder, para assim mandar ondas e mais ondas de demônios contra nós e lançar bolas de fogo no céu para nos bombardear à noite.

Os olhos de Fletcher se arregalaram conforme Rotherham falava, a cerveja já esquecida. As coisas estavam piores do que ele tinha pensado. Não era de se espantar que perdões estivessem sendo trocados pelo alistamento de criminosos.

— Às vezes eles rompem as linhas e grupos de saqueadores avançam bastante em Hominum. Nossas patrulhas sempre os pegam no fim, mas nunca rápido o bastante. Já vi muitas vilas completamente incendiadas, sem mais nada além de ossos e cinzas. — Rotherham agora estava a todo vapor, cuspindo cerveja a cada gole. — Eles se livram de veteranos como eu, colocam um mosquete nas mãos de um menino e dizem a ele que é um soldado. Você deveria ver o que acontece quando os orcs investem com força total. Se os rapazes forem sortudos, disparam uma salva e então dão meia-volta e correm. É uma maldita desgraça! — gritou ele, batendo a caneca na mesa. — Garotos demais estão morrendo, e é tudo culpa do rei. Foi Hominum que transformou a incursão ocasional numa guerra para valer. Quando rei Harold recebeu o trono do pai, ele começou a fazer pressão contra as selvas, mandando homens para cortar as árvores e escavar a terra.

Rotherham fez uma pausa e fitou o fundo da caneca. Tomou um longo gole e voltou a falar:

— Vou te contar uma coisa. Se não fossem os conjuradores, a gente estaria com sérios problemas. Eles são uns camaradas meio cheios de si, se acham os tais, mas a gente precisa deles mais do que de qualquer outra coisa. Os demônios deles ficam de olho nas fronteiras e nos avisam quando um ataque está chegando, e um demônio dos grandes é a única coisa capaz de deter um rinoceronte de guerra, afora um canhão ou uma salva de cem mosquetes. Quando chovem as bolas de fogo, os magos de batalha erguem um escudo sobre as linhas de frente. Ele ilumina o céu como um domo de vidro brilhante. O escudo leva uma surra e fica todo rachado durante a noite, mas o pior que acontece com a gente é uma noite de sono ruim. — Rotherham tomou mais um pouco da caneca e a ergueu num brinde. — Deus abençoe aqueles palhaços engomadinhos.

Ele deu um tapa no joelho e virou o restante do líquido. Assim que se levantou para ir até o balcão comprar mais cerveja, a mão pesada de alguém o empurrou de volta ao banco.

— Ora, ora. Mas que coisa mais previsível, vocês dois se tornarem amigos. Eles realmente dizem que as cobras viajam em pares — comentou Didric, com um sorriso sarcástico.

Jakov tirou a mão do ombro de Rotherham e fez gestos exagerados de limpar a mão nas calças, o que fez Didric dar uma risadinha. Ambos vestiam seus uniformes de guarda, cota de malha pesada sob um tabardo alaranjado da mesma cor das tochas na taverna.

— Acredito que tivéssemos uma compra combinada previamente. Aqui estão os quatro xelins, conforme acordado. Mais do que você merece, mas precisamos sempre ser caridosos com aqueles menos afortunados que nós. Não é mesmo, Jakov? — indagou Didric, jogando as moedas na mesa.

Jakov riu e concordou com a cabeça. Fletcher fungou; o guarda mal tinha mais dinheiro do que ele, e era tão malnascido quanto possível. Seu rosto estava vermelho de embriaguez, e Fletcher suspeitou que Didric tivesse amaciado o colega com cerveja a noite inteira para conquistá-lo à sua causa. Não que Jakov precisasse de muita persuasão; o homem venderia a própria mãe por alguns xelins.

Rotherham não fez menção de recolher as moedas. Em vez disso, encarou Didric até que o garoto se ajeitou, desconfortável.

— Vamos lá. Um acordo é um acordo. Não é culpa minha que você seja uma fraude. Tem sorte de não estar acorrentado, a caminho de uma corte marcial por deserção — continuou Didric, protegendo-se atrás do outro guarda.

A realidade da situação começou a ficar clara para Fletcher, e o menino adquiriu uma nova percepção de Jakov. Ele era um sujeito grande, pelo menos uns 30 centímetros mais alto que Rotherham, e quase tão musculoso quanto Berdon. Não tinha sido contratado como guarda pela inteligência, sem dúvida.

Mesmo Didric era meia cabeça mais alto que Fletcher, e seu corpo rechonchudo tinha o dobro da largura do esguio ajudante de ferreiro.

Rotherham continuou a encarar, desconcertando Fletcher com seu olhar de aço ainda cravado na cara gorducha de Didric. A tensão no recinto aumentou mais alguns graus quando Jakov levou a mão ao cabo da espada.

— Olhe na bolsa dele. Provavelmente está lá — ordenou Didric, mas sua voz trazia um toque de incerteza.

Quando Jakov fez menção de pegar a bolsa, Rotherham se levantou subitamente, assustando o par de guardas, que deu um passo atrás. Fletcher se levantou junto, com os punhos cerrados. Seu pulso estava acelerado, e ele ouvia o próprio coração vibrando, conforme a adrenalina tomava conta de seu corpo. Sentiu uma pontada de satisfação quando as sobrancelhas de Didric se ergueram em alerta com a confrontação.

— Se você vai desembainhar essa espada, é melhor saber usá-la — rosnou Rotherham, com a própria mão apoiada no cabo da espada que tinha comprado de Fletcher.

Didric empalideceu ao vê-la. Ele tinha notado que o soldado não portava armas no mercado, e claramente não esperava que estivesse armado agora. Seus olhos dardejaram furtivamente entre Jakov e o velho. Numa luta de espadas, o soldado teria a vantagem.

— Sem armas — declarou Didric, desatando a espada e a deixando cair no chão. Jakov o imitou.

— É, nada de armas — concordou Fletcher, erguendo os punhos. — Eu lembro como você estava preocupado em não sujar o seu uniforme de sangue.

Rotherham grunhiu em concordância e deixou a bainha na mesa.

— Faz um bom tempo desde a última vez que me meti numa boa e velha briga de taverna — declarou ele, divertido, catando a caneca de Fletcher e levando-a aos lábios.

— Lute sujo e bata na cara. Regras de cavalheiros são para cavalheiros — murmurou Rotherham pelo canto da boca, e com isso ele girou e jogou cerveja nos olhos de Jakov, cegando-o. Rápido como um raio, mergulhou o joelho na virilha do brutamontes e, no que o guarda se curvou, Rotherham lhe deu uma cabeçada no nariz, provocando um estalo.

Então Fletcher estava no meio da confusão, socando a cara redonda de Didric. O alvo era fácil, e o primeiro golpe amassou o nariz, espirrando algo vermelho como um tomate maduro demais. O aprendiz de ferreiro sentiu uma explosão de dor no punho, mas a ignorou, usando o impulso para dar uma ombrada no peito de Didric e lançá-lo ao chão. Isso foi um erro. Quando a luta passou para o chão, o jovem guarda conseguiu usar seu peso, que é maior, como vantagem. Passou um braço carnudo pelo pescoço de Fletcher e aplicou pressão. A visão do menino escureceu e sua consciência começou a se esvair. Num último esforço, ele cravou os dentes na pele nua do pulso de Didric, tão forte que sentiu os ossos raspando. Um guincho de dor soou em seu ouvido, e o braço recuou. O alívio deixou Fletcher tonto enquanto ele ofegava como um peixe encalhado na praia. Acertou uma cotovelada na barriga blindada de Didric e então girou, ficando de cócoras.

Quase imediatamente, Didric estava em cima dele de novo, tentando achatá-lo no chão. Desta vez, Fletcher estava preparado, puxando na mesma direção que o outro empurrou e usando o impulso do menino gordo para rolar para cima dele. Então seus dedos estavam apertando a garganta de Didric, sufocando-o com toda força que as mãos continham. O jovem guarda estapeou o pescoço, então levou a mão ao lado.

— Cuidado! — gritou Rotherham, e Fletcher pulou para trás bem a tempo. Uma adaga curva cortou sua túnica azul e um corte feito linha ardeu em sua barriga. Gotas de sangue brotaram e mancharam o tecido de vermelho, mas o rapaz sentiu que era apenas um arranhão. Didric se levantou de qualquer jeito e golpeou de novo, mas Fletcher tinha recuado.

Então Rotherham estava lá, com a espada tocando a base do pomo de adão de Didric.

— O que aconteceu com "um acordo é um acordo"? — grunhiu Rotherham, avançando de modo que Didric teve que cambalear para trás sobre o corpo inconsciente de Jakov.

Fletcher percebeu que a taverna inteira estava assistindo. O único som eram os engasgos estridentes de Didric enquanto este tentava falar, sem que nenhuma palavra lhe saísse da boca.

— O que você me diz, Fletcher? Vamos fazer com ele o que ele tentou fazer com você? Suas tripas estariam espalhadas no chão se eu não o tivesse visto pegando aquela adaga — proclamou Rotherham, para que toda a plateia pudesse ouvir. Desta vez, os murmúrios estavam firmemente do lado do soldado.

— Não, acho que não, Rotherham. Precisamos sempre ser caridosos com aqueles menos afortunados que nós. — As palavras de Fletcher saíram encharcadas de desdém enquanto ele baixava a espada de Rotherham. Antes mesmo que as palavras tivessem terminado de deixar a boca do menino, Didric já tinha corrido à porta, largando tanto Jakov quanto sua espada esquecidos no chão.

Os homens na taverna ergueram as vozes em desprezo quando a porta bateu atrás do guarda, que fugiu apressado. A risada logo brotou conforme o divertimento recomeçava.

— Vamos — disse Fletcher a Rotherham, os pensamentos trôpegos de alívio. — Vou fazer uma cama para você na nossa forja. Você não estará seguro em nenhum outro lugar esta noite.

8

Fletcher abriu os olhos e se arrependeu imediatamente. A luz cinzenta que entrava pela janela aberta era de uma luminosidade cegante. O rapaz se sentou, tremendo, e cambaleou para fechá-la; a respiração saindo em baforadas no ar gelado. Provavelmente tinha deixado a janela aberta em seu estado de embriaguez.

O menino piscou para o quarto escuro, mas não viu o soldado. Apenas a pilha de peles que tinha ajeitado para ele no canto. Sentindo o medo crescer, Fletcher saiu e viu que a mula de Rotherham tinha sumido; não havia sinal dele em lugar algum.

— Finalmente acordou, é? — perguntou Berdon detrás dele, com a voz repleta de desaprovação. Estava parado junto à forja com os braços cruzados e uma expressão perplexa no rosto.

Fletcher assentiu, incapaz de falar ao sentir a primeira onda de náusea. Ele nunca mais ia beber na vida.

— O soldado me informou dos eventos da noite passada antes de partir. Não posso dizer que aprovo brigas, e muito menos essa facada que você só não levou por um triz, mas fico feliz por você ter dado uma lição naquele seboso — disse Berdon com um sorriso pesaroso. Ele bagunçou o cabelo de seu aprendiz com afeto rude, fazendo a cabeça do menino balançar, entontecida. Fletcher sentiu a ânsia chegando e correu para o lado de fora, despejando o conteúdo do estômago nos paralelepípedos.

— Bem feito! Que lhe sirva de lição — gritou o ferreiro do lado de dentro, rindo entre dentes do infortúnio do menino. — Espere só até você provar os destilados. Na manhã seguinte, você vai lembrar do que está passando agora e sentir saudades.

Fletcher grunhiu e tossiu, na tentativa de tirar o gosto amargo de ácido da garganta, então cambaleou até a forja. Juntou as peles que tinham servido de cama improvisada a Rotherham e desabou no catre do seu quarto.

— Acho que já botei tudo para fora — comentou o menino, limpando a boca com as costas da mão.

— É, você deixou uma bela refeição para os ratos — disse Berdon da forja. — Vou fritar umas salsichas de porco para você e buscar água gelada no poço.

Fletcher se sentiu mal só de pensar em comida, mas decidiu que lhe faria bem. Rolou na cama para voltar a dormir e ficou deitado no calor reconfortante das peles por um tempo. O chiado das salsichas fritando começou a soar, e o rapaz se ajeitou, tentando ficar confortável.

Havia algo embaixo dele, cutucando-lhe o flanco. Fletcher enfiou a mão nas peles e puxou o objeto.

Um saco tinha sido deixado entre as peles de Rotherham, com um pedaço de pergaminho preso do lado de fora. Fletcher soltou-o e espremeu os olhos para decifrar os garranchos quase ilegíveis.

O soldado não tinha mentido quando disse que não era lá muito bom com as letras, mas Fletcher entendeu a nota razoavelmente bem. O velho malandro tinha escapulido de manhã, mas deixara um presente de despedida. Fletcher não se incomodou. Tinha certeza de poderia ver Rotherham em breve, mesmo que não soubesse bem o que poderia fazer com uma tanga de gremlin, se fosse esse o presente.

Fletcher abriu o cordão da bolsinha e sua mão sentiu algo rígido e retangular. Não poderia ser... poderia? Ele despejou o conteúdo do saco e exclamou de espanto, segurando o objeto com ambas as mãos. Era o livro do conjurador!

O rapaz tocou o couro marrom macio, traçando com a ponta dos dedos o pentagrama entalhado na capa. Símbolos estranhos estavam gravados

nas extremidades da estrela, cada um mais bizarro que o anterior. Fletcher folheou as páginas, descobrindo cada centímetro preenchido com caligrafia elegante, interrompida intermitentemente com rascunhos de símbolos e criaturas estranhas que o menino não conseguia reconhecer. O livro era grosso como um lingote de ferro, e pesava mais ou menos o mesmo. Levaria meses para ler tudo aquilo.

O som de Berdon colocando comida no prato chegou aos seus ouvidos, e ele se apressou em esconder o livro debaixo das peles.

Berdon trouxe as salsichas e as colocou na cama com cuidado exagerado. Fletcher percebeu que estavam perfeitamente douradas em todos os lados, e temperadas com sal de rocha e pimenta-do-reino moída.

— Mande isso para dentro. Você vai se sentir melhor rapidinho. — Berdon lhe deu um sorriso solidário e saiu do quarto, fechando a porta.

Apesar do cheiro delicioso que preenchia o aposento, Fletcher ignorou as salsichas e recuperou o livro do esconderijo.

Uma única página caiu bem do fim do livro, de um papel feito de um tecido estranho e similar a couro, diferente do resto. Fletcher abriu o tomo no lugar de onde o papel tinha caído e leu as palavras ali escritas:

Completamos no dia de hoje exatamente um ano desde que lorde Etherington ordenou que minha pesquisa começasse, porém não estou nem um pouco mais perto de descobrir um novo caminho até o éter. Os pentagramas usados pelos xamãs orcs têm chaves diferentes das nossas, disso eu agora tenho certeza. Porém, eles cobrem seus rastros com regularidade surpreendente. Ainda não consegui recriá-los com sucesso, mas estou certo de que, se eu me aventurar em terreno ainda não maculado pelo toque de Hominum, pistas de sua natureza poderão ser descobertas. Devo portanto empreender todos os esforços possíveis para avançar além das linhas de frente, onde poderei ver um orc executando um conjuro e, talvez, obter um vislumbre de seus pentagramas. É essencial descobrir que chaves eles utilizam, e em qual ordem.

Hoje minha busca finalmente rendeu frutos, mas não do tipo que eu esperava. Nas minhas escavações dos resquícios de um velho acampamento órquico, descobri um encantamento entalhado num pergaminho feito de pele humana. Encontrei uma surpreendente alegria em sua tradução; a linguagem órquica é muito brutal em sua expressão, mas há nela uma beleza selvagem que não consigo explicar.

Suspeito que o pergaminho conceda um demônio ao adepto que o ler. Muito provavelmente será um diabrete de nível baixo, um presente de um xamã mais velho ao seu aprendiz, para iniciá-lo no aprendizado da arte das trevas. Será uma rara oportunidade de examinar um demônio de uma região diferente do éter. Talvez, através de um escrutínio mais cuidadoso, esse diabrete me indique a direção certa. Com cada fracasso minha determinação cresce, porém não consigo afastar a sensação de que minha missão seja percebida pelos meus colegas como um esforço inútil. Mesmo que meu demônio seja fraco, eu provarei aos opositores que tenho tanto direito de ser um oficial quanto aqueles de sangue azul.

Agora preciso partir, pois meu comandante me convocou à sua barraca. Talvez essa seja minha primeira oportunidade de penetrar em território inimigo.

Estas últimas palavras estavam escritas num rabisco irregular, como se o autor estivesse com pressa. Era claramente algum tipo de diário. Fletcher folheou até o começo para ver se havia um nome, e lá estava; inscrito em letras douradas viam-se as palavras *O Diário de James Baker*.

Fletcher reconheceu o sobrenome comum. O homem deveria ter sido um dos raros camponeses com a habilidade de conjurar, uma ocorrência descoberta puramente por acaso quando um cavalariço intrometido lia alguma coisa que não deveria e conjurava um demônio por acidente. Com essa revelação, a maioria dos rapazes e garotas da idade de Fletcher nas cidades grandes passaram a ser testados em busca de minúsculos traços das habilidades necessárias para se controlar um demônio. Mas Pelego era pequena e isolada demais para merecer uma visita da Inquisição.

Ele inspecionou a folha solta, fazendo uma careta ao perceber do que o material era feito. Runas bárbaras a marcavam, com a caligrafia elegante do conjurador abaixo ensinando a pronúncia fonética.

Fletcher sorriu e começou a comer as salsichas, saboreando cada fatia. Era difícil evitar que seus olhos voltassem à página horrenda. Ele sabia o que iria tentar fazer naquela noite...

9

Fletcher não sabia bem por que tinha se dado ao trabalho de se esgueirar até o cemitério. Não era como se alguma coisa fosse realmente acontecer, afinal. Para começar, ele sabia que a maioria dos camponeses descobertos como adeptos exibia pequenos sinais de habilidades especiais mesmo antes de ser encontrado, como o poder de mover pequenos objetos ou mesmo de criar uma fagulha. O rapaz estava certo de que a coisa mais próxima que ele tinha de uma habilidade especial era o talento de enrolar a língua.

Mesmo assim, era uma atividade empolgante, e talvez, depois de ter lido o encantamento, Fletcher pudesse vender o pergaminho na sua próxima viagem à frente élfica sem o arrependimento de não ter tentado. Ele encontraria Rotherham e dividiria os lucros com ele, é claro. Afinal de contas, tinha sido um presente generoso e, no fundo, era Fletcher quem estava em dívida com o soldado, e não o contrário.

O rapaz se sentou numa lápide partida e pousou o livro aberto num velho toco de árvore logo adiante. Tinha ficado em dúvida quanto a trazer o livro ou deixá-lo em casa. Didric e seus capangas poderiam invadir a ferraria enquanto ele estivesse fora, ou o assaltar se o encontrassem a caminho do cemitério. No fim, o trouxera simplesmente porque odiaria perdê-lo de vista.

O pergaminho tinha textura de couro, e Fletcher percebeu, em um momento de horror, que os símbolos provavelmente haviam sido entalhados na carne da vítima, para cicatrizar antes que ela fosse esfolada viva. O rapaz estremeceu com o pensamento apavorante, e resolveu segurar o documento com o mínimo de dedos possível. A superfície era surpreendentemente seca e poeirenta.

As palavras no pergaminho não passavam de uma lista de sílabas, mais algum tipo de *dó ré mi* musical que qualquer forma de linguagem órquica. De qualquer maneira, o menino não fazia ideia de qual língua era usada em conjuros; talvez os orcs tivessem traduzido o que ele estava prestes a ler para a escrita de seu próprio povo a partir de alguma outra linguagem completamente diferente. Além disso, James Baker tinha escrito que este demônio já tinha sido capturado por um xamã e, de alguma forma, "presenteado". Quem poderia saber o que isso acarretava? Ainda assim, ele leria as palavras, então voltaria à cama quente, feliz ao saber que tinha tentado.

— *Di rah go mai lo fa lo go rah lo...* — começou ele, sentindo-se um tanto ridículo e feliz porque ninguém o assistia, exceto talvez os fantasmas de pessoas havia muito mortas.

As palavras fluíram da língua de Fletcher como se ele as conhecesse de cor, e ele não poderia mais parar nem se quisesse, tão grande era o impulso de pronunciá-las alto e claro. Uma sensação impetuosa e inebriante se espalhou por seu corpo como um cobertor quentinho, só que, em vez da névoa trazida pela cerveja, o menino sentia uma clareza perfeita, como se estivesse contemplando as águas plácidas de um lago montanhês. Na mente de Fletcher, as palavras eram mais como uma equação mística, cada uma se repetindo em ciclos variáveis que eram quase melodiosos em sua pronúncia.

— *Fai lo so nei di roh...*

As palavras seguiam monótonas, quase um zumbido implacável, até que ele finalmente chegou à última linha. Ao articular as palavras finais, Fletcher sentiu a mente se deslocar de uma forma que ele reconhecia. Aquela sensação de agudeza afiada como uma navalha que experimentava quando soltava a flecha, só que duas vezes mais forte do que jamais sentira. As cores do mundo se tornaram vívidas, quase iridescentes. As pequenas flores de inverno que cresciam por entre os túmulos pareciam quase incandescer com luz etérea, de tão brilhantes que estavam em sua visão.

O coração do menino trovejava no peito, e ele sentiu um puxão na mente, no começo hesitante, depois insistente e tão poderoso que Fletcher caiu de joelhos.

Ao erguer a cabeça, ele percebeu que a capa do livro cintilava. Seus olhos se arregalaram ao ver as linhas do pentagrama se acenderem, a estrela dentro do círculo tremulante com um brilho arroxeado. Então, como se tivesse estado ali desde o começo, um orbe de luz azul apareceu alguns centímetros acima do símbolo. Inicialmente não passava do pontinho de um vagalume, chegando ao tamanho de um pedregulho em poucos segundos. Pairou ali, tão brilhante que Fletcher foi obrigado a desviar os olhos e cobri-los com as mãos conforme a claridade se intensificava até uma esfera ardente, luminosa como o sol. Um rugir como das chamas atiçadas na forja de Berdon chegavam a seus ouvidos, lançando ondas de dor pela cabeça.

Depois do que pareceram horas, tudo cessou. Na escuridão e silêncio súbitos, Fletcher achou que estava morto. Ele se ajoelhou com a testa na terra macia, inspirando grandes golfadas do cheiro de grama para se convencer de que ainda estava lá, mesmo que o ar agora estivesse marcado por um odor sulfúrico que o rapaz não reconhecia. Foi só o soar de um trinado suave que fez Fletcher erguer a cabeça.

Havia um demônio agachado num morrete de grama a 60 centímetros do livro, sentado sobre as patas traseiras. A cauda chicoteava atrás dele como o rabo de um gato do mato, e as garras seguravam os restos de algo negro e brilhoso, algum tipo de diabrete com forma de inseto do outro mundo. O ser roía o besouro-demônio como um esquilo a uma noz, esmigalhando e escavando a carapaça.

A criatura tinha mais ou menos o tamanho de um furão, com um corpo similarmente ágil e flexível e membros longos o bastante para que fosse capaz de avançar como um lobo da montanha, em vez de correr aos poucos como um lagarto. Sua pele lisa era de um vermelho profundo, a cor de um bom vinho tinto. Os olhos eram grandes e redondos como os de uma coruja, ferozmente inteligentes e da cor de âmbar bruto. Para a surpresa de Fletcher, o demônio não tinha dentes de verdade; seu focinho terminava numa ponta afiada, quase como o bico de uma tartaruga do rio. Ele o usou para abocanhar o resto do besouro antes de voltar sua atenção ao menino.

Fletcher empalideceu e se arrastou para trás, encostando-se na lápide partida. Por sua vez, a criatura guinchou e se escondeu detrás do toco, saltando sinuosamente enquanto a cauda balançava de um lado ao outro. Fletcher notou um ferrão afiado na extremidade, como uma ponta de flecha entalhada em osso de cervo. O cemitério estava quieto, nem uma brisa ousava romper o silêncio que se assentara sobre o mundo de Fletcher como uma coberta.

A esfera amarela do olho da criatura espiou desconfiada sobre a beira do toco. Quando os olhares de ambos se encontraram, Fletcher sentiu algo estranho no limite da consciência, uma identidade distinta que parecia estar conectada a ele de alguma forma. O menino sentiu uma intensa curiosidade, irresistível em sua insistência, mesmo enquanto estava dominado pela vontade de fugir. Ele inspirou mais uma vez de maneira funda e soluçante, e se preparou para correr.

Subitamente, o demônio disparou por sobre o toco num salto lânguido, pousando no peito arfante de Fletcher. Ele fitou o menino, inclinando a cabeça para o lado como se lhe examinasse o rosto. Fletcher segurou a respiração quando a criatura chilreou incompreensivelmente e lhe deu tapinhas com a pata da frente. O rapaz ficou ali sentado, paralisado.

Mais uma vez a criatura trinou para ele. Então, para o horror de Fletcher, ela continuou a escalada, cada garra perfurando o tecido da camisa. O demônio se enrolou no pescoço do rapaz como uma cobra, e a pele coriácea de sua barriga era lisa e quente. A cauda chicoteou diante do rosto de Fletcher, continuando o movimento e circundando-lhe a nuca. O aprendiz de ferreiro sentia a respiração quente do ser na orelha, ciente de que ele iria esganá-lo naquele instante; uma morte dolorosa que Didric já tentara lhe conceder. Pelo menos eles não teriam que transportar seu corpo por muito tempo para o enterro, pensou com morbidez. Quando a pressão começou, Fletcher fechou os olhos, rezando para que fosse rápido.

10

Os minutos se passaram na velocidade de uma lesma. O terceiro sino da madrugada já devia ter tocado, e só faltavam algumas horas para a alvorada. Fletcher estava começando a sentir frio, mas resistia à compulsão de tremer por medo de sobressaltar o diabrete. Rajadas gêmeas de vapor se erguiam a sua esquerda com cada expiração das narinas do demônio. O peito avermelhado subia e descia num ritmo contínuo, e Fletcher ouvia um sussurro suave quando a respiração quente lhe fazia cócegas na orelha. Era quase como se... o demônio estivesse dormindo! Como tal coisa poderia acontecer, ele não sabia, mas estava feliz em ainda ser capaz de respirar.

Quando Fletcher tentou tirar a criatura do pescoço, ela rosnou em seu sono e se apertou mais, as garras segurando-lhe com força perto da jugular. Fletcher removeu os dedos e ela relaxou de novo, chilreando contente. O fazia lembrar de um dos gatos da vila, que entrava escondido em seu quarto durante as nevascas e se negava a deixar o calor do colo de Fletcher, sibilando quando ele tentava se levantar. O diabrete era uma coisinha muito possessiva.

Fletcher se levantou e andou até o livro, mantendo o pescoço rígido, como se equilibrasse uma jarra d'água sobre a cabeça. Agachando-se com dificuldade, pegou o tomo, guardou o pergaminho em meio às páginas e o segurou contra o peito. Se quisesse comandar aquele demônio, então provavelmente precisaria daquelas páginas.

Foi então que ouviu: o som de vozes altas e furiosas. Fletcher se virou e detectou luzes tremeluzentes no fim do cemitério, aproximando-se cada vez mais. Como eles o haviam encontrado? Talvez um dos aldeões tivesse ouvido o barulho ou visto a luz do orbe mais cedo. Isso seria surpreendente, porém o rapaz escolhera o cemitério exatamente porque ficava localizado num pequeno afloramento ao norte da vila principal, acessível apenas por uma trilha traiçoeira e a quase 800 metros da residência mais próxima.

Fletcher vasculhou os arredores com o olhar, tomado pelo pânico, até achar um mausoléu em ruínas no canto do cemitério. Era do tamanho de uma cabana pequena, cercado por colunas ornadas e enfeitado com entalhes de flores, apesar da chuva ter erodido os detalhes muito tempo antes. O menino se esgueirou até ele e se agachou para passar pela abertura baixa, submergindo nas trevas e se escondendo atrás de um bloco de pedra que cobria a cripta bem no fundo da câmara. Fletcher sabia que um ossuário muito antigo jazia a menos de 1 metro abaixo dele, onde as ossadas de aldeões de gerações passadas eram empilhadas como lenha de fogueira.

Ele se escondeu bem a tempo, pois o brilho de uma tocha acesa tingiu o chão diante do seu esconderijo alguns segundos depois.

— Estou começando a achar que você nos trouxe em uma busca de tolos, vagueando por este cemitério — acusou a voz de Didric, carregada de frustração.

— Estou lhe dizendo, eu vi o moleque saindo pelo portão dos fundos da vila. — Fletcher reconheceu a voz como sendo de Calista, uma guarda mais nova e uma das companheiras de bebedeiras de Didric. Ela era uma garota séria, com uma tendência ao sadismo quase tão grave quanto a do outro guarda.

— Certamente você pode compreender o absurdo desta situação. Que ele estivesse vagueando pelo cemitério, dentre tantos outros lugares, no meio da noite. Ele nem tem família; quem afinal estaria visitando? — zombou Didric.

— Ele só pode estar aqui, Didric. Conferimos os pomares e os armazéns, e o moleque não está em nenhum dos dois. Este é o único outro ponto ao norte da vila — afirmou Calista.

— Bem, vasculhe tudo. Talvez ele esteja por aí, se esgueirando por trás de lápides. Vamos lá, você também, Jakov. Não estou te pagando para ficar aí parado — comandou Didric.

Jakov grunhiu, e Fletcher se agachou ao ver o homem passar pelo mausoléu, com uma longa sombra sendo lançada adiante pela tocha de Didric.

A coisa estava feia. Fletcher poderia enfrentar Didric e Calista, mas com Jakov... a única opção seria tentar escapar. Mesmo assim, a nova guarda tinha sido contratada pelo seu físico atlético, e Fletcher não sabia se poderia correr mais que ela, ainda mais com um demônio imprevisível enrolado no pescoço. Ainda bem que Didric parecia ser o único do trio carregando uma tocha. Fletcher poderia despistá-los na escuridão.

Ele se deitou no chão frio de mármore e esperou, torcendo para que eles fossem embora antes de verificar o mausoléu. Parecia um lugar óbvio onde se procurar, mas provavelmente tinha parecido vazio à primeira vista, considerando que Fletcher se escondera atrás da cobertura de pedra. A luz da tocha do lado de fora enfraquecia conforme Didric se afastava, descendo as fileiras de túmulos, e uma chuva forte começou a batucar no telhado. Fletcher se permitiu relaxar; eles não procurariam por muito tempo naquele temporal.

O teto rachado começou a vazar, e um fio fino de água se derramou ao seu lado. Fletcher se afastou um pouco da poça crescente e tentou se manter calmo, uma tarefa difícil quando ele sabia quem estava lá fora procurando por ele. Torceu para que os animais que ele caçava não se sentissem assim quando ele os perseguia pela floresta.

Bem quando achou que tinha escapado, Fletcher percebeu as trevas ao seu redor recuando à medida que a luz da tocha se aproximava. Didric estava voltando! O rapaz ouviu um praguejar quando o perseguidor entrou no mausoléu, e prendeu a respiração quando Didric torceu o manto. A tocha engasgou por conta da chuva e finalmente morreu, lançando o aposento nas trevas. Didric xingou violentamente. Alguns momentos depois, Jakov e Calista chegaram, ambos igualmente bocas-sujas e molhados.

— Eu falei que vocês poderiam parar de procurar? — grunhiu Didric no escuro, soando resignado.

— Ele não está aqui. Deve ter dado meia-volta quando fui buscar vocês — disse Calista, com a voz repleta de infelicidade.

— Não achem que serão pagos por isto — cuspiu Didric. — Sem Fletcher, sem dinheiro.

— Mas a gente tá ensopado! — choramingou Jakov, batendo os dentes.

— Ah, cresça, por favor. Estamos todos molhados. Aquele ordinário pode ter escapado, mas isso só significa que a coisa vai ficar ainda pior para ele quando o alcançarmos. Venham, vamos sair daqui.

Fletcher soltou um suspiro silencioso de alívio quando os passos do trio ecoaram para fora da câmara. Então, quando achava que a provação tinha acabado, o demônio se mexeu. Ele bocejou com um miado alto e se desenrolou do pescoço. Depois de uma lambida afetuosa no rosto de Fletcher, o bicho se deixou cair para o colo do menino e se espreguiçou, langoroso.

— O que foi isso? — sibilou Didric.

Droga.

11

Fletcher se levantou e endireitou os ombros, derrubando o diabrete no chão. Este ganiu em protesto e disparou para um canto dos fundos do mausoléu.

— É você, Fletcher? — indagou Didric, estreitando os olhos para enxergar nas trevas. A entrada era a única parte da câmara visível sob o tênue luar, então Fletcher provavelmente não passava de um vulto escuro nas sombras. Didric começou a avançar em sua direção.

— O que você quer, Didric? Já não passou da sua hora de dormir? — perguntou Fletcher, com a voz carregada de uma confiança que ele não sentia. Era melhor se anunciar agora do que permitir que Didric chegasse mais perto para investigar. Ele queria manter a lápide entre os dois.

— O ordinário está aqui! — gritou Didric, desnecessariamente; Jakov e Calista já estavam ao seu lado. As silhuetas negras do trio estavam bem marcadas contra o cemitério ao luar, dando a Fletcher a pequena vantagem de saber exatamente a posição dos três. Mas o fato de que eles estavam bloqueando a saída definitivamente não ajudava.

— Pego como um rato na ratoeira! — exclamou Didric com alegria sádica. — Onde está sua esperteza toda agora, Fletchy?

— Vejo que você trouxe as duas babás junto — comentou Fletcher, fazendo um esforço hercúleo para pensar em algum jeito de fugir.

— Três contra um, é? Por que você não me enfrenta como um homem? Ah, espera aí... a gente já tentou isso.

— Cale a boca! — explodiu Didric. — Você me pegou de surpresa. Se tivesse sido uma luta justa, eu teria feito picadinho de você. — A voz dele estava tensa, com orgulho ferido e raiva. Fletcher sabia que sua única escapatória seria enfrentar Didric um contra um.

— Então lute comigo agora. Deixe Jakov e Calista verem o que teria acontecido se não fosse de surpresa — retrucou Fletcher, com o máximo de convicção que conseguia juntar. Cerrou os punhos e deu um passo à frente. Houve silêncio por um momento, seguido de uma risada.

— Ah, não, Fletcher, eu sei o que você está tentando fazer. — Didric riu. — Não vou lutar com você hoje. — O gargalhar ecoou pela câmara, fazendo um arrepio correr pela espinha do garoto.

— Tudo bem, não lute comigo. Vamos acabar logo com essa briga. Eu tenho mais o que fazer — desafiou Fletcher, acima da risada de Didric.

O rapaz passou a mão pela borda da pedra que cobria a entrada da cripta abaixo, calculando freneticamente. Ele sabia que havia outra entrada para as catacumbas subterrâneas, numa capela abandonada logo na saída do cemitério. Se ele conseguisse de alguma forma abrir aquela passagem, talvez conseguisse escapar por ali. Sentiu a rachadura abaixo que lhe dizia que uma laje pesada selava a entrada. Era uma possibilidade remota, mas ele teria que afastar a tampa muito lentamente para que os outros não percebessem. Ainda bem que Didric era apaixonado pelo som da própria voz.

Quando Jakov e Calista se juntaram à risada, Fletcher empurrou a laje um pouquinho para trás, estremecendo ao ouvir o arranhar de pedra contra pedra. Aquilo demoraria mais do que ele esperava.

— Seu idiota, também não estamos aqui para lhe dar surra nenhuma — afirmou Didric rindo, mal se contendo de felicidade. — Não, estamos aqui para matar você, Fletcher. Você fez uma boa escolha vindo a um cemitério esta noite. Esconder seu corpo vai ser fácil.

O sangue de Fletcher congelou quando ouviu o som de espadas sendo desembainhadas. Trincou os dentes e fez força, empurrando a laje por mais outro par de centímetros, mas ainda não era suficiente. Precisaria de mais tempo.

— Me matar? Com os Pinkertons na cidade? Você é mais idiota do que eu pensava. Berdon sabe onde estou, ele irá direto falar com eles se eu não estiver em casa em breve — blefou.

Didric o ignorou e deu meio passo à frente.

Fletcher continuou tentando:

— Metade da vila viu nossa briga ontem à noite. Vocês vão passar o resto das suas vidas na prisão por conta de uma discussão que só começou há dois dias? — indagou em voz alta, tentando abafar o rilhar das pedras ao empurrá-la por mais alguns centímetros. Didric fez uma pausa e riu.

— Ah, Fletcher. Meu querido pai tem os Pinkertons comendo na palma da mão. Eles prefeririam prender um ao outro a prender o filho do novo parceiro de negócios deles — afirmou Didric, despreocupado.

Fletcher parou e tentou pensar. Parceiro de negócios? Do que diabos ele estava falando?

— De fato, talvez eu lhe conte o que ocorreu no jantar algumas horas atrás, para que você fique sabendo o que vai acontecer com sua querida vila depois que você estiver a sete palmos — continuou Didric, bloqueando a passagem de Jakov e Calista com os braços quando eles começaram a avançar. — E vocês vão aprender por que ficar ao meu lado fará bem às suas carreiras.

— Vamos lá, então. Me esclareça, por favor — zombou Fletcher, empurrando a laje de pedra o bastante para que houvesse algum espaço aberto. O menino captou uma baforada de ar preso na cripta abaixo, envelhecido como um pergaminho antigo.

— Como eu sei muito bem que aquele soldado fraudulento lhe contou, criminosos condenados serão alistados obrigatoriamente no exército. Uma péssima ideia, na minha opinião, mas onde outros veem burrice, meu pai vê oportunidades — gabou-se Didric, apoiando-se na espada. — Os prisioneiros serão transportados de dia, dormindo na prisão de cada cidade à noite, onde estarão sãos e salvos. Porém, quando alcançarem a cidade de Boreas, a mais setentrional, ainda faltarão mais dois dias de viagem até as linhas de frente élficas. Isso significa que terão de pernoitar na floresta, o que não é nada ideal. Ora, qualquer bando de malfeitores poderia atacar o comboio no meio da noite, e não haveria celas de cadeia para evitar que os prisioneiros fugissem. Mas você sabe o que fica entre Boreas e a fronteira? Nossa bela vila de Pelego, é claro.

Fletcher estava ficando farto do tom pretensioso de Didric, mas também sabia que a própria vida dependia da jactância do menino.

— E daí? Eles não podem ficar aqui. É pequeno demais. O que vocês vão fazer, alugar alguns dos quartos vazios na sua casa? — indagou Fletcher.

Ele conseguiu enfiar as mãos no espaço vazio e agarrar a parte de baixo da tampa de pedra, conseguindo dessa forma uma alavancagem. Poderia jogar a tampa para longe em um único movimento e mergulhar no buraco, mas preferia esperar até Didric estar com a falação a toda e conseguir uma vantagem silenciosa na corrida. Ele provavelmente precisaria dela, pois a laje que cobria a outra saída da cripta também teria de ser removida.

— Você não entendeu o plano, como eu sabia que iria acontecer! — exclamou Didric com irritação exagerada. — Vamos cobrar nossos empréstimos, Fletcher. Confiscar as casas de todo mundo e transformar esta vila inteira numa prisão. Imagine só, exigir o mesmo preço que uma estalagem de luxo enquanto servimos grude e oferecemos camas de palha. Lotação esgotada todas as noites, todos os pagamentos garantidos pelo Tesouro do rei. Pense nos lucros! Nossos guardas excedentes se tornarão os carcereiros e as paliçadas manterão pessoas dentro, e não fora! E, se um prisioneiro escapar, os lobos o comerão, isso se ele não se perder na floresta. Os Pinkertons já assinaram o acordo. Mesmo que a lei não siga adiante, nossa prisão será a mais segura e remota jamais construída, distante do povo de bem das cidades.

Levou alguns segundos para entenderem. O belo lar deles, com centenas de gerações de idade, transformado numa prisão. A maioria dos aldeões teria suas casas confiscadas, incapazes de quitar as dívidas que eram dez vezes maiores do que o valor originalmente emprestado. Era horrível demais até para se contemplar, porém Fletcher se ateve a uma última esperança, um problema gritante que Caspar devia ter deixado de notar.

— Nunca vai dar certo, Didric. A frente élfica não precisa de recrutas. Eles mandam o refugo lá em cima para que espere a aposentadoria. E nem essa ralé visita Pelego. Preferem viajar a noite toda ou acampar na floresta para não ter que pagar uma estalagem — apontou Fletcher, empurrando a laje o bastante para que pudesse descer pela fresta. Mas o rapaz esperou... precisava saber mais. Os aldeões tinham que ser avisados.

— Você não é tão burro assim afinal, Fletchy. Mas está enganado. Fatalmente enganado. — Didric riu com a piadinha e brandiu a espada de forma ameaçadora. — Veja bem, a frente élfica é o lugar perfeito para um campo de treinamento. Preparar criminosos para a guerra num lugar relativamente seguro, com guerreiros experientes para lhes ensinar, e depois despachá-los para o sul quando estiverem prontos. Não, Fletchy, perfeito. Mas tem uma coisa que eu não lhe contei. Acho que você vai gostar. — Didric fez uma pausa, esperando que o outro lhe perguntasse o que era.

Fletcher se desesperou. É claro, se os prisioneiros fossem direto à frente órquica, seria o caos. O exército do rei não poderia lutar uma guerra e tentar conter milhares de criminosos recém-libertados ao mesmo tempo. Se houvesse uma revolta, os soldados acabariam lutando em duas frentes. Melhor ensinar disciplina aos novos recrutas e doutriná-los ali no norte antes de mandá-los reforçar as forças assediadas de Hominum ao sul.

— O que é, Didric? — rosnou Fletcher. Ele poderia sentir a raiva borbulhando, cáustica e quente no seu peito. A família de Didric era como um bando de carrapatos, sugando a vida de Pelego. E agora eles estavam infectando a vila também.

— Bem antes que o acordo fosse fechado, eu me lembrei de você, Fletchy. De você e daquele imenso imbecil, Berdon. Avisei meu pai que os novos recrutas precisariam de equipamento, então sugeri uma solução bastante elegante. Foi aí que os Pinkertons fizeram um adendo ao contrato, concedendo a *nós* os direitos exclusivos de venda aos novos alistados na frente élfica. Somente armas e armaduras comercializadas pela minha família poderão ser compradas pelos intendentes. Começaremos a trazer armas de Boreas na semana que vem, e pode confiar em mim quando eu lhe digo que, nas quantidades que vamos comprar, nossos preços serão a metade do que Berdon está cobrando. Então, veja bem, enquanto aquele idiota ruivo estiver de luto pela sua morte, também ficará sem um tostão. Quem sabe, talvez deixemos que ele trabalhe como cavalariço. É só para isso que ele serve, afinal.

Mesmo nas trevas, Fletcher conseguia ver o sorriso satisfeito no rosto de Didric. A raiva ardia no peito do rapaz como a fornalha de Berdon, acelerando-lhe o coração até que ele quase ouvisse o sangue correndo pelas orelhas. O ódio estremecia seu corpo, cada batida do coração pulsando nas têmporas. Ele nunca quis matar ninguém antes, mas agora entendia a compulsão. Didric precisava morrer.

Ao pensar naquilo, Fletcher sentiu a ligação entre si mesmo e o diabrete, como se o bicho fosse uma imensa aranha pendurada num fio de teia. A raiva fluiu pela conexão com uma ferocidade potente, e o menino sentiu a consciência do demônio ser preenchida com a própria intenção. Didric era um inimigo, uma ameaça.

— Nada a dizer? Isto não foi tão satisfatório quanto achei que seria. — Didric suspirou e olhou os demais, ao erguer a espada deu um passo à frente. — Certo... vamos matá-lo.

12

No instante em que as palavras deixaram os lábios de Didric, o diabrete saltou das trevas. Ele guinchou ao cravar as garras no rosto do menino rico, arranhando e rasgando. Didric deu um berro e largou a espada, que caiu com um estrépito enquanto o garoto girava pela câmara como um possuído.

— Tira isso, tira isso! — uivou ele, o sangue escorrendo em abundância pelo rosto.

Jakov e Calista bateram no diabrete com os punhos, tentando não ferir Didric. Com cada soco Fletcher sentia um clarão tênue de dor nos limites da consciência, mas o demônio se manteve agarrado com obstinação, urrando de raiva. A ira de Fletcher continuava radiando dele como um fogo crepitante, enchendo o peito de fúria justiceira. Ao ápice de tal sentimento, o menino teve aquele momento de clareza mais uma vez, e o sangue negro de Didric se tornou vermelho-rubi na visão.

O diabrete se calou, em seguida abriu a boca tão largamente quanto uma cobra. Fogo líquido irrompeu da bocarra da criatura, fluindo sobre a lateral do rosto de Didric e incendiando-lhe o cabelo. Um incandescer sobrenatural e alaranjado clareava a caverna enquanto Didric desabava, seu grito engasgado interrompido quando a cabeça se chocou contra o piso de mármore. Jakov e Calista se ajoelharam e bateram nas chamas tremeluzentes, tentando apagá-las e gritando o nome de Didric. O diabrete saltou para os braços de Fletcher, que se deixou cair na cripta abaixo e correu em direção à saída; o coração batia no peito como um pássaro engaiolado.

Estava negro como breu lá embaixo, o ar morto e gelado. O menino correu sem parar, mergulhando nas profundezas da terra. Prendendo com força o livro debaixo do braço, Fletcher sentiu a mão tocar em pilhas de ossos ao tatear pelas trevas em busca do caminho; pilhas contidas por arame enferrujado e séculos de poeira. Ele derrubou um crânio da alcova ao enganchar o dedo na órbita vazia. A caveira quicou corredor abaixo e se estilhaçou em fragmentos grotescos. Fletcher esmigalhou os cacos ao avançar aos trancos e barrancos, desesperado para sair dali. O ar era abafado, e Fletcher sentia-se sufocar com cada respiração carregada de poeira. O demônio não estava ajudando em nada, cravando as garras no tecido da camisa e fungando de desconforto.

Depois do que pareceu uma eternidade, Fletcher bateu com a canela de forma dolorosa numa borda de pedra. Tateou adiante e descobriu outra. O alívio o inundou quando ele percebeu que tinha encontrado o que só poderia ser a escada para a capela. Estendeu a mão para o alto e sentiu a superfície lisa de outra laje de pedra. Com um esforço colossal, Fletcher a empurrou para cima e para o lado, jogando-a no chão com um estrondo.

O brilho fraco da lua lhe pareceu glorioso ao entrar pelas janelas quebradas da capela, banhando Fletcher em prata. O menino engoliu golfadas de ar fresco, feliz em estar livre daquela armadilha mortal. Porém, mesmo enquanto começava a relaxar, lembrou-se do que tinha acontecido. Precisava voltar a Berdon o mais rápido possível; o ferreiro saberia o que fazer.

Fletcher correu pela escuridão, usando o luar para se orientar pela trilha de cabras. Tinha certeza de que os outros estariam logo atrás, provavelmente carregando Didric. Ele teria no máximo dez minutos antes que a notícia se espalhasse. Se os guardas ouvissem que um dos seus tinha sido atacado, independentemente das circunstâncias, era improvável que Fletcher vivesse o bastante para ir a julgamento. E, mesmo se o fizesse, com as conexões de Caspar ele jamais teria uma chance justa; as únicas duas testemunhas não se incomodariam em mentir.

A vila estava quieta como uma sombra; todos dormiam em suas camas. Ao se aproximar correndo dos portões principais, Fletcher ficou imensamente feliz ao notar que a casa do portão acima estava vazia. Um dos agressores devia ter abandonado seu turno para caçá-lo.

A forja estava iluminada pelo incandescer suave dos carvões, que soltavam uma leve fumaça enquanto queimavam. Berdon estava adormecido na cadeira de vime, exatamente na mesma posição em que Fletcher o deixara ao se esgueirar para fora.

Não havia tempo a perder; o menino precisava escapar. A ideia de abandonar Pelego o feria até a alma, seu coração se apertava só de pensar. Por um momento, Fletcher entreviu a vida de vagabundo que o aguardava, vagando de vila em vila, mendigando por sobras. Balançou a cabeça para afastar tais pensamentos. Uma coisa de cada vez.

Com o coração pesado, Fletcher chacoalhou Berdon para acordá-lo.

— O que foi? — indagou o ferreiro com a voz arrastada, dando um tapa nas mãos de Fletcher. — Estou dormindo. Me acorda amanhã. — Fletcher o chacoalhou de novo, desta vez com mais força.

— Acorda! Preciso de ajuda. Não temos muito tempo — insistiu o menino. — Vamos lá!

Berdon ergueu o olhar, levando um susto quando o diabrete curioso pulou do ombro de Fletcher para seu peito.

— O que diabos é isso? — gritou, inclinando-se para o mais longe possível. O demônio grasnou com o barulho e deu um tapa pouco convincente na barba de Berdon.

— É uma longa história, mas eu vou ter que abreviar. Você precisa saber que eu serei obrigado a sumir da vila por um tempo — começou Fletcher, pegando o diabrete e o colocando no ombro. O bicho se enrodilhou no pescoço do menino e soltou um ronronar suave.

Fletcher explicou tudo o mais rápido possível, omitindo os detalhes mas se assegurando de que Berdon compreendesse todos os fatos.

Ao relatar o acontecido, Fletcher percebeu como tinha sido idiota de ir ao cemitério passando pelo centro da vila, onde qualquer um poderia vê-lo. Ao terminar, ficou ali parado, rígido, tentando recuperar o fôlego e baixando a cabeça envergonhado enquanto Berdon corria de um lado para o outro, acendendo uma tocha e arrumando coisas numa bolsa de couro. O ferreiro só fez uma pergunta:

— Ele está morto? — indagou, olhando nos olhos de Fletcher.

— Eu... não sei. Ele bateu a cabeça bem forte. Seja o que for, seu rosto vai ficar bem queimado. Vão dizer que eu o ataquei com uma tocha; que o atraí até o cemitério e depois tentei matá-lo. Eu decepcionei você, Berdon, fui um idiota — chorou Fletcher. As lágrimas se acumularam nos olhos quando Berdon lhe entregou uma bolsa grande, a mesma em que ele levara as espadas à frente élfica. Jogou o livro no fundo com um soluço, desejando que nunca tivesse chegado às suas mãos. O desespero parecia esmagar seu coração como um torno. O homenzarrão pousou as mãos nos ombros de Fletcher e segurou com força, lançando o demônio ao chão.

— Fletcher, sei que nunca lhe disse isso, mas você não é nem meu aprendiz nem um fardo. Você é meu filho, Fletcher, mesmo que não tenhamos o mesmo sangue. Estou orgulhoso de você; mais orgulhoso do que nunca. Você foi determinado e se defendeu, e não tem nada do que se envergonhar. — Berdon o envolveu num abraço de urso, e o menino enterrou o rosto no ombro do ferreiro, soluçando. — Tenho alguns presentes para você — anunciou Berdon, enxugando lágrimas do rosto.

Ele desapareceu no próprio quarto e voltou com dois grandes embrulhos. Meteu os dois na bolsa de Fletcher e lhe deu um sorriso forçado.

— Eu ia lhe dar essas coisas no seu décimo sexto aniversário, mas é melhor que as receba agora. Abra quando estiver bem longe daqui. Ah, e você vai precisar de proteção. Tome isto.

Havia um cavalete de armas na parede oposta. Berdon selecionou uma espada curva dos fundos, onde ficavam os itens mais raros. Ele a ergueu contra a luz.

Era uma peça estranha, que Fletcher nunca vira antes. O primeiro terço da lâmina era como o de qualquer espada, uma empunhadura de couro seguida de dez centímetros de aço afiado. Mas a parte seguinte da espada se curvava num crescente, como uma foice. No fim da curva a espada continuava com uma ponta aguda novamente.

— Você não recebeu treinamento formal, então se você se meter em encrencas... bem.. nem vamos pensar nisso. Esta espada-foice é uma arma imprevisível. Inimigos não vão saber como aparar seus golpes. Você pode prender a lâmina deles na curva da foice, então avançar além da guarda e golpear com o gume traseiro. A ponta é longa o bastante para estocadas, então não tenha medo de usá-la assim também.

Berdon demonstrou, cortando o ar para baixo e para o lado, em seguida trazendo o gume de trás para cima até a altura da cabeça e estocando violentamente.

— A borda exterior da foice é curva como uma boa cabeça de machado. Você pode usá-la para rachar um escudo ou até para derrubar uma árvore, se precisar, muito melhor do que qualquer outro tipo de espada. Dá para separar a cabeça de um homem dos seus ombros com um bom golpe.

Berdon entregou a arma a Fletcher, que a prendeu às costas da bolsa com um cinto de couro.

— Mantenha a espada oleada e fora da umidade. Por causa do formato, ela não encaixa em bainhas convencionais. Você vai ter que mandar fazer uma, quando tiver a chance. Diga ao ferreiro que é um *khopesh* de tamanho padrão, e ele saberá fazer uma, se conhecer o ofício — explicou Berdon.

— Obrigado. Vou fazer isso — respondeu Fletcher agradecido, acariciando o pomo de couro.

— Quanto ao demônio, mantenha-o escondido — instruiu Berdon, fitando os olhos de âmbar do diabrete. — Você nunca passaria por nobre, nem deveria tentar. Mesmo que a pessoa não tenha ouvido falar em Didric, é melhor não chamar atenção.

Fletcher segurou o demônio nos braços e o examinou, perguntando-se como exatamente poderia manter a criatura indisciplinada fora de vista.

Subitamente, os sinos começaram a tocar, o som metálico reverberando pelas ruas. Mesmo com o clamor dos sinos, Fletcher podia ouvir gritos distantes rua acima.

— Vá! Mas não para a frente élfica, é para lá que esperam que você fuja. Vá para o sul, para Corcillum. Vou barrar a porta da forja, fazer com que pensem que você ainda está aqui. Vou contê-los o máximo que puder — afirmou Berdon, empurrando o menino para fora da forja, para o ar frio da noite. — Adeus, filho.

Fletcher olhou pela última vez o amigo, mentor e pai, uma silhueta à porta. Então ela se fechou e ele estava sozinho no mundo, apenas com a criatura adormecida ao redor do pescoço. Um fugitivo.

13

Dois dias se passaram. Dois dias em fuga, fazendo e refazendo o caminho para deixar trilhas falsas. Sem comer, sem dormir; só bebendo água quando vadeava pelos córregos da montanha, tentando despistar o cheiro e evitar pegadas. Sempre que parava para descansar, ouvia os latidos dos cães de caça ao longe.

À noite, Fletcher escalava até o topo de uma árvore alta para conferir a direção usando as constelações do céu. Ao fazê-lo, via o cintilar das fogueiras dos acampamentos nos vales acima. A guarda inteira da vila e provavelmente a maioria dos caçadores o perseguiam. O pai de Didric, Caspar, devia ter oferecido uma recompensa enorme pela sua cabeça.

Agora, na terceira noite, o menino via apenas pontinhos minúsculos a meio caminho montanha acima. Eles tinham dado meia-volta, perdido a trilha. Fletcher soltou um suspiro aliviado e começou a longa descida até o chão, tomando cuidado para não perder o equilíbrio. Qualquer ferimento, mesmo um tornozelo torcido, poderia significar a morte.

O rapaz não se permitiu ficar muito complacente. Lorde Faversham, um nobre poderoso, era proprietário da maior parte das terras nos contrafortes do Dente do Urso. Ele era conhecido por mandar os próprios homens patrulharem a floresta em busca de caçadores clandestinos. Fletcher teria dificuldades em explicar a eles por que estava viajando sozinho, tão distante das trilhas seguras da montanha.

O demônio sibilou com irritação ao ser incomodado quando Fletcher pulou para o chão. O diabrete tinha ficado na posição costumeira ao redor do pescoço do menino desde que tinham deixado a vila. Fletcher estava feliz por isso. Tivera o corpo frio e encharcado por tempo demais, mas a fornalha na barriga do demônio mantinha pelo menos seus ombros e nuca quentes.

Fletcher olhou em volta e decidiu que a base do carvalho era um lugar tão bom quanto qualquer outro para montar acampamento. O solo era plano e coberto em musgo macio. A copa da árvore o protegeria do pior se alguma chuva caísse e, por mais que fosse tarde demais para construir um abrigo, havia galhos mortos mais que suficientes nos arredores para se fazer uma pequena fogueira.

O rapaz montou uma pilha de gravetinhos e aparas, então usou uma pederneira e o aço da lâmina para lançar fagulhas.

— Você não poderia me emprestar um pouco daquele fogo agora, né? — perguntou Fletcher ao demônio, as folhas úmidas ignorando as fagulhas.

O diabrete se desenrolou ao som da voz do menino, descendo pelo braço dele até o chão. A criatura bocejou e o encarou, curioso, inclinando a cabeça para o lado como um cachorrinho confuso.

— Vamos lá, deve ter algum jeito de a gente se comunicar — disse Fletcher, curvando os dedos sob o queixo do diabrete e dando uma coçadinha. O demônio chilreou e esfregou a cabeça na mão do menino. Com cada esfregada, Fletcher sentia uma pontada de satisfação profunda no limiar da consciência, como uma comichão sendo coçada.

— Fogo! — anunciou Fletcher, apontando a pilha de madeira.

O demônio latiu e girou.

— Shhh! — exclamou o garoto, atravessado por um lampejo de medo. Os baixios das montanhas eram notórios pelos lobos que os habitavam. Fletcher já tinha ouvido os uivos ao longe. Os dois haviam sido sortudos em tê-los evitado até então.

O diabrete se calou e se encolheu, rastejando por entre as pernas do rapaz. Ele tinha entendido? Fletcher se sentou de pernas cruzadas no chão úmido, estremecendo ao molhar a calça. Fechou os olhos e fez um esforço de memória, tentando lembrar se Rotherham tinha mencionado alguma coisa em suas histórias sobre como os conjuradores controlavam os demônios.

Ao fazê-lo, sentiu a consciência do demônio, tão confusa, assustada e solitária quanto a própria. Ele mandou uma onda de conforto ao bichinho e sentiu o diabrete enrijecer, então relaxar, com o medo e a solidão substituídos por simples cansaço e fome. Foi aí que Fletcher percebeu: ele não entendia as palavras, mas sentia suas emoções!

Fletcher mandou ao demônio uma sensação de frio, mas o bicho simplesmente trilou em desconforto e se enrolou na perna do rapaz. Considerando como o corpo do diabrete era quente, Fletcher suspeitava que ele não se sentiria muito à vontade com qualquer temperatura que não fosse calor. Talvez... uma imagem? Ele imaginou fogo, trazendo de volta memórias da fornalha quente na forja de Berdon.

O diabrete trinou e piscou os olhos ambarinos e redondos para o rapaz. Talvez aquela imagem fizesse a criaturinha lembrar de casa. Fletcher esfregou as mãos, frustrado; aquilo seria mais difícil do que tinha imaginado. Ele se curvou e puxou o casaco puído.

— Se eu tivesse conseguido comprar aquela jaqueta no mercado, a gente nem precisaria de fogo — grunhiu Fletcher.

O menino encarou a pilha de madeira, desejando que ela queimasse. Sem aviso, uma labareda foi disparada do colo dele, incendiando a madeira úmida e transformando-a numa fogueira crepitante.

— Sua coisinha esperta! — comemorou Fletcher, puxando o diabrete para perto e abraçando-o com força.

O rapaz já podia sentir o calor voltando aos braços e pernas gelados. Ele sorriu conforme a luz agradável do fogo lhe trouxe de volta memórias queridas da forja de Berdon.

— Isso me lembrou de uma coisa — comentou Fletcher, soltando o demônio no colo e remexendo a bolsa. Com a perseguição constante, ele quase tinha se esquecido dos presentes de Berdon. Pegou o maior dos dois embrulhos e o rasgou, com mãos ainda desajeitadas por causa do frio.

Era um arco, laqueado com verniz transparente e encordoado com uma excelente trança de couro cru condicionado. A madeira era entalhada intrincadamente, as duas metades se curvando para dentro e então para fora nas pontas, fornecendo mais força ao disparo. A madeira era teixo, uma lenha cara que Berdon devia ter comprado de um mercador no ano anterior; ela não crescia nas montanhas. O ferreiro tinha tratado e tingido a madeira para que o arco pálido se tornasse cinzento, evitando que chamasse a atenção quando o caçador estivesse escondido nas sombras. Era uma arma bela e valiosa, do tipo que um mestre caçador pagaria uma fortuna para possuir. Fletcher sorriu e olhou para o topo do Dente de Urso, agradecendo silenciosamente a Berdon. Devia ter levado meses para produzir o arco, trabalhando em segredo quando Fletcher saía para caçar. Havia até uma aljava delgada de boas flechas de penas de ganso. O rapaz provavelmente conseguiria caçar uma lebre da montanha na manhã seguinte.

Com esse pensamento, o estômago de Fletcher roncou. Pôs o segundo presente de lado e remexeu no fundo da bolsa, puxando um pacote pesado, embrulhado em papel marrom. Abriu este com mais cuidado e sorriu ao ver a carne ressecada do alce que Didric tentara roubar. Colocou algumas tiras no fogo para aquecê-las, depois passou outra para o demônio.

A criatura farejou a carne cautelosamente, em seguida deu o bote e a abocanhou. Ergueu a cabeça para trás e engoliu o pedaço inteiro de uma só vez como um falcão.

— Quase arrancou meus dedos, hein? — comentou Fletcher enquanto o aroma de cervo assado flutuava sob suas narinas.

O rapaz enfiou a mão na bolsa para ver que outros alimentos encontraria. Sentiu algo que tilintava e puxou uma pesada bolsa de moedas.

— Ah, Berdon, você não deveria — murmurou Fletcher, espantado.

Não deveria, mas fez. Pelo que Fletcher podia ver, eram mais de mil xelins, quase dois meses do faturamento de Berdon. Mesmo sabendo que seu ganha-pão logo estaria correndo risco, o homem lhe dera uma bela porção de suas economias. Fletcher quase desejou poder voltar e devolver, então se lembrou dos trezentos xelins que tinha economizado para a jaqueta, ainda esquecidos no seu quarto. O menino tinha esperanças de que o ferreiro encontrasse a quantia, e o resto das posses de Fletcher provavelmente também lhe renderiam algum dinheiro.

— O que mais você me deu... — sussurrou Fletcher. Pegou o segundo presente e chacoalhou, sentindo algo macio e leve. Havia um bilhete alfinetado ao pacote, que Fletcher arrancou e leu ao tremeluzir da fogueira.

FLETCHER,
A GENTE SEMPRE SOUBE QUE O DIA QUE CHAMAMOS DE SEU ANIVERSÁRIO PROVAVELMENTE NÃO É O DIA EM QUE VOCÊ NASCEU. PORÉM, PARA MIM, SEMPRE SERÁ O DIA MAIS IMPORTANTE DA MINHA VIDA. É O DIA EM QUE EU ME TORNEI PAI, E VOCÊ SE TORNOU MEU FILHO. ESTA NOITE NÓS VAMOS SAIR PARA TOMAR UM DRINQUE JUNTOS E DISCUTIR O FUTURO DOS NEGÓCIOS. VOU FAZER DE VOCÊ UM SÓCIO PLENO. OS CÉUS SABEM QUE VOCÊ MERECE. ESTE PRESENTE É SÓ UM PEQUENO SINAL DA MINHA GRATIDÃO POR TUDO QUE VOCÊ FEZ POR MIM AO LONGO DOS ANOS. ESTOU TÃO ORGULHOSO DE VOCÊ.
FELIZ ANIVERSÁRIO, FILHO,
BERDON

As lágrimas pingaram na carta quando Fletcher a dobrou, com o coração cheio de saudades de casa. Ele abriu o embrulho e soluçou ao ver a jaqueta que queria, enterrando as mãos no forro macio.

— Você foi um pai melhor para mim do que meu pai verdadeiro jamais poderia ter sido — sussurrou Fletcher, olhando para as montanhas. De alguma forma, as palavras que ele tinha deixado não ditas ao longo dos anos eram do que mais se arrependia.

O demônio começou a miar com a angústia de Fletcher, lambendo-lhe os dedos em solidariedade. O rapaz lhe deu tapinhas carinhosos na cabeça e se aproximou do fogo, permitindo-se alguns minutos de tristeza. Então enxugou as lágrimas, vestiu a jaqueta e puxou o capuz sobre a cabeça. Com o coração cheio de determinação, ele iria construir uma nova vida, uma da qual Berdon se orgulharia. Ele iria chegar a Corcillum.

14

A taverna fedia a homens sem banho e cerveja choca, mas Fletcher supunha que ele mesmo também não deveria estar exalando um perfume de rosas. Duas semanas viajando numa carroça cheia de ovelhas faria isso com qualquer um. O único ar fresco que respirara nesse tempo todo fora quando saíra para comprar pão barato e fatias grossas de porco salgado dos nativos. O rapaz tivera sorte; o carroceiro não fez nenhuma pergunta, só cobrara cinco xelins e pedira que Fletcher limpasse o esterco toda vez que eles parassem.

Agora o menino estava sentado no canto de uma das tavernas baratas de Corcillum, saboreando cordeiro quente e caldo de batata. Mal tinha olhado a cidade, preferindo entrar direto na primeira taverna que vira. Esta noite ele pagaria por um quarto e pediria um banho quente; a exploração poderia esperar até o dia seguinte. Tinha a sensação de que o fedor de ovelhas tinha se entranhado permanentemente na sua pele. Até mesmo o diabrete estava relutante em se aventurar para fora do seu esconderijo de costume nas dobras do capuz do rapaz. No fim, Fletcher teve que suborná-lo com o último pedaço de porco salgado, alimentando o bicho até que ele adormecesse.

Ainda assim, a criaturinha tinha feito com que a longa e escura jornada fosse suportável, aconchegando-se no colo do menino para dormir no frio da noite. Fletcher compartilhava das suas sensações de calor e contentamento, mesmo enquanto tremia na palha suja da carroça.

— Um xelim — anunciou uma voz de mulher acima dele. Uma garçonete estendeu a mão gordurosa, apontando a comida com a outra. Fletcher procurou na bolsa e puxou o pesado saco de moedas, colocando um xelim nos dedos ansiosos da mulher. — Sem gorjeta? Com essa prata toda? — guinchou ela, afastando-se em seguida e atraindo olhares de outros clientes da taverna. Três sujeitos durões em particular prestaram atenção. Vestiam roupas sujas, e os cabelos caíam em mechas gordurosas sobre seus rostos. Fletcher fez uma careta e guardou o dinheiro.

Eles nunca precisavam de tostões lá nas montanhas. Tudo tinha preços em xelins; tostões complicavam as coisas. Eram cem tostões de cobre para um xelim de prata, e cinco xelins para um soberano de ouro nas grandes cidades de Hominum, mas a bolsa de Fletcher só continha prata. Ele pediria troco ao pagar pelo quarto, para que isso não acontecesse de novo. Era frustrante cometer um erro tão óbvio, mas não poderia dar uma gorjeta do mesmo valor da refeição, né?

Outro homem, sentado atrás dos três vagabundos, ainda encarava Fletcher. Era bonito, mas assustador, os traços bem definidos marcados por uma cicatriz que se estendia do centro da sobrancelha direta até o canto da boca, deixando um olho cego e leitoso no caminho. Tinha um bigode fino e cabelos negros encaracolados, amarrados com um nó na nuca. Seu uniforme lhe identificava como algum tipo de oficial; uma longa casaca azul com lapelas vermelhas e botões dourados. Fletcher viu um chapéu tricorne preto sobre o bar à frente do homem.

Fletcher se encolheu nas sombras e puxou o capuz para cobrir mais o rosto. O demônio se ajeitou e resmungou em seu ouvido, infeliz em ser mantido no escuro por tanto tempo. O capuz era um ótimo esconderijo, especialmente quando o menino erguia o colarinho da camisa, mas a forma como o oficial o encarava era desconcertante.

O rapaz engoliu o resto do caldo e enfiou no bolso o pão que viera junto, para dar ao demônio mais tarde. Talvez fosse melhor ficar em outra taverna, longe de todos que tinham visto o peso de sua bolsa.

Baixou a cabeça e saiu para a rua de paralelepípedos, afastando-se com pressa e olhando por sobre o ombro. Não parecia haver ninguém o seguindo. Depois de mais alguns passos, Fletcher passou de uma corrida a uma caminhada, mantendo em mente a necessidade de encontrar outra estalagem. Logo o crepúsculo o alcançaria, e ele não gostava nada da ideia de dormir na rua naquela noite.

Fletcher já se maravilhava com os prédios altos, alguns com mais de quatro andares de altura. Quase todos tinham uma loja no térreo, vendendo uma miríade de produtos que faziam o menino se coçar para pegar a bolsa de dinheiro outra vez.

Havia açougueiros de cara vermelha em lojas decoradas com fieiras de linguiças, ensanguentando-se até os cotovelos conforme acutilavam enormes peças de carne. Um carpinteiro dava os retoques finais a uma perna de cadeira com entalhes magníficos, como uma árvore enlaçada em hera. Uma perfumaria exalava um aroma sedutor de água-de-colônia, suas prateleiras de vidro na vitrine lotadas de garrafinhas delicadas e coloridas.

Fletcher tropicou para o canto da estrada quando uma carruagem parou à frente, deixando sair duas meninas com lindos cabelos cuidadosamente cacheados e lábios pintados como pétalas de rosas vermelhas. As duas entraram na perfumaria com o farfalhar das saias e anáguas, deixando Fletcher boquiaberto. O menino sorriu e balançou a cabeça.

— Não é para o seu bico, Fletcher — murmurou para si, continuando a caminhada.

Seus olhos foram atraídos pelo brilho do metal. Uma loja de armas reluzia com piques, espadas e machados, mas não foram eles que chamaram sua atenção. Foram as armas de fogo, cintilantes nos estojos forrados em veludo expostos num estande à frente da loja. As coronhas eram entalhadas e tingidas em vermelho, com cada um dos canos gravado com cavalos a galope.

— Quanto custam? — perguntou ao vendedor, olhos fixos num belíssimo par de pistolas de duelo.

— Caras demais para ti, guri; essas armas são para oficiais. Mesmo assim, são muito belas, não são? — respondeu uma voz grave.

Fletcher ergueu o olhar e piscou, surpreso. Era um anão, disso tinha certeza. Ele estava de pé sobre um longo banco, de modo que seu olhar estava à mesma altura do de Fletcher, mas sem isso, bateria na barriga do menino.

— É claro, eu já deveria saber. Nunca vi nada mais bonito. Você que as fez? — indagou Fletcher, tentando não encarar. Anões não eram comuns fora de Corcillum, e o menino jamais vira um deles.

— Não, eu só vendo. Ainda sou iniciante. Talvez um dia, quem sabe — explicou o anão.

Fletcher se perguntou como o anão poderia ainda ser um mero aprendiz. Ele parecia muito mais velho que o rapaz, com barba e bigode espessos. A cor da barba lembrava Fletcher da de Berdon, mas os fios eram muito mais grossos e longos, trançados e entremeados com miçangas. Os cachos do anão eram igualmente longos, chegando à metade das costas num rabo de cavalo preso por uma tira de couro.

— Estariam seus mestres procurando por novos aprendizes? Eu tenho muita experiência na forja, e preciso de trabalho — inquiriu Fletcher, com esperança na voz. Afinal de contas, o que mais ele poderia fazer para ganhar dinheiro naquela cidade tão cara? O anão olhou para Fletcher como se o garoto fosse burro, mas depois sua expressão se suavizou.

— Você não é destas bandas, é? — questionou, com um sorriso triste. Fletcher balançou a cabeça negativamente. — Não vamos contratar humano nenhum, não enquanto não tivermos os mesmos direitos, e não enquanto os segredos das armas de fogo ainda forem nossos. Nada contra você, pessoalmente. Você parece um guri de boa índole — afirmou o anão, solidário. — Melhor que vá a um dos ferreiros humanos, mesmo que só haja alguns poucos. Eles vão bem de negócios; há muitos soldados que se negam a comprar dos anões. Mas ouvi que não andam contratando estes dias; há candidatos demais.

Fletcher sentiu o coração apertar. Ferraria era a única profissão que ele conhecia, e já era velho demais para se tornar aprendiz em outro ofício. Também não havia florestas próximas à cidade onde ele pudesse caçar, a não ser que as selvas na fronteira meridional contassem.

— Que direitos lhes são negados? Sei que o rei concedeu o direito de alistamento no exército no ano passado — perguntou Fletcher, suprimindo o desapontamento.

— Há, tem muitos. A lei ditando o número de filhos que podemos ter a cada ano é a mais irritante. Só podemos ter a mesma quantidade de bebês que o número de anões que morreram no ano anterior. Considerando que podemos viver quase o dobro que vocês humanos, o resultado é só um punhado. Quanto ao direito de entrar para as forças armadas, sim, é um passo na direção certa. O rei é um bom sujeito, mas ele sabe que seu povo não confia em nós, especialmente o exército, graças às revoltas enânicas de uns oitenta anos atrás. A ideia é que, uma vez que provarmos nossa lealdade ao derramar sangue ao lado dos soldados, bem, aí o rei vai rever as leis, nos concedendo cidadania plena. Mas, até que esse momento chegue, é assim que tem que ser. — A voz do anão tinha um toque de raiva, e ele deu as costas, como se dominado pela emoção, remexendo numa caixa atrás de si.

Fletcher se lembrou do desprezo dos outros aldeões em Pelego quando foi anunciado que os anões lutariam no exército de Hominum. Jakov brincara que eles mal esbarrariam nas bolas dele se passassem por debaixo das suas pernas. Os braços deste anão robusto eram mais grossos que as coxas da maioria dos homens, e seu peito largo e forte refletia a voz trovejante. Se Jakov enfrentasse este anão, Fletcher sabia bem em quem apostaria. Os anões dariam aliados formidáveis, sem dúvida.

— Você sabe de algum lugar barato e seguro para ficar por aqui? — indagou Fletcher, tentando mudar de assunto.

O anão se virou de volta e lhe entregou algo, fechando a mão do menino sobre o objeto antes que alguém visse.

— Tem um lugar não muito longe daqui. É uma taverna amistosa aos anões, chamada Bigorna. Talvez alguém possa achar algum trabalho para você por lá. Diga que Athol mandou você. Pegue a terceira à direita descendo a rua; não tem como errar.

O anão lhe deu um sorriso encorajador e se virou para outro cliente, deixando Fletcher segurando um quadrado de papel com uma bigorna impressa no centro. Fletcher sorriu e seguiu na direção indicada pelo anão, então lembrou que não tinha agradecido.

Ao se virar, travou olhares com os homens maltrapilhos da taverna, cujos rostos se iluminaram ao reconhecê-lo. O trio avançou na direção de Fletcher, que começou a correr. As pessoas olharam conforme o rapaz disparava pela rua lotada, ganhando um tapa na orelha ao esbarrar num homem bem-vestido, acompanhado de uma jovem dama.

Quando Fletcher estava prestes a alcançar a esquina que levava à taverna, a rua ficou bloqueada por duas carruagens, cujos cavalos giravam e relinchavam enquanto os condutores gritavam um com o outro. Amaldiçoando a própria sorte, Fletcher foi forçado a virar num beco. Ele correu rua adentro, feliz em pelo menos estar livre das multidões. A rua estava vazia e as lojas, nos dois lados, já fechadas para a noite. Então Fletcher parou de repente, com o coração acelerado. Era um beco sem saída.

15

Fletcher usou o tempo que tinha antes da chegada dos ladrões para convencer o demônio a subir no seu ombro. O diabrete cravou as garras no couro da jaqueta, sentindo a agitação do menino.

— Fique preparado, amigo; acho que a coisa vai ficar feia — murmurou Fletcher, preparando uma flecha no arco e se ajoelhando para mirar melhor. Os três viraram a esquina e pararam, encarando o menino. — Caiam fora ou meto esta flecha no seu olho. Não tenho o menor problema em acabar com um ladrão — gritou Fletcher, espiando o maior dos três por cima da flecha. Seu alvo sorriu, mostrando uma boca cheia de dentes amarelados.

— É, não duvido não. Mas, veja só, a gente não é exatamente ladrão; estamos mais para cortadores de garganta, se é que cê me entende. — O homem fez uma careta de desprezo e ergueu uma lâmina curva. — Só passa a bolsa de dinheiro que a gente cai fora, sem crise.

Ele deu alguns passos à frente, ficando a três metros de Fletcher. O demônio sibilou e soprou rajadas gêmeas de chamas das narinas, que flamejaram a centímetros do rosto do homem, fazendo com que ele cambaleasse de volta até os outros.

— Não estou de brincadeira. Caiam fora, ou vocês vão se arrepender! — gritou Fletcher de novo, a voz tremendo. Ele olhou as casas vazias ao redor. Por que ninguém tinha ouvido? Alguém precisava chamar os

Pinkertons. Que desgraça seria chegar tão longe só para morrer num beco imundo na primeira noite.

— Ah, um conjurador. Tu é um dos aprendizes da Academia Vocans, né? Já não passou um pouco da sua hora de dormir? — zombou o ladrão, limpando as roupas com as mãos.

— Suma! — exclamou Fletcher, percebendo que o demônio só poderia cuspir fogo até uma determinada distância. Ele não queria testar esses limites naquela noite.

— Muito bem, tu já mostrou o seu, agora me deixa mostrar o meu — retrucou o homem, em seguida sacando uma pistola e apontando para o peito de Fletcher. O rapaz quase disparou a flecha ali mesmo, mas perdeu a mira quando o assaltante avançou novamente. — Agora, qual que tu acha que é mais rápido, a pistola ou esse teu arco? — inquiriu o homem com confiança genuína. Fletcher avaliou a arma de fogo. Era uma coisa feia, com metal enferrujado e o cano rachado e gasto.

— Não me parece muito precisa — comentou o rapaz, recuando.

— É, tu tem razão. Mas, digamos que ela erre, e tu meta aquela flecha no meu olho? Meus dois amigos aqui vão partir pra cima de tu todos cheios de faca e te cortar de orelha a orelha. A gente pode morrer aqui, ou tu pode facilitar o serviço e dar pra gente o que a gente quer. Não tem nada que feitiço ou demônio possam fazer contra uma bala, conjurador — afirmou o homem, com voz constante e confiante. Alguma coisa dizia a Fletcher que aquele sujeito já tinha feito aquele jogo antes.

— Prefiro correr meus riscos — retrucou Fletcher, disparando a flecha. A pistola cuspiu fumaça com um estrondo, e o rapaz ouviu o baque de um impacto próximo ao peito. Um clarão de luz atravessar sua visão, porém Fletcher não sentiu dor alguma; talvez esta parte viesse depois. Os guinchos do demônio lhe soaram nos ouvidos enquanto ele desabava ao chão, sorrindo cruelmente ao ver o assaltante cair com uma flecha no crânio. Os dois homens atrás do bandido ficaram paralisados; não tinham esperado que Fletcher cumprisse a ameaça.

— Errado, na verdade — afirmou uma voz elegante das sombras no fundo do beco. — Há muito que a feitiçaria pode fazer. Como erguer um escudo, por exemplo.

O oficial de rosto marcado que Fletcher vira na taverna emergiu, caminhando por entre os dois homens que ainda restavam. Um rosnado soou das trevas detrás dele, tão alto que Fletcher quase o sentiu reverberando no peito.

— Eu correria, se fosse vocês — aconselhou o oficial. Sem olhar de novo, os homens se viraram e saíram correndo pela esquina. Pelo que Fletcher escutou, eles não foram muito longe. Um segundo rosnado alto ecoou fora de seu campo de visão, seguido de gritos que logo se tornaram um horrível som gorgolejante.

Fletcher cobriu o rosto com as mãos e respirou fundo, quase soluçando, repetidas vezes. Aquela tinha sido por pouco.

— Aqui — disse o oficial, estendendo a mão. — Você não está ferido; meu escudo cuidou disso.

Fletcher aceitou a ajuda e foi posto de pé pela mão surpreendentemente macia do homem. Apalpou o peito, sem encontrar ferimentos. Em vez disso, uma rachadura luminosa parecia pairar no ar diante dele, como gelo partido num lago opaco. Estava embebida num oval grande e translúcido, que flutuava à sua frente. Mal era perceptível a olho nu. Mesmo quando o rapaz estendeu a mão para tocá-lo, o escudo desapareceu. Fletcher notou que a bala tinha caído no chão, a forma redonda achatada pelo impacto.

— Siga-me — chamou o oficial, seguindo sem olhar para trás. Fletcher fez uma pausa por um momento, então deu de ombros. O homem tinha lhe salvado a vida; o rapaz não iria questionar suas intenções.

O diabrete escalou as costas de Fletcher e se enfiou no capuz enquanto o menino seguia o oficial, exausto com a adrenalina do combate. Fletcher ficou feliz, pois o oficial vinha fitando o demônio intensamente.

— Sacarissa! — gritou o oficial. Uma sombra se separou das trevas e esfregou o focinho na mão do mestre. Este soltou um "tsc" de nojo quando o nariz da criatura ensanguentou seus dedos. Em seguida, puxou um lenço do bolso e limpou a mão meticulosamente. Fletcher arriscou uma olhadela no demônio e viu uma criatura de aspecto canino com quatro olhos; um par normal e outro menor, uns três centímetros mais atrás. Entretanto, as patas eram mais felinas que caninas, com garras de mais de dois centímetros de comprimento, cobertas de sangue. O pelo era negro como uma noite sem estrelas, com uma juba espessa que corria ao longo da espinha até uma cauda felpuda que lembrou a Fletcher uma raposa. Era tão grande quanto um cavalo pequeno; seu dorso batia na altura do peito do rapaz. Ele tinha imaginado que os outros demônios fossem do mesmo tamanho que o dele, porém este era grande o bastante para servir de montaria. Os flancos da enorme criatura ondulavam com músculos conforme ela espreitava ao seu lado, fazendo Fletcher quase ter pena dos homens que tinham morrido em suas garras.

Ele e o oficial caminharam em silêncio. Fletcher considerou o homem alto ao seu lado. Era um sujeito de rosto severo porém bonito, provavelmente nos seus 30 anos. A cicatriz de guerra que lhe adornava a face preenchia a imaginação de Fletcher com imagens de batalhas acirradas, com flechas sobrevoando os combatentes.

As ruas já estavam começando a se esvaziar, e, mesmo que a criatura atraísse alguns olhares furtivos, eles logo se viram sozinhos ao sair da via principal e virar numa rua vazia.

— Que tipo de demônio é esse? — perguntou Fletcher, para quebrar o silêncio.

— Um Canídeo. Se você prestasse atenção nas aulas, saberia disso. É provavelmente o primeiro demônio que eles apresentam, Deus sabe que é o mais comum. Então... você é um gazeteiro *e* um aluno relapso! Eu expulsaria você sumariamente se não precisássemos de todos os adeptos que pudermos encontrar, não importando quão ineptos forem.

— Eu não sou da escola. Só cheguei na cidade esta manhã! — retrucou Fletcher, indignado. O oficial parou completamente e se virou para encará-lo. O olho turvo e implacável do homem se fixou no rapaz por um momento, antes que continuasse:

— Nossos Inquisidores disseram que todos os plebeus identificados como adeptos nos testes chegaram à escola semana passada — afirmou o oficial. — Se você não é um deles, então quem é? Um nobre? E quem lhe deu esse demônio?

— Ninguém me deu o demônio. Eu o conjurei sozinho — explicou Fletcher, confuso.

— Ah, então você é um mentiroso — disse o oficial, como se tivesse finalmente entendido, e continuou andando.

— Não sou, não! — grunhiu Fletcher, segurando o homem pela cauda da casaca.

Num instante o oficial tinha o rapaz contra a parede, segurando-o pelo cangote. O diabrete sibilou, mas um único rosnado de advertência de Sacarissa o calou.

— Nunca mais ouse me tocar de novo, seu moleque arrogante. Acabei de salvar sua vida e você então decide me contar uma mentira absurda. Todo mundo sabe que os conjuradores precisam receber um demônio de presente de alguém para poder capturar o próprio. Ora, logo você vai me dizer que entrou no éter pessoalmente e colheu um demônio como uma fruta no pé. Agora me diga, qual conjurador lhe deu o demônio?

Fletcher chutou o ar, sufocando com a traqueia esmagada. Um nome flutuou espontaneamente em sua cabeça.

— James Baker — conseguiu dizer, arfando e batendo nas mãos do oficial. O homem o soltou e alisou amassos imaginários no próprio uniforme.

— Perdoe-me, deixei que a raiva me dominasse — desculpou-se, com uma expressão cheia de arrependimento ao ver as marcas que os dedos deixaram no pescoço de Fletcher. — A guerra cobra um preço caro demais de nossas mentes. Deixe-me fazer algo para compensar meus atos. Vou lhe reservar um quarto na minha taverna e mandá-lo à Academia Vocans amanhã numa das carroças de suprimentos. Meu nome é Arcturo, e o seu? — Ele estendeu a mão.

Fletcher aceitou o cumprimento, a violência esquecida instantaneamente com a menção à academia. Sua reputação era lendária; o campo de treinamento dos magos de batalha desde a fundação de Hominum. O que acontecia lá dentro era um segredo muito bem guardado, até mesmo dos soldados que lutavam ao lado dos magos. O convite de Arcturo ia muito além de qualquer coisa que Fletcher tivesse sonhado para si e seu demônio.

— Fletcher. Não se preocupe; eu teria algo bem pior que um pescoço roxo se não fosse por você. A forma como recebi meu demônio é um tanto complexa, e foi por isso que fiquei confuso com sua pergunta. Explicarei tudo esta noite, se você me deixar — respondeu Fletcher, estremecendo ao esfregar a garganta.

— Sim, você pode me contar durante um jantar e um drinque. Por minha conta, é claro. Se me recordo bem, James Baker não foi um conjurador muito poderoso, então capturar um raro demônio Salamandra como o seu certamente estaria além das possibilidades dele. Eu desconfio que ele teria ficado com a criatura para si mesmo, se tivesse conseguido uma — raciocinou Arcturo, seguindo rua abaixo.

— É isso que ele é? — perguntou, olhando o próprio demônio. O rapaz sorriu ao ver Arcturo entrar numa estalagem de aparência cara, sentindo o cheiro revelador de comida sendo preparada. Naquela noite ele iria se empanturrar de comida e afogar os problemas num banho quente. Então, no dia seguinte, partiria à academia!

16

Fletcher não descobriu muitas outras coisas com Arcturo naquela noite. O oficial fora fiel à palavra, comprando-lhe um filé e uma torta de rim e escutando a história do menino, que deixou de fora a parte de Didric, é claro. Assim que Fletcher terminou de falar, Arcturo pediu licença e desapareceu nos próprios aposentos. O rapaz não se importou; tomou um banho fumegante, de barriga cheia, e dormiu em lençóis de seda. Até o diabrete se fartou com carne moída fresca, devorando-a em segundos para logo depois empurrar o pote com o focinho, pedindo mais. Se Arcturo tinha como pagar por tanto luxo, então certamente a vida de conjurador não poderia ser assim tão ruim.

Pela manhã, Fletcher foi acordado por um sujeito impaciente, que afirmava ter sido instruído a levar o menino à academia. Quando Fletcher chegou à rua, o homem gesticulou para que se apressasse a subir ao banco do carona, ou ele se atrasaria para a entrega matinal de frutas e legumes.

A jornada levou mais de duas horas, mas o carroceiro evitou as tentativas de Fletcher de começar uma conversa fiada, seu rosto contraído de preocupação com o trânsito na estrada. Em vez de bater papo, então, Fletcher passou o tempo permitindo que o diabrete ficasse encarapitado orgulhosamente em seu ombro, sorrindo aos olhares curiosos que lhe lançavam ao passar. Após presenciar Arcturo permitindo que Sacarissa andasse abertamente pelas ruas, o rapaz deixou de ver motivo para não fazer o mesmo.

Tentou visualizar como seria Vocans, mas sabia tão pouco sobre a academia que a mente imaginava lugares tão variados quanto um palácio suntuoso ou um campo de treinamento para recrutas novatos, desprovido de confortos. De um jeito ou de outro, sua empolgação crescia com cada giro das rodas da carroça.

Finalmente, chegaram à fronteira com a selva do sul, o estrondo de canhões ecoando a distância. Onde antes a estrada de terra em que eles viajavam era cercada de campos verdes, ali a paisagem era recoberta de ervas daninhas e marcada com crateras profundas; indícios de que a guerra já passara pelo lugar.

— Lá está a Cidadela — anunciou o carroceiro, quebrando o silêncio. Apontou a sombra turva do que parecia ser uma montanha adiante, obscurecida por uma neblina espessa que pairava no ar. A carroça entrou numa fila atrás de outras, que iam entregar barris pesados de pólvora e caixotes cheios de balas de chumbo.

— O que é a Cidadela? É onde mora o rei? — perguntou Fletcher.

— Não, garoto. É onde fica a Academia Vocans. O rei vive com o pai num palácio luxuoso no centro de Corcillum — respondeu o condutor, lançando um olhar curioso para o rapaz. Mas Fletcher não estava ouvindo. Em vez disso, contemplava boquiaberto conforme a névoa era dissipada por uma forte rajada de vento.

O castelo era grande como um dos picos do Dente de Urso. O prédio principal era um cubo gigante, feito de blocos de granito marmorizado, com varandas e sacadas em camadas nas laterais, como decorações num bolo de casamento. Havia quatro torres redondas em cada quina, cada uma com um topo plano e ameado, estendendo-se dezenas de metros no céu acima da estrutura principal. Um fosso profundo de água negra e turva cercava o castelo, com seis metros de largura e margens íngremes de cada lado. A ponte levadiça tinha sido baixada, mas todos os carroções passavam direto por ela, seguindo em direção à canhonada que ainda retumbava ao longe.

Conforme eles se aproximaram da Cidadela, Fletcher percebeu que as muralhas estavam completamente recobertas de hera e tingidas com líquen e musgo. Deviam ter sido construídas séculos atrás. As tábuas da ponte levadiça rangiam perigosamente enquanto o carroceiro incentivava os cavalos assustados a seguir em frente, mas todos chegaram inteiros ao outro lado.

O pátio ficava à sombra das quatro muralhas que o cercavam, com apenas um pequeno quadrado de céu oferecendo luz, vários andares acima. A área era dominada por um semicírculo de degraus que levavam a um par de pesadas portas de madeira: a entrada do castelo.

Assim que os cascos dos cavalos estalaram nos paralelepípedos, um sujeito gordo de avental, com um rosto vermelho e inchado, emergiu das sombras. Era seguido por dois assistentes de aparência nervosa que começaram a descarregar a carroça apressadamente.

— Atrasado, como sempre. Vou ter uma conversinha com o intendente sobre arranjar um novo fornecedor, se isto voltar a acontecer. Agora só teremos meia hora para preparar e servir o café da manhã — afirmou o homem gordo, puxando os cordões do avental com dedos rechonchudos.

— Não foi culpa minha, Sr. Mayweather. Um oficial me obrigou a trazer este aprendiz, o que me tirou meia hora do meu caminho. Aqui, menino, conte para ele — balbuciou o carroceiro, cutucando Fletcher nas costas. O rapaz fez que sim com a cabeça, atordoado, percebendo finalmente onde tinha chegado.

— Muito bem, então. Vou deixar passar desta vez, mas você está na minha lista — retrucou Mayweather enquanto lançava um olhar de avaliação a Fletcher e outro ainda mais longo ao demônio.

O rapaz desmontou enquanto as últimas frutas e legumes eram retirados da carroça, e ficou ali parado sem saber direito o que fazer. O carroceiro partiu sem olhar para trás, ansioso em seguir com a rota e pegar a próxima carga.

— Você sabe aonde vai, rapaz? — indagou Mayweather asperamente, mas não sem alguma gentileza. — Você não é um nobre, isso é óbvio. Os plebeus já estão aqui há uma semana, e, a esta altura, eu já conheço todos os alunos do segundo ano. Você deve ser novo. Recusou a oferta de vir para cá e então mudou de ideia?

— Arcturo me mandou... — respondeu Fletcher, sem saber bem o que dizer.

— Ahh, entendi. Você deve ser um caso especial, então. Já temos mais dois desses lá em cima — afirmou Mayweather, com voz baixa e misteriosa. — Se bem que eles são um pouquinho mais estranhos que você, isso eu garanto.

Depois, continuou:

— Não recebemos muitos aprendizes trazidos pessoalmente por magos de batalha. — Aproximou-se para espiar o diabrete de Fletcher. — Geralmente são os Inquisidores que encontram os dotados e os trazem para cá. Magos de batalha raramente alistam adeptos pessoalmente, porque isso significa que eles terão de dar um dos próprios demônios ao novato. Eles precisam de cada demônio que puderem encontrar na frente de batalha. Parece estranho que Arcturo lhe conceda um raro como esse, porém. Nunca vi um desse tipo!

— Tem alguém a quem eu precise me apresentar? — perguntou Fletcher, ansioso para se afastar antes que Mayweather o esquadrinhasse ainda mais. Quanto mais gente soubesse como Fletcher se tornara um conjurador, maior a chance da notícia de seu paradeiro alcançar Pelego.

— Você está com sorte. O primeiro dia vai ser amanhã, então não perdeu muita coisa — explicou Mayweather. — Os candidatos nobres ainda vão chegar; eles costumam passar a semana prévia em Corcillum, onde lhes é mais confortável. Quanto aos professores, voltarão das linhas de frente pela manhã, então é melhor que você vá falar com o reitor. É o único mago de batalha que não passa metade do ano na guerra. Siga direto em frente pelas portas principais e um dos funcionários vai lhe explicar onde encontrá-lo. Agora, se você me dá licença, eu tenho um café da manhã a preparar. — Mayweather deu meia-volta e se afastou, bamboleante.

Apesar de ter o demônio aninhado ao redor de sua garganta, Fletcher não se sentia parte daquele lugar. As pedras antigas transmitiam opulência e história. Não era para o bico dele.

Fletcher subiu as largas escadas e empurrou as portas duplas. Melhor encontrar o reitor antes que o café da manhã fosse servido; ele poderia se apresentar aos outros alunos durante a refeição matinal. Não pretendia ser um lobo solitário de novo.

Entrou num enorme átrio com escadarias gêmeas espiraladas à esquerda e à direita, com paradas em cada andar. Fletcher contou cinco andares no total, cada um protegido por um corrimão de metal. O teto era suportado por pesadas vigas de carvalho; escoras imensas que seguravam as pedras acima no lugar. Um domo de vidro no teto permitia que um pilar de luz descesse ao centro do aposento, suplementado pelas tochas crepitantes nas paredes. No extremo oposto do salão havia outro par de portas de madeira, mas foi o arco acima delas que chamou a atenção de Fletcher. A pedra estava entalhada com centenas de demônios, cada um mais impressionante que o outro. A atenção ao detalhe era extraordinária, e os olhos de cada criatura eram feitos de gemas coloridas que faiscavam à luz.

Era um espaço imenso, quase extravagante em sua arquitetura. O piso de mármore estava sendo polido por um jovem criado; ele lançou um olhar cansado a Fletcher, que andava com botas sujas sobre o chão molhado.

— Será que você poderia me indicar o caminho até o reitor? — pediu Fletcher, tentando não olhar para trás, para as pegadas que deixara.

— Você vai se perder se eu não lhe mostrar o caminho — respondeu o criado, com um suspiro. — Venha. Tenho muito trabalho a fazer antes que os nobres cheguem, então não enrole.

— Obrigado. Meu nome é Fletcher, e o seu? — indagou, estendendo a mão. O criado o encarou, surpreso, e aceitou o cumprimento com um sorriso contente.

— Sendo muito sincero, nenhum estudante nunca tinha me perguntado isso — comentou o criado. — Jeffrey é o meu nome, obrigado por perguntar. Se você vier rápido, eu lhe mostro seus aposentos e depois recolho qualquer roupa que queira que seja lavada. Com seu perdão, mas pelo cheiro dos seus trajes, acho que precisa. — Fletcher corou, mas agradeceu do mesmo jeito. Ainda que tivesse tomado banho na noite passada, tinha se esquecido de que as roupas ainda cheiravam a ovelha.

Jeffrey o levou até o primeiro andar no lado leste e por um corredor em frente à escadaria. As paredes eram decoradas com armaduras completas e cavaletes de piques e espadas, resquícios da última guerra. A cada tantos passos eles passavam por uma pintura ilustrando alguma batalha antiga, da qual Fletcher era obrigado a desgrudar os olhos toda vez, pois Jeffrey o apressava.

Passaram por uma vasta coleção de grandes estantes de vidro abarrotadas de jarros com um líquido verde pálido. Cada um deles continha um pequeno demônio, suspensos eternamente em seu interior.

Finalmente, Jeffrey reduziu o passo. O criado apontou para uma enorme clava pendurada na parede. Era cravejada de rochas afiadas, cada uma delas do tamanho e formato de uma ponta de flecha.

— Essa era a maça de guerra do orc chefe da tribo Amanye, tomada como troféu na batalha da Ponte Watford. Foi o reitor quem o derrotou — anunciou Jeffrey, com orgulho. — Um grande homem, nosso reitor. Severo como um juiz, porém. Tome cuidado com ele: olhe nos olhos e não dê respostas malcriadas. Ele odeia os fracos e os insolentes em igual medida.

Com essas palavras, Jeffrey parou diante de uma pesada porta de madeira e bateu com o punho.

— Entre! — gritou uma voz retumbante do outro lado.

17

O gabinete era quente e abafado em comparação aos corredores. Uma labareda crepitava no canto do aposento escuro, cuspindo fagulhas que eram sugadas pelo tubo da chaminé.

— Feche a maldita porta! Está congelando lá fora! — ribombou a voz novamente. Fletcher saltou para obedecer enquanto percebia uma figura sentada a uma grande escrivaninha de madeira no centro da sala. — Vamos dar uma olhada em você; vamos, aproxime-se. E tire esse capuz; não sabe que é rude cobrir a cabeça dentro de lugares fechados?

Fletcher se aproximou com pressa e puxou o capuz, revelando o demônio que ali tinha se refugiado assim que chegaram à Cidadela.

A figura pigarreou e riscou um fósforo, acendendo um lampião na quina da escrivaninha. O brilho revelou um homem que mais parecia uma morsa, com um enorme bigode branco e suíças cheias, que dominavam-lhe o rosto.

— Ora vejam, esse é um demônio bem raro que você tem aí! Só vi um desses, e não foi do nosso lado. — O homem catou uns óculos na escrivaninha e espiou o diabrete. Assustada com o olhar, a criatura se afastou, fazendo o reitor dar uma risada. — São coisinhas frágeis, mas poderosas. Quem lhe deu este? Eu deveria ser informado toda vez que alguém conseguisse conjurar um demônio fora das espécies de costume — estrondou o reitor.

— Arcturo me mandou — disse Fletcher, na esperança de que a resposta fosse suficiente.

— Você o impressionou, foi? Faz um bom tempo desde a última vez que um aprendiz foi enviado por um mago de batalha; dois anos, se não me engano. Você é sortudo, sabe. A maioria dos plebeus recebe demônios mais fracos para começar. Um Caruncho, geralmente. Eles são mais fáceis de capturar, e, quando precisamos de um novo, um mago de batalha é escolhido aleatoriamente para provê-lo. A tarefa não os deixa num humor muito generoso, infelizmente. Não é o melhor sistema, mas é o único que temos. De qualquer maneira, eu vou ter uma conversinha com Arcturo sobre isso.

Fletcher fez que sim com a cabeça, sem palavras, o que lhe rendeu um olhar severo por parte do reitor.

— Aqui não tem essa coisa de assentir. Você diz "Sim, senhor, reitor Cipião!" — exclamou o homem.

— Sim, senhor, reitor Cipião! — repetiu Fletcher, endireitando-se.

— Ótimo. Agora, o que você quer? — indagou Cipião, se reclinando na poltrona.

— Quero me alistar, senhor; aprender a ser um mago de batalha — respondeu Fletcher.

— Bem, você já está aqui, não está? Enfim, encerramos a conversa por aqui. A matrícula é amanhã, você pode oficializar tudo então — concluiu Cipião, dispensando-o com um aceno. Fletcher saiu, pasmo. Tomou o cuidado de fechar a porta depois de passar, desta vez. Tinha sido tudo tão fácil. De alguma forma, tudo estava se encaixando perfeitamente; a sorte estivera ao lado dele, para variar.

Jeffrey lhe aguardava do outro lado, uma expressão ansiosa no rosto.

— Tudo bem? — perguntou ele, levando Fletcher de volta à escadaria.

— Mais que bem. Ele me deixou ficar — respondeu Fletcher com um sorriso.

— Não me surpreende. Precisamos de todos os conjuradores que pudermos encontrar, e por isso começamos a fazer todas as mudanças. Garotas, plebeus, e até... bem... você verá. Não cabe a mim comentar

— murmurou Jeffrey. Fletcher decidiu não insistir, preferindo se concentrar em não pisar em falso na escada escura.

— Não tem muitas lareiras acesas ou tochas por aqui — observou Fletcher enquanto eles escalavam os íngremes degraus.

— Não, e o orçamento já está no limite mesmo sem elas. Quando os nobres chegarem, aí aqueceremos o prédio. Tudo tem que estar perfeito para eles ou reclamam com os pais. Metade deles não passa de janotinhas mimados, mas não me entenda mal, alguns são camaradas bem decentes. — Jeffrey estava ofegante, e fez uma pausa quando chegaram ao quinto e último andar. Fletcher notou que o garoto era ainda mais magro que ele mesmo, com cabelos castanho-escuros que contrastavam fortemente com a pele pálida, quase chegando a parecer doentia.

— Está tudo certo com você? Não me parece muito bem — perguntou Fletcher. O outro rapaz tossiu e depois respirou de forma profunda e ruidosa.

— Eu tenho uma asma terrível, por isso eles não me deixam me alistar. Mas quero ajudar meu país, então trabalho aqui. Vou ficar bem, só preciso de um segundo — explicou Jeffrey, ofegando.

Fletcher sentia um respeito crescente pelo rapaz. Ele nunca se sentira particularmente patriótico, sendo Pelego tão distante de qualquer cidade principal, mas admirava essa característica nos outros.

— Não vi o demônio de Cipião. Que tipo ele tem? — perguntou Fletcher, reiniciando o papo quando Jeffrey voltou a respirar normalmente.

— Ele não tem mais. Já teve um Felídeo, mas o demônio morreu antes que o reitor se aposentasse. Dizem que a perda o deixou com o coração partido. Agora ele só dá aula e administra a Cidadela — contou Jeffrey.

Fletcher se perguntou como seria um Felídeo. Algum tipo de gato, talvez?

Eles caminharam por corredores sombrios até a quina do castelo, onde outra escadaria espiralava para o alto. Jeffrey a espiou com apreensão.

— Não se preocupe, eu me viro daqui em diante. É só você me dizer para onde ir — sugeriu Fletcher.

— Graças a Deus. Você não tem como errar; os alojamentos dos plebeus ficam bem no topo da torre sudeste. Vou mandar alguém buscar as roupas sujas mais tarde; por enquanto, tem um uniforme de reserva em cada quarto. Experimente um ou dois e veja qual serve. Você não quer ficar conhecido como "o fedorento" no seu primeiro dia — aconselhou Jeffrey, já se afastando apressadamente.

Fletcher resistiu à tentação de gritar a pergunta que tinha surgido espontaneamente em sua cabeça: *Por que os plebeus tinham alojamentos separados?* O menino deu de ombros e começou a longa jornada escada cima, sabendo que, pelo que tinha visto do lado de fora, seria uma bela distância.

Em intervalos regulares a escadaria se abria em câmaras largas e redondas, cada uma cheia de escrivaninhas, cadeiras e bancos velhos, dentre outras quinquilharias. O vento entrava assoviando pelas seteiras nas paredes, gelando Fletcher até o osso e fazendo-lhe puxar o capuz de volta para a cabeça. Ele esperava que estivesse mais quente no topo.

Ao subir o que lhe parecia ser o milésimo degrau, o rapaz ouviu uma voz de menino acima.

— Esperem aí, é um dos criados. Acho que vão nos chamar para o café da manhã! — A voz do menino o lembrava Pelego; um sotaque parecido que indicava que ele crescera no campo.

— Estou morta de fome! Espero que não nos obriguem a comer em silêncio que nem da última vez! — exclamou uma voz de menina.

— Nem, foi só porque o velho rabugento do Cipião estava lá que eles queriam que ficássemos quietos, mas ele reclamou tanto do frio que eu duvido que faça o desjejum na cantina de novo — respondeu o menino.

Fletcher contournou a curva da escada e chegou num grande aposento, quase esbarrando em um garoto com cabelos loiro-claros e a pele corada dos nortistas.

— Opa, desculpe, colega. Acho que falei cedo demais. Aqui, me deixa ajudar com as malas — disse o menino, pegando a bolsa de Fletcher.

Este tirou a alça e deixou que o outro levasse a bagagem a uma mesa longa no meio do salão.

— Rory Cooper, ao seu dispor — disse o menino, apertando a mão de Fletcher. — Bem-vindo à nossa humilde morada.

Era uma câmara redonda com teto alto e duas grandes portas dos dois lados da parede oposta. Pinturas de magos de batalha e seus demônios decoravam as paredes, com expressões severas e desaprovadoras. Fletcher fez uma careta quando o vento encanado das seteiras soprou pelo salão.

Uma garota linda, com luminosos olhos verdes, sorriu para Fletcher em meio a um monte de sardas e cabelos ruivos selvagens. Um demônio azul, parecido com um besouro, bateu as asas na mesa diante dela. Outro desses, com uma carapaça verde iridescente, pairava ao lado da cabeça de Rory, preenchendo o salão com um zumbido suave.

Os demônios eram maiores que qualquer inseto que Fletcher já vira, tão grandes que mal caberiam na mão. Tinham pinças de aparência feroz, com uma carapaça blindada que brilhava como metal escovado. O demônio de Fletcher se mexeu dentro do capuz à presença deles, mas não se interessou o suficiente para sair do esconderijo.

— Meu nome é Genevieve Leatherby. E o seu? — perguntou a menina, lançando um sorriso de boas-vindas.

— Fletcher. É um prazer conhecê-los. São só vocês dois? Eu achei que haveria mais de nós... plebeus — indagou Fletcher, hesitando ao usar a palavra.

— Tem mais de nós no andar de baixo, esperando no salão de café da manhã, e os alunos do segundo ano comem depois de nós, então ainda estão dormindo. Decidimos esperar até que os criados viessem nos chamar, porque o horário do café não foi muito consistente até agora — explicou Genevieve, pensativa. — Achei que haveria mais estudantes também, quando cheguei aqui. Mas só há cinco de nós no primeiro ano, incluindo você. Acho que eu não deveria estar surpresa, pois foi a falta de conjuradores o motivo principal de eles terem deixado mulheres se alistarem no exército há tantos anos...

— Tem sete, se você contar os outros dois — interveio Rory. — Ouvimos as vozes deles ontem à noite, mas ainda não saíram dos quartos.

Não sabem quanta diversão estão perdendo — comentou ele com um sorriso largo. — Eles vão se render. Todo mundo acaba me amando.

— Deixa de ser metido, você é muito besta e irritante, isso sim — provocou Genevieve, empurrando-o de forma brincalhona. Rory deu uma piscadela marota para Fletcher e apontou a porta mais distante. — Por que você não se apresenta? Talvez perguntar se eles querem vir tomar café conosco.

18

Fletcher empurrou a porta e se deparou com um corredor curto, com uma fileira de portas de cada lado. A porta de entrada bateu atrás dele, empurrada por uma rajada de vento vindo de uma seteira no fim do corredor. Fletcher franziu o cenho ao vê-la; aquele seria um inverno longo e gélido se aquilo continuasse assim.

O rapaz ouviu movimento no quarto mais próximo e bateu, na esperança de que não estivesse acordando ninguém. A porta se abriu ao seu toque, talvez soprada pelo vento.

— Olá? — chamou, empurrando-a.

Subitamente se viu caído de costas no chão, com dentes cheios de baba mordendo o ar logo acima de si enquanto um peso enorme o prendia. Fletcher conseguiu segurar a criatura pela garganta, mas precisou usar toda a sua força para evitar que as presas dela se fechassem no seu pescoço. Enquanto a saliva do bicho pingava no rosto do rapaz, seu diabrete guinchou e atacou o focinho do monstro com as garras, mas o único efeito foi fazer a criatura ganir de dor com cada rilhar de dentes.

— Chega, Sariel! Ele aprendeu a lição — disse uma voz melodiosa vinda de cima. Imediatamente, a criatura interrompeu o ataque e se sentou no peito de Fletcher. Ainda indefeso, o rapaz espiou seu algoz, e viu um Canídeo quase tão grande quanto Sacarissa: do tamanho de um pônei pequeno. Porém, enquanto a pelagem do Canídio de Arcturo era negra e crespa, este tinha pelos loiros e encaracolados como as madeixas de uma dama de Corcillum. O focinho também era mais longo e refinado, com um nariz preto e úmido que o farejava.

— Tire esse bicho de mim! — conseguiu exclamar Fletcher por entre dentes cerrados. Era como se uma árvore tivesse caído em cima dele e lhe esmagasse o peito.

A criatura desceu de cima do rapaz e se sentou ofegante atrás da porta, com os quatro olhos malévolos ainda fixados em seu rosto.

— Vou escrever uma carta aos chefes dos clãs sobre isto! Fui colocada com os plebeus num quarto menor e menos confortável que uma cela de cadeia, que foi obviamente invadido por um jovem rufião logo na primeira manhã. Quando me deram Sariel, comecei a pensar que estivessem levando nossas negociações de paz a sério. Agora sei que estava enganada — ralhou a voz, carregada de amargor e raiva.

Fletcher se sentou e contemplou a dona da voz, estonteado pelo sangue que lhe voltava à cabeça. O menino arregalou os olhos ao notar as longas orelhas em forma de diamante que despontavam por entre os cabelos prateados. Um rosto delicado o encarava com grandes olhos da cor de um céu azul límpido. Estavam carregados de desconfiança e pareciam quase à beira das lágrimas. Fletcher estava conversando com uma pálida menina elfa, vestida com uma camisola rendada.

O rapaz desviou o olhar e virou o rosto, falando em defesa própria:

— Calma lá, eu só queria dizer oi. Não quis assustar você.

— Me *assustar*? Não estou assustada, estou furiosa! Ninguém lhe avisou que este era o alojamento das meninas? Você não tem permissão de entrar aqui — gritou a elfa como uma banshee, batendo a porta na cara de Fletcher. Ele xingou a própria estupidez.

— Seu idiota — murmurou a si mesmo.

— Parece que não foi muito bem — comentou Rory atrás dele, uma expressão de solidariedade no rosto ao espiar pela porta que levava ao salão comum. Fletcher se sentia um idiota.

— Por que você não me avisou que aqueles eram os alojamentos das meninas? — estourou Fletcher, ficando vermelho ao voltar ao salão principal.

— Eu não sabia, juro! Acho que faz sentido, né, agora que penso melhor, com Genevieve neste lado e um quarto sobrando do outro... — disse Rory atrás dele.

— Tudo bem. Só não esqueça de ficar mais esperto antes das aulas começarem, ou vai fazer a gente passar vergonha diante dos nobres — afirmou o rapaz, arrependendo-se de suas palavras imediatamente. A expressão animada de Rory desapareceu, e Fletcher respirou fundo. — Foi mal, não foi culpa sua. Não é todo dia que sobrevivo a um ataque de Canídeo. — Forçou um sorriso e deu tapinhas amistosos nas costas de Rory. — Você estava dizendo alguma coisa sobre um quarto sobrando?

— Sim! Já que você foi o último a chegar, os melhores quartos já foram ocupados. Dei uma olhada quando cheguei, e não é grande coisa.

Eles entraram num corredor quase idêntico, exceto por uma porta adicional que tinha sido construída bem ao final. Parecia uma decisão tardia, mais um armário de limpeza reformado do que um quarto de verdade.

Mas o lado de dentro era mais espaçoso do que Fletcher tinha esperado, com uma cama de aparência confortável, um guarda-roupa grande e uma escrivaninha pequena. O menino fez uma careta à seteira aberta na parede; teria de tampá-la depois. Havia um uniforme dobrado no pé da cama, um jaquetão azul-marinho com duas fileiras de botões e calças da mesma cor. Fletcher ergueu o traje e gemeu. Estava puído e rasgado, com os botões de latão tão frouxos que um deles estava pendurado quase três centímetros abaixo do lugar certo.

— Não se preocupe, posso dar uma olhada nessa jaqueta para você depois do café. Minha mãe era costureira — disse Genevieve, da porta.

— Obrigado — respondeu Fletcher, mesmo sem saber se seria possível de fato salvar o uniforme.

— Então, como era a menina? — inquiriu Genevieve, com olhos faiscantes de curiosidade. — Era uma sulista, que nem eu?

— Ela era... não sei dizer exatamente — despistou Fletcher, evitando a pergunta. Agora que já tinha arruinado a manhã da garota, não queria começar a fofocar sobre ela também. Melhor deixar que se apresentasse aos outros à sua própria maneira. A mente do rapaz ainda estava processando a presença de uma elfa na Cidadela. Eles não eram os inimigos?

Os pensamentos foram interrompidos pelo surgimento do diabrete, que pulou do capuz para inspecionar a nova morada. O demoniozinho derrubou o uniforme no chão com uma chicoteada do rabo, em seguida cantarolou feliz ao rolar de costas e se esfregar no tecido áspero. Rory arregalou os olhos e Fletcher sorriu consigo mesmo.

— O que é um Canídeo? — ponderou Rory em voz alta enquanto os dois voltavam à câmara principal. Logo foram seguidos pelo diabrete, que escalou até o ombro de Fletcher e vasculhou o ambiente com um olhar protetor.

— Você logo vai descobrir. Não são fáceis de descobrir. Se os seus Carunchos são demônios-besouros, então eu diria que um Canídeo é um demônio-cachorro, se é que isso faz sentido — explicou Fletcher orgulhoso, feliz em finalmente saber mais sobre conjuração do que outra pessoa.

— Nossos demônios são chamados de Carunchos? — indagou Genevieve, estendendo a palma e deixando o besouro azul pousar em sua mão.

— Não tenho certeza; ouvi o reitor usar essa palavra — respondeu Fletcher, sentando-se à mesa.

— Ah, bem, eu chamo o meu de Malaqui. Como em malaquita. Sabe, por causa da cor — decidiu Rory, deixando o besouro verde lhe subir pelo braço.

— A minha se chama Azura — declarou Genevieve, erguendo o demônio contra uma das tochas para que Fletcher pudesse ver o azul cerúleo da carapaça. O rapaz fez uma pausa, sentindo-se constrangido enquanto os dois o encaravam com expectativa.

— Como o seu se chama? — perguntou Rory, como se Fletcher fosse lerdo.

— Eu... Eu não tive bem uma chance de escolher um nome, ainda — murmurou em resposta, envergonhado. — Mas sei que ele é um demônio Salamandra. Talvez vocês possam me ajudar a escolher um nome durante o café da manhã.

— É claro! Ele tem uma cor linda; sei que a gente consegue pensar em alguma coisa! — exclamou Rory.

— Será que a gente poderia evitar as cores? — sugeriu Fletcher, na esperança de escolher um nome mais original. — Ele é um demônio de fogo. Talvez possamos usar isso.

Antes que Rory pudesse responder, uma governanta de aparência severa entrou no aposento com um cesto pesado de lençóis e roupas de cama.

— Fora daqui, todo mundo! Preciso arrumar o alojamento. Vocês podem esperar lá embaixo com os outros em vez de se meterem em encrencas aqui em cima — ralhou ela, enxotando-os para as escadas.

— Será que a gente deveria avisar os outros dois? — perguntou Genevieve, olhando de volta para cima enquanto eles desciam.

— Não — retrucou Fletcher, na esperança de evitar a elfa por pelo menos mais alguns minutos. — A governanta vai avisá-los quando chegar aos quartos deles.

Os outros deram de ombros e o guiaram pelo longo caminho corredor abaixo, sugerindo nomes. O diabrete de Fletcher voltou a dormir com um bocejo, alheio ao debate. O rapaz estava começando a se perguntar se estaria permitindo que o demônio ficasse preguiçoso enquanto observava Malaqui e Azura esvoaçando ao redor das cabeças dos donos.

Eles finalmente chegaram ao térreo, e Fletcher foi guiado pelo átrio, balbuciando um pedido de desculpas silencioso para Jeffrey, que ainda estava polindo o chão em que o trio pisava. O menino revirou os olhos com um sorriso triste e voltou ao trabalho.

Eles atravessaram o par de grandes portas que ficava do lado oposto da entrada principal no átrio. O teto tornou-se substancialmente mais baixo, porém ainda assim era um espaço enorme em que os passos do trio ecoavam. Grandes candelabros apagados pendiam em intervalos regulares sobre três fileiras de longas mesas e bancos de pedra. O centro do aposento era dominado pela estátua de um homem barbudo vestindo armadura elaborada, esculpida com uma atenção espantosa aos detalhes.

Fletcher ficou surpreso ao ver apenas dois meninos sentados ali, engolindo com prazer colheradas de mingau de aveia. Um tinha cabelos negros e pele morena; provavelmente vinha de uma das vilas nos limites do deserto de Akhad, no leste de Hominum. Era bonito, com queixo bem definido e olhos cheios de vida emoldurados por longos cílios.

O outro rapaz era gorducho, com cabelos castanhos bem curtos e um rosto amistoso e corado. Os dois acenaram para ele enquanto um criado lhe entregava uma bandeja de mingau, geleia e pão quente. Assim que Fletcher se sentou, os dois se apresentaram; o menino gordinho se chamava Atlas e o outro, Serafim.

— São só vocês dois? Cadê os alunos do segundo ano? — indagou Fletcher, confuso.

— Nós comemos antes deles, graças aos céus! — resmungou Atlas, abandonando a colher para sorver o mingau pela beirada da tigela.

— Eles precisam do sono adicional, considerando o desgaste das lições mais... práticas — explicou Serafim, observando Atlas com uma expressão perplexa. — Eles fazem até excursões semanais à fronteira. Mal posso esperar para estar no lugar deles.

— Espere só até você ter visto como são as coisas por lá — murmurou Genevieve, com um tom de tristeza na voz. Fletcher percebeu e decidiu mudar de assunto. Ele conhecia o suficiente sobre as linhas de frente para ser capaz de deduzir que a menina provavelmente havia perdido alguém próximo. Talvez fosse uma órfã, como ele.

— Cadê os seus demônios? Vocês receberam Carunchos como os outros? — Fletcher estava desesperado para ver mais demônios.

— Não, nada ainda — respondeu Atlas, com um toque de inveja. — Ainda estamos esperando. Disseram que os professores vão nos dar os nossos amanhã. Eles só tinham dois no dia que todos nós chegamos.

— Foi melhor assim — comentou Serafim, meio para si mesmo. — Eles me perguntaram se eu queria ficar com um dos Carunchos ou esperar. Fiz o meu dever de casa, falei com alguns dos criados. Os Carunchos são os mais fracos. É melhor esperar pela chance de conseguir uma criatura melhor.

Fletcher ficou intrigado com a menção a demônios melhores. Tentou se lembrar do que tinha visto de relance nas pinturas e esculturas pelo castelo. Se ao menos Jeffrey não estivesse com tanta pressa naquela hora... De qualquer maneira, ele teria tempo o bastante para esse tipo de coisa mais tarde.

— Pois eu não teria feito nada diferente — retrucou Rory, na defensiva. — Não trocaria Malaqui por nada.

Serafim ergueu as mãos, como se estivesse se rendendo.

— Não quis ofender. Tenho certeza de que vou ter os mesmos sentimentos em relação ao meu demônio quando recebê-lo, seja ele um Caruncho ou qualquer outro tipo.

Rory grunhiu e voltou à refeição.

— Que outros tipos de demônio você conhece? Só ouvi falar de quatro — perguntou Fletcher a Serafim, que parecia ser o mais bem informado do grupo. Mas antes que o belo rapaz pudesse responder, Atlas ofegou de espanto. Um anão tinha entrado no refeitório... e trazia um demônio consigo.

19

O anão tinha uma aparência muito semelhante à de Athol, com barba ruiva e um corpo atarracado e troncudo. Encarou os outros estudantes por debaixo das grossas sobrancelhas, então aceitou uma bandeja das mãos de um criado nervoso. Mesmo que Fletcher tivesse certeza de que o anão era a fonte da fascinação de todos os outros, ele estava mais interessado no demônio que o seguia.

Com 1,20 metro de altura, a criatura teria a forma de uma criança pequena, não fosse pela silhueta atarracada e os membros robustos. Porém, o mais fascinante era a sua coloração. A criatura parecia ser feita de rocha malformada, um efeito tornado ainda mais impressionante pelo musgo e líquen que cresciam em sua superfície. As mãos eram como luvas de cozinha, com um grosso polegar opositor que poderia ser usado para segurar coisas. Com cada movimento do demônio, Fletcher ouvia o raspar tedioso de pedra contra pedra.

Enquanto os plebeus o fitavam, o demônio se virou e os encarou de volta com um par de olhinhos negros profundos.

— Um Golem! Estes são difíceis de capturar. Os criados contaram que eles crescem com o tempo, então você precisa pegá-los ainda jovens — sussurrou Serafim. — Espero que eu ganhe um deles.

— Pouco provável — retrucou Atlas. — Eles devem ter dado o Golem a ele como um favor ao Conselho Enânico, um gesto de boa vontade enquanto os anões são incorporados ao exército. Não tinha me tocado de que eles tinham sido aceitos em todos os níveis do serviço. Deus sabe como eles iriam cavalgar se entrassem para a cavalaria; aquelas perninhas curtas mal conseguiriam segurar os flancos de um cavalo.

Atlas riu com a imagem. Fletcher o ignorou, fitando o anão sentado encurvado e sozinho. O rapaz se levantou.

— O que você está fazendo? — sibilou Rory, agarrando a manga de Fletcher.

— Vou me apresentar a ele — explicou o outro.

— Você não viu como ele nos olhou? Acho que prefere ficar sozinho — gaguejou Genevieve.

Fletcher se soltou do aperto de Rory, ignorando os outros. Ele tinha reconhecido a expressão de ressentimento no rosto do anão quando este entrara. O próprio rapaz tinha sentido aquilo e várias vezes antes, quando era marginalizado pelas outras crianças de Pelego.

Quando o menino se aproximou da mesa, o Golem ribombou ameaçadoramente, a cara rochosa se abrindo para revelar uma boca sem dentes. Apreensivo, o anão se virou ao ouvir o ruído.

— Meu nome é Fletcher. — Ele estendeu a mão para o anão.

— Otelo. O que você quer? — perguntou, ignorando o cumprimento.

— Prazer em conhecê-lo. Por que não se senta conosco? Tem muito espaço sobrando — sugeriu Fletcher. O anão olhou para os outros, que os encaravam da outra mesa com expressões de receio.

— Estou bem aqui. Obrigado pelo esforço, mas sei que não sou bem-vindo — resmungou o anão, se voltando para sua refeição. Fletcher decidiu fazer uma última tentativa.

— É claro que é bem-vindo! Você vai lutar contra os orcs assim como todos nós.

— Você não entendeu. Não sou nada além de um gesto simbólico. Os generais de Hominum não pretendem deixar que entremos para as forças armadas para valer. Eles mandam a maior parte dos nossos recrutas à frente élfica para apodrecer com o refugo. O rei teve boas intenções ao forçá-los a nos aceitar, mas ainda são os generais que decidem o que fazer conosco. Como vamos mudar a opinião deles se eles não nos deixarem lutar? — murmurou Otelo, para que só Fletcher pudesse ouvir.

— Vocans recebeu meninas e plebeus também. De fato, todo mundo que você vê aqui é plebeu. Os nobres vão chegar amanhã — respondeu Fletcher, abrindo o coração ao anão infeliz. Ele pausou por um momento, então se inclinou mais para perto do anão e sussurrou: — Eles precisam de adeptos, não importa de onde eles venham. Tem até uma elfa! Não acho que a divisão de magos de batalha seja muito seletiva, desde que você possa lutar.

Otelo sorriu com tristeza para Fletcher. Em seguida, pegou a mão que lhe fora oferecida e a apertou.

— Eu sei sobre a elfa. Nós tivemos uma... conversa interessante enquanto esperávamos para ganhar nossos demônios. De qualquer maneira, espero que você esteja certo. Lamento pela minha grosseria; devo ter soado pretensiosamente insensível — disse Otelo, pegando a bandeja.

— Não se preocupe. Conheci outro anão ontem, e ele tinha uma opinião muito parecida com a sua. Ele me deu uma coisa — contou Fletcher, puxando do bolso o cartão que tinha ganhado.

— Guarde isso agora! — sibilou o anão em voz baixa assim que viu o cartão. Fletcher o meteu de volta nas calças. Qual era o problema?

Eles se sentaram à mesa com os outros, a conversa logo sendo abafada com a chegada do anão. Fletcher apresentou todos.

— Bom dia — saudou Otelo, desajeitado, acenando com a cabeça para cada um. Eles acenaram de volta em silêncio. Depois de alguns instantes, Rory começou a falar. Fletcher tinha a impressão de que o menino odiava silêncios constrangedores.

— Olha, vou te contar, eu queria poder deixar crescer um bigode desses. Você sempre teve um? — indagou Rory, passando a mão no rosto liso.

— Se quer saber se nascemos barbudos, a resposta é não — explicou Otelo, abrindo um sorriso irônico. — Nós acreditamos que cortar nossos pelos e cabelos é um pecado contra o Criador. Fomos feitos exatamente como ele queria que fôssemos. Se ele nos deu pelos, então temos que mantê-los.

— Então por que vocês não deixam as unhas crescerem também? Parece maluquice para mim — retrucou Atlas bruscamente, apontando para os dedos atarracados mas com unhas bem aparadas de Otelo.

— Atlas! — ralhou Genevieve.

— Tudo bem, é uma pergunta justa. Consideramos a parte cinzenta da unha morta e, portanto, não mais parte de nós. Claro que isso tudo é visto mais como tradição do que crença religiosa hoje em dia: muitos anões aparam a barba e os cabelos; alguns dos mais jovens até as pintam. Isso é conhecimento comum em Corcillum. De onde vocês vêm? — perguntou Otelo numa voz controlada.

— Sou de uma vila do oeste, perto do mar Vesaniano — respondeu Atlas. — Você é nativo de Corcillum?

Otelo fez uma pausa, parecendo confuso. Serafim respondeu por ele.

— Os anões já estavam aqui antes que o primeiro homem pisasse nestas terras. Eles derrubaram as florestas, aplainaram os vales, desviaram os rios e até mesmo plantaram os grandes marcos de pedra que mapeiam o território de Hominum.

Otelo sorriu, como se impressionado pelo conhecimento que o jovem plebeu tinha do seu povo.

— A humanidade chegou aqui dois mil anos atrás, depois de completarem a longa jornada através do deserto de Akhad — continuou Serafim, encorajado pela atenção total dos outros. — Corcillum era a capital enânica, então nós viemos morar com eles, trabalhando e comerciando. Mas uma doença terrível varreu a cidade, e tem um efeito particularmente forte contra os anões. Logo depois, nosso primeiro rei assumiu o poder, com ajuda daqueles que hoje são as famílias nobres. Eram um pequeno grupo de conjuradores que comandavam demônios poderosos, muito mais fortes que as criaturas controladas pelos conjuradores modernos. É por isso que toda a realeza e a nobreza são capazes de conjurar; eles herdaram as habilidades de seus ancestrais.

— É por isso também que nós nos rebelamos com tanta frequência — acrescentou Otelo em voz baixa. — Um ato imensamente tolo, considerando que somos tão poucos e não temos conjuradores. Nunca nos recuperamos em números depois da peste, graças à lei baixada sobre nós pelos ancestrais do seu rei. Temos que viver nos guetos e só podemos ter um número limitado de filhos por ano. Não podemos nem ter nossa própria terra. A realeza diz que somos os responsáveis pelo nosso próprio infortúnio, depois de tantas rebeliões.

Um clima sombrio baixou sobre os outros, mas Fletcher sentia raiva, a mesma raiva que lhe fora provocada pelas injustiças de Didric. Aquilo era... desumano! A hipocrisia da situação o enojava. Então tinha sido disso que Athol falara. Altas abriu a boca novamente, com uma expressão de discordância no rosto.

— Então, Serafim, você disse que fez o dever de casa — interveio Fletcher, antes que Atlas pudesse começar uma discussão. — Conte-nos um pouco sobre o que devemos esperar ao longo dos próximos meses.

Serafim se inclinou para a frente e chamou todo mundo mais para perto, sorrindo com a oportunidade de mostrar o quanto tinha aprendido.

— Eles são muito justos aqui. As patentes são conferidas de acordo com o mérito, então quanto melhor for o seu desempenho nas provas e nos desafios, mais alta a sua patente de oficial quando se formar. O problema é que nós, plebeus, já saímos em desvantagem nessa disputa. Os demônios que recebemos não são particularmente fortes, enquanto os nobres ganham as criaturas dos pais, que se esforçam mais em capturar seres poderosos para os filhos. Alguns são até afortunados o bastante de receber um dos demônios particulares da família, mas isso é raro. Não sei muito sobre o demônio de Fletcher, nunca vi um desses antes. Mas, Otelo, o seu será muito poderoso quando estiver completamente crescido, pelo que ouvi dos Golens.

— Então... nós sempre teremos só os nossos Carunchos? — perguntou Genevieve, confusa.

— Não necessariamente — respondeu Serafim. — É possível capturar outro demônio mais poderoso no éter e acrescentá-lo ao seu rol. Não sei muito sobre como isso é feito, e aparentemente é mais difícil e perigoso de se fazer com demônios mais fracos. Estou torcendo para ganhar algo melhor que um Caruncho. Eles são ótimos batedores e têm ferrões bem fortes, mas seus níveis de mana são bem baixos, e fisicamente não são páreos nem para um filhote de Canídeo.

— Entendi — disse Genevieve, parecendo um pouco menos orgulhosa de Azura enquanto a criatura decolava e esvoaçava pelo salão. Todos observaram o bicho pousar na enorme estátua no centro do salão, caminhando até o olho de pedra do homem.

— Quem é esse cara, afinal? — perguntou Fletcher a todos à mesa.

— Essa eu sei — respondeu Otelo, apontando a placa sob a estátua. — É Ignácio, o braço direito do rei Corwin e fundador da Academia Vocans, no tempo em que ela não passava de uma barraca num campo. Ele morreu na Primeira Guerra Órquica uns dois mil anos atrás, mas lhe atribuem o mérito de ter liderado a carga suicida que rompeu as fileiras dos orcs e acabou levando à derrota deles.

— É isso! — exclamou Fletcher em voz baixa, olhando para o diabrete. A criatura tinha descido pelo braço do dono e estava lambendo com alegria os restos de mingau na tigela.

— O que foi? — indagou Rory.

— Ignácio. Assim que vou batizar meu demônio.

20

Ao fim do café da manhã, os outros decidiram voltar aos quartos para dormir mais um pouco, mas Fletcher odiava a ideia de ficar sentado no frio. A conversa que tinha se desenrolado durante a refeição fizera o rapaz perceber quão pouco ele sabia sobre aquele lugar. Fletcher precisava achar Jeffrey. Se Serafim tinha aprendido tanto sobre a Cidadela com os criados, ele também extrairia o máximo de informações que pudesse daquela fonte. Fletcher estava com sorte; Jeffrey ainda estava polindo o chão do átrio.

— Seria muito abuso se eu pedisse a você para me mostrar a Cidadela de novo? Não faz muito sentido você limpar o piso agora, já que vai ficar sujo de novo quando os alunos do segundo ano descerem para o café — argumentou Fletcher com o criado, que já parecia cansado.

— Só estou polindo o chão para que o Sr. Mayweather não grite comigo. Se eu puder dizer que estava guiando um aprendiz pelo castelo, então estou liberado! Vamos só pegar leve nas escadas desta vez — respondeu Jeffrey, sorrindo. — O que você gostaria de ver?

— Tudo! — retrucou Fletcher. — Tenho o dia inteiro.

— Então eu também tenho. — Jeffrey estava animado. — Vamos começar pela sala de conjuração.

A sala ficava no mesmo andar, na ala oriental. As grandes portas de aço eram difíceis de abrir, e o ranger das dobradiças enferrujadas ecoou

pelo átrio. Jeffrey pegou uma tocha num suporte do lado de fora e levou o aprendiz para dentro, iluminando o caminho com a chama alaranjada e tremeluzente. As solas das botas pareciam grudar no piso que, sob exame mais próximo, mostrou-se feito de pesadas tiras de couro. Havia um grande pentagrama pintado no meio do aposento, o epicentro de uma espiral de estrelas gradualmente menores. Cada uma era cercada pelos mesmos símbolos estranhos que Fletcher tinha visto no livro do conjurador. Talvez fossem aquelas as chaves sobre as quais James Baker tinha escrito?

— Por que couro? — perguntou Fletcher.

— Os pentagramas e símbolos precisam ser desenhados em algo orgânico, ou não funcionam. Nós usávamos madeira, mas ela sempre queimava e precisava ser substituída. O reitor decidiu que couro era uma ideia melhor. Vem funcionando bem até agora; ele fica fumegando e esbraseando um pouco, e o cheiro é horrível, mas mesmo assim é melhor do que correr o risco de um incêndio toda vez que um dos demônios entra no éter.

— Eu não fazia ideia! — exclamou Fletcher, examinando uma fileira de aventais de couro pendurados em ganchos ao lado da porta.

— Não sei muito mais sobre este aposento. Seria melhor você perguntar a um dos alunos do segundo ano, mas eu não perderia tempo. A competição por patentes é feroz, e eles não gostam de ajudar os calouros. Assim evitam que você roube uma promoção que poderia ter sido deles. Odeio esse jeito de pensar, mas o reitor disse que as coisas são brutalmente competitivas nas linhas de frente, então por que não dar um gostinho disso aos aprendizes aqui?

Jeffrey ficou pela porta, recusando-se a explorar o salão.

— Vamos. Esse lugar me dá arrepios — murmurou.

O criado levou Fletcher ao corredor e os dois subiram ao segundo andar da ala oriental.

— Esta é a biblioteca. — Jeffrey empurrou a primeira porta. — Me perdoe por não entrar. A poeira é terrível para a minha asma.

O aposento parecia tão profundo e longo quanto o átrio era alto. Havia fileiras e mais fileiras de estantes de livros alinhadas nas paredes, cheias de tomos ainda mais grossos do que aquele escondido no fundo da bolsa deixada por Fletcher no alojamento. Longas mesas se estendiam entre cada estante, com velas apagadas dispostas a intervalos regulares sobre seus tampos.

— Há milhares de ensaios e textos teóricos escritos pelos conjuradores de outrora. A maioria é de diários, com datas espalhadas ao longo dos últimos mil anos, mais ou menos. Este lugar não é muito usado, considerando que já tem tanto trabalho a ser feito, mesmo sem as leituras extras. Mas alguns alunos vêm aqui em busca de dicas e truques, geralmente os plebeus que não têm dinheiro para gastar em Corcillum nos fins de semana — explicou Jeffrey, encostado à porta. — Eles precisam correr atrás de qualquer maneira; os nobres sempre chegam sabendo mais que eles, tendo crescido com o dom e tal.

— Fascinante — comentou Fletcher, espiando as pilhas de livros. — Estou surpreso que esta biblioteca seja usada tão raramente. Deve haver um verdadeiro tesouro de conhecimento por aqui.

Jeffrey deu de ombros e fechou a porta.

— Eu não saberia dizer, mas acho que o ensino nesta escola se tornou muito mais prático, por necessidade. Simplesmente não há mais tempo para pesquisas e experimentos; eles só se importam em despachar vocês à linha de frente o mais rápido possível.

Ao saírem dos aposentos, Fletcher viu um grupo de meninos e meninas passando pelo corredor.

— Esses são os alunos do segundo ano — contou Jeffrey, indicando-os com um aceno da cabeça. — Tiveram um ano muito difícil. A competição por patentes está mais feroz do que nunca. Agora que os criminosos provavelmente serão alistados no exército, além dos anões, esses novos batalhões vão precisar de oficiais. E os alunos que não tiverem um bom desempenho, serão escolhidos para liderar essas tropas em combate... ou vão apodrecer com eles na frente élfica. — Fletcher não achava que seria tão ruim liderar anões em combate, mas não pretendia começar um debate com Jeffrey; não enquanto ainda tinha tanto a aprender.

O rapaz fitou os alunos veteranos conforme eles desciam as escadas escuras, sem demônios. Pequenas esferas de luz flutuavam ao redor de suas cabeças como vaga-lumes, emitindo um brilho azul etéreo.

— O que são aquelas luzes? E cadê os demônios deles? — perguntou Fletcher conforme ele e Jeffrey os seguiam escada abaixo. Os veteranos o ignoraram, esfregando os olhos e murmurando entre si.

— Demônios não são permitidos fora dos alojamentos e das aulas. Eles vão te explicar essas coisas assim que todos os calouros tiverem chegado. Apesar de eu não fazer a menor ideia de aonde os demônios vão quando não estão com seus conjuradores. Quanto às luzes, são chamadas de fogos-fátuos. É uma das primeiras habilidades que ensinam aos aprendizes, acho. Em alguns dias vocês todos estarão fazendo essas coisas zanzarem para cima e para baixo.

— Mal posso esperar — comentou Fletcher, espiando as bolinhas azuis de luz enquanto elas flutuavam sem destino pelo átrio. — Não me espanta que só haja uma vela nos nossos aposentos.

Jeffrey o arrastou do átrio, descendo por uma escadaria ao lado da entrada da sala de conjuração.

— O castelo é enorme, mas a maioria dos aposentos é usada como acomodação para os nobres, professores e criados. O resto fica vazio ou serve como depósito, exceto por algumas salas de aula — explicou Jeffrey enquanto os passos de ambos ecoavam pelos degraus escuros.

Quando chegaram ao final das escadas, a primeira coisa que Fletcher percebeu foi uma sequência de grilhões incorporados às paredes de um longo e úmido corredor que se estendia pelas trevas. Ao atravessar o local, o rapaz viu dúzias de celas de prisão apertadas e sem janelas, com no máximo 1 metro de largura.

— Que lugar é este? — indagou Fletcher, horrorizado. As condições para as pessoas aprisionadas daquele jeito teriam sido insuportáveis.

— Esta parte da Cidadela foi construída no primeiro ano da guerra, oito anos atrás, para os desertores. Não sabíamos o que esperar, então sempre que as tropas eram enviadas para as linhas de frente, nós nos assegurávamos de que dormissem aqui embaixo na noite anterior. Assim, eles saberiam o que os aguardava se fugissem por covardia. Só recebemos algumas poucas dúzias de prisioneiros nos primeiros dois anos, ou pelo menos é o que me dizem. Hoje em dia, desertores são simplesmente açoitados quando são pegos e mandados de volta à guerra. — Jeffrey passou a mão pelas barras de ferro enquanto falava. Fletcher estremeceu e o seguiu pelo longo corredor.

Ficou surpreso quando o túnel claustrofóbico se abriu num aposento enorme. Tinha o formato do interior de um coliseu, com anéis concêntricos de escadas que também serviam como assentos, circundando uma área com piso de areia. Fletcher estimou que poderia facilmente receber uma audiência de quinhentas pessoas.

— O que diabos isto está fazendo aqui? — indagou. Certamente não poderia haver nenhuma explicação para uma arena gladiatória como aquela no porão da Cidadela.

— O que você acha, menino? — veio uma voz roufenha atrás dele. — Execuções, para isso que ela está aqui. Para dar alento aos soldados e aprendizes, sempre que capturássemos um orc, ao verem o monstro morrer como qualquer outra criatura.

Fletcher e Jeffrey giraram, deparando-se com um homem grisalho e quase banguela, apoiado num cajado. Ele não tinha o pé nem a mão direitos, substituídos por uma perna de pau grossa e um gancho terrivelmente afiado. Ainda mais estranha era sua armadura de cota de malha do exército antigo, resplandecente no verde-escuro e prateado de uma das velhas casas nobres.

— É claro que nunca foi usado — disse. — Quem é que já ouviu falar de um orc sendo capturado vivo!

Ele gargalhou consigo mesmo e estendeu a mão esquerda, que Fletcher apertou.

— Capturamos alguns gremlins, mas vê-los se encolher, tremendo num canto e mijando nas tangas não era muito gratificante. Eles provavelmente têm uma rixa mais séria com os orcs do que a gente, já que são escravizados e tal — contou o homem, mancando pela arena. — Bem, vamos lá, vamos ver o que você é capaz de fazer com esse khopesh. Faz muito tempo que não vejo um desses — chamou, brandindo o cajado e apontando para a espada de Fletcher. — Posso ter perdido minha mão boa na guerra, mas ainda posso lhe ensinar uma ou duas coisinhas com a esquerda. Diabos, eu tenho que poder; é o meu trabalho, não é?

— Quem diabos é esse cara? — sussurrou Fletcher, perguntando-se que tipo de louco escolheria passar seu tempo livre nas masmorras. Jeffrey se inclinou e murmurou de volta:

— Esse é Sir Caulder. É o mestre d'armas!

Sir Caulder riscou uma linha na areia com o cajado e chamou Fletcher mais para perto.

— Vamos lá. Posso ser um aleijado, mas tenho mais o que fazer.

Fletcher pulou para a arena e avançou até o mestre, pedindo mentalmente a Ignácio que ficasse ao lado de Jeffrey. Sir Caulder piscou para ele e ergueu o gancho numa saudação de brincadeira.

— Sei reconhecer um futuro oficial quando o vejo, mas será que você luta como um?

— Não quero machucar o senhor. Esta espada é afiada — avisou Fletcher, soltando a arma do cinto e erguendo para que o velho a visse. Era a primeira vez que ele realmente empunhava aquela arma nas mãos. A espada era muito mais pesada do que ele esperava.

— Sim, posso ser velho, mas com a idade vem a experiência. Este cajado aqui é duas vezes mais perigoso na minha mão única do que esse khopesh é nas suas duas.

Fletcher duvidou. O homem era magro como uma vassoura, e tinha mais ou menos a mesma altura, também. O rapaz brandiu a arma em sua direção sem muita convicção, mirando de forma a não acertar nada. Sir Caulder não se moveu para se defender, deixando a espada cortar o ar inofensivamente diante do seu peito.

— Muito bem, garoto, chega de brincadeira! — exclamou o mestre d'armas.

O cajado zuniu pelo ar, acertando a cabeça de Fletcher num golpe doloroso. O rapaz gritou e levou a mão à orelha, sentindo o sangue escorrer quente pela nuca.

— Vamos lá, essa espada não conseguiria nem perfurar esta cota de malha — provocou o velho com alegria, saltitando diante de Fletcher como um bode.

— Eu não estava pronto — rosnou Fletcher, em seguida estocando contra o estômago de Sir Caulder com as mãos. O cajado desceu como um martelo, batendo tão forte na espada que esta se cravou na areia. Fletcher foi recompensado com outra pancada no rosto, que deixou uma marca larga.

— Isso não vai ficar bonito amanhã. — Sir Caulder riu, espetando a barriga de Fletcher e fazendo o menino cambalear. — Veja, Jeffrey, eles carregam essas espadas por aí como se fossem enfeites. Escute bem o que vou dizer: quando um orc investe contra você dentro da mata, não ache que uma bala de mosquete vai detê-lo. Ele vai palitar os dentes com as suas costelas antes mesmo de perceber que levou um tiro — reclamou, pontuando cada palavra com uma cutucada do cajado.

A paciência de Fletcher acabou. Ele girou o khopesh num arco largo, pegando o cajado na curva e afastando-o para o lado. Em seguida investiu sob a guarda de Sir Caulder, derrubando o homem com um golpe do ombro para cair por cima dele.

Antes que um grito de triunfo pudesse deixar os lábios do rapaz, os joelhos de Sir Caulder tesouraram ao redor do pescoço dele, esganando as palavras. A perna de pau bateu na nuca de Fletcher, que largou a espada e tentou separar as pernas do velho guerreiro, mas estas eram como barras gêmeas de aço. O homem apertou mais, até que a visão de Fletcher se turvou. O mundo, então, desapareceu nas trevas.

21

Quando sua consciência voltou, Fletcher pôde escutar os sibilos de Ignácio. Abriu os olhos e viu Jeffrey e Sir Caulder o observando do outro lado da arena. Sir Caulder praguejava horrivelmente e havia um odor de queimado no ar.

— Malditos demônios, deveriam ser todos fuzilados. É um combate bom e sólido que mata os orcs, não essas abominações — resmungou o velho, cutucando um pedaço de pano enegrecido no peito da sobreveste. Ignácio devia ter cuspido fogo nele quando Fletcher desmaiou.

O rapaz esfregou a garganta machucada, aborrecido, e se sentou. Por que será que tanta gente queria esganá-lo? Até Ignácio gostava de se enrolar em seu pescoço.

— O senhor se esqueceu de uma coisa — grasnou Fletcher. — Os xamãs orcs têm o dobro do número dessas abominações, como o senhor chamou. Acha mesmo que o bom e sólido combate vai derrotá-las também? Por que dar aula aqui se o senhor os odeia tanto?

Sir Caulder e Jeffrey atravessaram a arena até ele, parando de vez em quando para o caso de Ignácio atacar de novo. Fletcher acalmou o diabrete com pensamentos tranquilizantes e pegou o khopesh, reatando-o ao cinto.

— Me desculpe, guri. Eu estava só desabafando. Esta sobreveste era meu velho uniforme. É tudo que me resta dos velhos tempos — contou Sir Caulder, chutando areia com a perna de pau.

— Bem, é culpa minha também. Eu deveria ter avisado a Ignácio que esta era uma luta de brincadeira, apesar de achar que fugimos um pouco à parte da *brincadeira*. Lamento pelo seu uniforme. Posso lhe comprar um novo? — perguntou Fletcher.

— Não. Eu lutava sob os Raleigh — respondeu Sir Caulder, como se isso explicasse tudo.

— Os Raleigh? — indagou Fletcher. — Eles são uma família nobre?

— Sim, isso mesmo. Não mais, porém — murmurou Sir Caulder. O rapaz notou a dor no olhar do homem, mas não conseguiu conter a curiosidade.

— Por quê? Eles caíram em desgraça com o rei? — perguntou Fletcher. Ele nunca tinha ouvido falar nesse tipo de coisa acontecendo antes, se bem que Pelego ficava tão longe das maquinações da classe superior de Hominum que isso poderia ser uma ocorrência cotidiana, até onde ele sabia.

— Não, nada do tipo, seu idiota! Eu servi ao lorde Edmund Raleigh, muito tempo antes da guerra. Ele era um dos nobres com propriedades na fronteira sul, então nossas terras eram constantemente atacadas por orcs saqueadores. Naqueles tempos, o exército estava concentrado demais em manter os anões sob controle para nos mandar ajuda, então, como parte da guarda de Raleigh, tínhamos que lidar com o problema sozinhos. Lorde Raleigh era um bom homem e um amigo próximo do rei, então não vá pensar que ele não era! — ralhou Sir Caulder.

— Eu não quis ofender — atalhou Fletcher, tentando ser educado. — Mas não entendo como os Raleigh perderam o poder.

— Foram os orcs, moleque. Eles que são os culpados. Vieram na calada da noite, se esgueirando pelo gado e pelos grãos e tudo mais que os meus rapazes estavam protegendo. Nós achávamos que era isso que eles queriam, então por que proteger qualquer outra coisa? — explicou ele amargamente, cerrando os punhos com a memória. — Eles massacraram todo mundo na mansão da família Raleigh: as mulheres, as crianças. Quando ficamos sabendo, eles já tinham ido embora, levando os mortos como troféus e amarrando os corpos nas árvores da fronteira do território órquico. Lorde Raleigh resistiu terrivelmente. O Canídeo dele matou três orcs antes que eles abrissem a barriga do demônio e o deixassem sangrando para morrer. Eu acabei com o sofrimento dele, pobre criatura. Então não fique pensando também que eu tenho alguma coisa contra conjuradores!

Sir Caulder estremeceu com a memória, então foi até os degraus da arena, para uma porta aberta na parede.

— Você não é um mau lutador, mas vai precisar aprender a enfrentar um orc. Aquela ombrada não teria nenhum efeito, e você estaria enfrentando clavas e machados pesados, não armas de precisão. Venha me ver de novo, e eu lhe ensinarei como — disse o soldado da porta, entrando em seguida com um grunhido satisfeito.

Jeffrey levou Fletcher até a entrada e ergueu a tocha até o rosto do amigo para poder vê-lo melhor à luz fraca. Ignácio subiu até o ombro do rapaz e ronronou com a visão da chama.

— Ele realmente caprichou na sua cara. Esse machucado está inchando ferozmente — comentou Jeffrey.

— Nem dói tanto assim. — Fletcher tocou a ferida no rosto e estremeceu.

Os dois voltaram calados ao átrio, ponderando a história de Sir Caulder enquanto subiam a longa escadaria.

— O tour acabou — gemeu Jeffrey ao emergirem no átrio. — Preciso voltar ao trabalho agora.

— Você já sabia de Sir Caulder e os Raleigh? — perguntou Fletcher a Jeffrey quando o criado voltou a limpar o piso.

— Eu ouvi falar dos Raleigh, mas não fazia ideia de que Sir Caulder tinha servido à casa deles. O que sei é que foi o incidente Raleigh que deu início à guerra. O rei e os nobres começaram a expandir as fronteiras de Hominum em retaliação, cortando as árvores e devastando as aldeias órquicas ano após ano. Mas foi só quando o orc albino começou a unir as tribos que o conflito virou uma guerra de verdade — respondeu Jeffrey, esfregando o chão.

— Não consigo entender como nunca ouvi isso antes. — Fletcher coçou a cabeça. Aparentemente, viver tão longe ao norte de Corcillum tinha limitado sua educação sobre a política do mundo em geral.

— Você não teria como. Foi tudo acobertado e mantido em segredo. O rei não gostaria que os plebeus descobrissem que uma linhagem nobre pode ser extinta assim, de uma hora para outra. É só porque os filhos dos nobres vêm para cá que eu escutei a história; Sir Caulder nunca mencionou nada disso antes — explicou Jeffrey.

— Ele devia gostar muito daquele uniforme — observou Fletcher, afagando a cabeça de Ignácio.

— Falando nisso, não acredito que suas roupas ainda não foram lavadas! Estava meio nauseante naquele corredor apertado lá embaixo, Fletcher. Volte ao alojamento, e eu mandarei alguém buscar suas roupas e levá-lo aos banhos. Sério.

22

A lua estava cheia e resplandecente no céu sem nuvens. Fletcher tremeu e puxou o colarinho do uniforme; era a única roupa que não fora levada para ser lavada. Ainda assim, ele tinha que vestir algo; estava gélido no quarto, e o cobertor esfarrapado na cama não ajudava em nada a mantê--lo aquecido. Ele se inclinou para fora da janela sem vidro para o ar frio da noite, pensando no dia que tinha se passado.

A elfa tinha ficado no próprio quarto, o que estava ótimo para Fletcher. O resto do grupo se manteve animado no almoço e no jantar, ansioso pelo dia seguinte e pelas maravilhas que este traria. Fletcher notou que tinha gostado da companhia dos outros, ainda que a tensão entre Atlas e Otelo tivesse conferido um sutil tom de tensão a uma noite feliz. Fletcher tinha simpatizado especialmente com Serafim, cujo carisma e dom para contar histórias tinham deixado todos atentos a cada palavra sua. A atitude despreocupada de Rory também conquistou sua afeição, e, mesmo que todos os esforços dela para salvar o uniforme do rapaz tenham sido em vão, Fletcher descobriu que Genevieve era uma pessoa generosa com um senso de humor surpreendentemente seco.

Era estranho saber que todos eles estariam arriscando a vida nas selvas quentes do sul em alguns poucos anos. Por mais que Fletcher tentasse evitar pensar no assunto, os outros estavam ansiosos pelo combate. Genevieve era a única que não ostentava abertamente sua vontade de lutar, mesmo que falasse dos orcs com uma fúria sombria que escondia sua trágica experiência.

Fletcher sabia que deveria dormir, mas se sentia eufórico demais para isso. Até Ignácio, geralmente tão preguiçoso, parecia contagiado pela agitação do dono, perseguindo a própria cauda na escuridão do quarto.

O rapaz estendeu a vela para que Ignácio a acendesse, então saiu para a sala comum. Ao chegar, viu uma luz de vela que sumia pela escadaria, com o som de passos apressados ecoando abaixo.

— Venha, Ignácio; parece que não somos os únicos com dificuldade para dormir — comentou Fletcher. Se fosse passar a noite em claro, seria muito melhor fazê-lo acompanhado.

Os corredores ficavam sinistros à noite, com correntes de ar gélidas sibilando pelas seteiras que salpicavam as paredes exteriores do castelo. A chama da vela de Fletcher tremeluzia com cada rajada, até que ele teve de protegê-la com a mão para que não se apagasse.

— Eu bem gostaria de uma daquelas luzes voadoras numa hora destas, né, Ignácio? — sussurrou o rapaz.

As sombras se moviam de forma bizarra conforme o menino descia o corredor, as fendas negras dos visores de cada armadura fitando-o à sua passagem.

Parecia estranho que a pessoa adiante, fosse quem fosse, estivesse se movendo tão rápido, mais como uma corrida do que um passeio noturno. Fletcher se apressou em acompanhar, motivado por uma curiosidade mais forte que seu bom senso. Mesmo ao alcançar o átrio, o menino só conseguiu ver uma luz fraca e o sibilar de tecido conforme a silhueta escapava pela entrada principal.

O pátio estava silencioso como um túmulo e duas vezes mais assustador quando Fletcher pôs os pés do lado de fora, mas não havia sinal da pessoa misteriosa. Ele caminhou até a ponte levadiça e espiou a estrada, procurando pela luz da vela. Enquanto contemplava a escuridão turva, começou a ouvir a batida rítmica de cascos na estrada, vindo na direção da Cidadela.

Fletcher correu para uma pequena saleta construída na guarita da ponte levadiça, apagando a própria vela com um sopro e se espremendo contra a fria parede de pedra. Quem quer que fosse, o rapaz não queria que a primeira impressão que a pessoa tivesse dele fosse de alguém que gostava de se esgueirar por aí na calada da noite.

Ele conteve a empolgação de Ignácio, pressionando-o sobre a necessidade de silêncio com um pensamento severo. Lembrou-se do que tinha acontecido da última vez em que estivera numa sala fria de pedra, escondido nas trevas. Com essa memória, o demônio reagiu com concordância e até um toque do que parecia ser arrependimento. Fletcher sorriu e deu uma coçadinha no queixo de Ignácio. O diabrete entendia mais do que ele pensava!

O ruído de rodas em movimento e o estalo de chicotes anunciou a chegada das carruagens, que ribombaram ao cruzar a velha ponte levadiça. Fletcher espiou por uma rachadura na pedra do aposento, cruzando os braços com força por conta do frio. Seriam os nobres? Talvez um dos professores, chegando cedo?

Aproximaram-se duas carruagens, ambas floreadamente decoradas com ornamentos dourados e iluminadas por tochas crepitantes. Dois homens montavam no topo de cada uma, vestindo uniformes escuros com botões de latão e quepes que lembraram a Fletcher o traje dos Pinkertons. Os quatro portavam bacamartes pesados nas mãos, prontos para disparar em qualquer um que tentasse emboscar o comboio. Carga preciosa, de fato.

As portinholas se abriram e vários vultos desceram, vestindo versões perfeitamente talhadas e ajustadas do uniforme de Vocans. À luz fraca das tochas, era difícil identificar seus rostos, mas um dos mais próximos ficou bem à vista.

— Ah, céus! — exclamou ele aos outros, numa voz elegante e arrastada. — Eu sabia que este lugar tinha caído em decadência, mas não achava que tinha chegado a nível tão baixo.

— Você viu o estado das coisas, Tarquin? — indagou uma menina, das sombras. — Estou espantada por termos conseguido atravessar a ponte.

Tarquin era um rapaz bonito com maçãs do rosto bem definidas e cabelos loiros angelicais, que caíam em cachos até a nuca. Porém, seus olhos azuis acinzentados pareciam a Fletcher tão duros e cruéis quanto tantos outros que vira antes.

— É isso que acontece quando você deixa a ralé entrar — declarou ele com uma expressão de desdém. — Os padrões estão decaindo. Tenho certeza de que, quando papai esteve aqui, este lugar era o dobro do que é agora.

— Ainda assim, ao menos os plebeus podem ficar com os postos que não quisermos — sugeriu a menina, fora do campo de visão de Fletcher.

— Sim, bem, esse é o lado bom — concordou Tarquin, num tom entediado. — Os plebeus podem ficar com os criminosos e se, deus nos acuda, eles permitirem que os anões sirvam como oficiais, então podem comandar os meios-homens também. Manter todos nos seus devidos lugares, esse é o jeito certo. Cada um onde deveria estar.

Uma garota saiu da penumbra e parou ao lado do jovem nobre, estreitando os olhos para espiar a alta Cidadela diante deles. Ela poderia ter sido gêmea de Tarquin, com maçãs do rosto angulosas e madeixas de querubim arrumadas em delicados cachinhos loiros.

— Isto é uma desgraça. Como é que pode, cada criança nobre em Hominum ser forçada a viver aqui por dois anos? — perguntou ela em voz alta, ajeitando um cacho errante atrás da orelha.

— Cara irmã, é por isso que estamos aqui. Os Forsyth não botam o pé em Vocans desde que nosso pai se formou. Vamos mostrar a este lugar como nobres de verdade devem ser tratados — respondeu Tarquin. — Falando nisso, onde estão os criados? Que tal você ir lá buscá-los, hein, Isadora? — brincou ele, empurrando a irmã na direção da entrada.

— Ugh! Eu prefiro ter minha cabeça raspada a passar um segundo nos alojamentos da criadagem! — exclamou ela.

Com essas palavras, a porta lateral se abriu e Mayweather, Jeffrey e vários outros criados saíram cambaleando, muitos ainda esfregando os olhos de sono.

— Mil desculpas pelo nosso atraso, milorde — disse Mayweather, num tom humilde. — Tínhamos pensado que os senhores chegariam pela manhã, já que não chegaram até o décimo primeiro sino.

— Sim, bem, decidimos que os bares de Corcillum eram lugares muito mais interessantes para se estar à noite do que este... estabelecimento — respondeu Tarquin gelidamente, apontando em seguida para Jeffrey. — Você, moleque, leve as malas aos meus aposentos, mas com cuidado. O conteúdo nelas vale mais do que você ganhará na sua vida inteira.

Jeffrey se apressou em obedecer, fazendo uma mesura desajeitada aos dois nobres de cabelos dourados ao passar.

— Permita-me levá-lo aos seus alojamentos, milorde. Sigam-me, os dois — disse Mayweather ao grupo, subindo os degraus com dificuldade enquanto os servos descarregavam as carruagens. Fletcher teve um relance dos dois nobres que seguiam Mayweather, e então a vista foi bloqueada pelas duas carruagens girando e saindo do pátio, trovejantes.

Logo Fletcher estava sozinho de novo, enojado com o que tinha acabado de ver. Ele tinha sempre imaginado os nobres como sendo generosos e justos, liderando os próprios soldados para lutar na guerra e cedendo seus filhos adolescentes para que servissem como magos de batalha. Ele sabia que muitos nobres em idade militar arriscavam as vidas todos os dias nas linhas de frente, deixando as famílias em casa. Mas o que vira naqueles dois moleques mimados era o completo oposto do que esperava. Fletcher torceu para que nem todos os aprendizes de berço nobre fossem como aqueles dois espécimes que acabara de encontrar.

Fletcher esperou alguns minutos e saiu sorrateiramente da guarita, voltando à entrada principal pelas sombras da muralha do pátio. Logo antes de passar por um feixe de luar, ouviu o ranger da ponte levadiça atrás de si.

Girou bem a tempo de ver um vulto diante dela sumir de vista, correndo estrada abaixo. Um vulto com longos cabelos ruivos.

23

Os nobres chegaram atrasados para o café da manhã, sentando-se do lado oposto do refeitório e ignorando completamente o grupo de plebeus. Tarquin e Isadora lideravam o cortejo, tendo claramente se estabelecido como líderes. Por outro lado, os tapinhas casuais nas costas e gargalhadas fizeram Fletcher concluir que a maioria dos nobres já se conhecia.

— Por que estão nos ignorando? — perguntou Atlas, olhando por sobre o ombro quando os nobres começaram a fazer comentários em voz alta sobre a baixa qualidade da comida.

— Isso é normal — afirmou Serafim. — Os nobres sempre ficam separados dos plebeus. Eu bisbilhotei um dos quartos deles outro dia. É do tamanho do nosso alojamento inteiro e mais um pouco!

— Não acho que deveria ser assim — comentou Rory. — Vamos viver juntos pelos próximos dois anos, não é? Só tem cinco deles. Certamente vão ficar entediados com a companhia um do outro.

— Duvido — opinou Fletcher. — Um dos criados me contou que os nobres frequentemente passam seu tempo livre em Corcillum. Somos nós que vamos ficar neste castelo sem ter nada para fazer. Nossa melhor opção vai ser fazer amizade com alguns dos plebeus mais velhos.

Enquanto dizia isso, uma dúzia de veteranos começou a entrar no salão, conversando em voz alta. Eles se separaram em dois grupos e se sentaram em mesas diferentes, mas, ao contrário dos calouros, as duas turmas pareciam conversar entre si sem nenhuma hostilidade perceptível. Mesmo assim, julgando pela qualidade dos uniformes, Fletcher suspeitava que a divisão de mesas era entre nobres e plebeus também.

— Eles desceram cedo para o café da manhã — comentou Serafim enquanto de duas mesas veteranos os olhavam de cima a baixo, com atenção especial dedicada a Otelo. Um deles cutucou o outro e apontou para Ignácio e o Golem, que Otelo tinha batizado de Salomão. O anão se ajeitou e baixou a cabeça sobre a refeição, constrangido pelos olhares.

— Eu queria que pudéssemos tomar café da manhã no mesmo horário que eles todos os dias. Tem espaço suficiente aqui para centenas de nós comermos — bocejou Genevieve, apoiando a cabeça nas mãos. Fletcher fitou seus cabelos ruivos com desconfiança. Seria ela o vulto que ele vira saindo da Cidadela na noite anterior?

Quando os criados terminaram de servir o café aos recém-chegados, todos no refeitório subitamente se calaram. Erguendo o olhar da refeição, Fletcher viu o reitor entrando no salão, seguido por dois homens e uma mulher que vestiam uniformes de oficiais. Com um sobressalto, reconheceu um deles como Arcturo, com o olho branco fitando resoluto adiante. O homem não deu sinais de tê-lo reconhecido. A menina elfa entrou logo atrás, causando um rebuliço no refeitório. Ela caminhou com a cabeça erguida até um assento afastado da mesa dos plebeus. Seu Canídeo se enrodilhou sob a cadeira, a cauda peluda se esticando enquanto a criatura olhava pela sala, protetora.

Os quatro oficiais ficaram parados com braços cruzados e encararam o salão até fazer-se silêncio absoluto.

— Bem-vindos à Cidadela! Imagino que todos já tenham se instalado — anunciou o reitor Cipião asperamente por entre as cerdas de seu grosso bigode. — Vocês têm o privilégio de ser parte da menor e mais recente geração de estudantes a agraciar os salões da Academia Vocans. — Fletcher olhou em volta, contando. Eram doze veteranos, o mesmo número dos calouros. — Nossas tradições datam desde o primeiro rei de Hominum, há mais de dois mil anos — continuou Cipião. — E, mesmo que sejamos poucos, os magos de batalha graduados por esta instituição seguem servindo como os melhores oficiais das forças armadas, seja sob o comando do rei ou sob a bandeira de uma de nossas grandes casas nobres.

Fletcher viu Tarquin se inclinar e sussurrar com Isadora, cuja risada tilintante ecoou por todo refeitório. Ele não foi o único a perceber. O rosto de Cipião ficou vermelho de raiva, e o reitor apontou para o jovem nobre.

— Você aí, levante-se! Não vou tolerar grosseira de ninguém, seja nobre ou não! Levante-se, estou dizendo, e se apresente.

Tarquin se levantou, porém não parecia abalado pela raiva do reitor. Cravou os polegares nos bolsos das calças e falou numa voz clara:

— Meu nome é Tarquin, herdeiro do Ducado de Pollentia. Meu pai, o duque Zacharias Forsyth, é o general dos Furiosos de Forsyth. — Ele sorriu quando os veteranos começaram a murmurar ao reconhecer o sobrenome. Claramente o pai de Tarquin era um dos nobres mais antigos e poderosos de Hominum. Fletcher reconheceu o nome Pollentia; uma extensão de terra grande e fértil que corria do mar de Vesan ao centro de Hominum.

Cipião permaneceu calado, encarando Tarquin com expectativa por sob as sobrancelhas brancas e fartas. O jovem nobre esperou alguns momentos até o silêncio recobrir pesadamente o salão. Finalmente, falou:

— Peço desculpas por minha grosseria. Estava só dizendo à minha irmã que estou... orgulhoso em fazer parte desta grande instituição.

— É só por respeito ao seu pai que não mando você de volta ao seu quarto, como uma criança — resmungou Cipião. — Sente-se e fique de boca calada até que eu tenha terminado de falar.

Tarquin inclinou a cabeça com um sorriso e se sentou, inabalado pelo diálogo. Fletcher não sabia bem se era confiança ou arrogância que concedia ao rapaz aquela atitude destemida, mas desconfiava de que era a segunda. Cipião encarou Tarquin por mais algum tempo, em seguida se virou aos três oficiais.

— Estes são seus três professores; major Goodwin e os capitães Arcturo e Lovett. Vocês os tratarão com o devido respeito e lembrarão que, enquanto eles estão aqui educando vocês, bons homens nas linhas de frente sofrem sem sua liderança ou proteção.

Fletcher examinou os dois professores que ainda não tinha conhecido. A capitã Lovett era uma mulher de cabelos negros como um corvo, olhos frios e aparência severa. Porém, quando ela sorriu aos aprendizes no momento em que seu nome foi anunciado, seu rosto perdeu toda a aspereza. O major Goodwin parecia ser quase tão velho quanto Cipião, com uma silhueta grande e corpulenta e um espesso cavanhaque branco. Usava óculos de armação dourada, apoiados num nariz vermelho que indicava um gosto por bebidas destiladas.

— Agora, vocês veteranos devem estar se perguntando por que foram chamados tão cedo — anunciou Cipião, fazendo com que os segundanistas entediados se endireitassem nos assentos. — Tenho um anúncio que diz respeito a todos vocês. Tomamos uma decisão que pode não ser particularmente popular, mas foi tomada por questão de necessidade. Nas provas finais e nos torneios deste ano, tanto os calouros quanto os veteranos participarão. Se quaisquer calouros demonstrarem altos padrões de qualidade, então também receberão uma patente e serão enviados às linhas de frente um ano mais cedo, onde fazem uma falta terrível.

Um tumulto imediato se iniciou, mas foi encerrado com um berro de Cipião. Ele ergueu uma das mãos para o burburinho que se seguiu.

— Entendo que isso aumente a competição pelas poucas patentes de alto nível oferecidas a vocês do segundo ano. Venho lembrar-lhes de que vocês começaram a treinar com um ano de vantagem. Se forem derrotados por um dos calouros, então não merecem patente nenhuma.

Fletcher franziu o cenho com o anúncio. Lá se ia qualquer chance de fazer amizade com os plebeus mais velhos.

— Quanto aos primeiranistas, vocês devem estar preocupados em receber patentes e postos ruins este ano, quando poderiam conquistar coisa melhor se ficassem para o próximo ano. Para contrabalançar essa possibilidade, vocês só receberão postos de primeira-tenência ou melhor, com uma escolha opcional de uma segunda-tenência menos prestigiosa, se assim preferirem. O vencedor do torneio receberá uma capitania, a patente mais alta que um mago de batalha novato pode conquistar.

Isso gerou mais burburinho da mesa dos veteranos. Fletcher suspeitava que eles ficariam felizes com a participação dos calouros se estes preenchessem todas as patentes de segundo-tenente, a mais comum e mais baixa de todas.

— O rei ofereceu um incentivo adicional ao torneio deste ano. O vencedor também receberá um lugar no conselho real, e terá o direito de votar em questões de Estado. Sua Majestade deseja ter um representante da próxima geração de magos de batalha. Se uma patente de alto oficial não motivar vocês, sei que isso o fará — declarou Cipião, olhando de forma solene para todos.

Fletcher viu Otelo cerrar os punhos enquanto Cipião falava. Se isso fora motivado pelo assento no conselho, a patente ou ambos, Fletcher não saberia dizer. Tarquin e Isadora estavam especialmente inflamados pelas revelações de Cipião, sussurrando com empolgação apesar de um olhar de advertência de Arcturo.

— Em quais divisões serão concedidas as patentes? Os calouros vão correr o mesmo risco de serem postos nos batalhões de anões ou criminosos? — indagou um veterano plebeu alto, levantando-se.

Otelo se eriçou com a insinuação, mas Cipião falou primeiro.

— Vocês irão para qualquer diabo de divisão em que forem lotados! E não fale fora de hora! — rugiu o reitor. O menino se sentou apressado, apesar dos murmúrios insatisfeitos com a resposta. Cipião pareceu apiedar-se ao ver os rostos cabisbaixos que o encaravam por todo refeitório. — Eles terão as mesmas chances que vocês. É tudo que posso dizer sobre esse assunto — acrescentou.

Uma mão delicada se ergueu no ar, agitando os dedinhos para chamar atenção. Cipião revirou os olhos e assentiu irritado com a cabeça. Isadora se levantou e fez uma mesura delicada.

— Peço licença por ter interrompido, senhor reitor Cipião, mas o que *ela* está fazendo aqui? — inquiriu a jovem, apontando um dedo acusador à elfa.

— Esse era o meu anúncio seguinte — afirmou Cipião, caminhando até a menina de cabelos prateados. — As conferências de paz entre os enviados de Hominum e os vários chefes de clãs élficos foram um longo esforço, mas recentemente alcançamos um avanço importante. Em vez de pagar o imposto, os elfos planejam se juntar à luta pessoalmente, mandando seus próprios guerreiros para serem treinados como soldados, assim como fizeram os anões.

Com esta última menção, Cipião lançou um aceno de cabeça respeitoso a Otelo, que devolveu o gesto igualmente.

— Porém, ainda resta muita desconfiança, como era de esperar — continuou Cipião, voltando à entrada para se reunir aos outros professores. — Então, num ato de boa-fé, a filha de um dos chefes foi enviada para ser treinada como maga de batalha, a primeira de muitos elfos que, esperamos, serão incorporados às nossas forças armadas ao longo dos próximos anos.

Ele deu um sorriso forçado à elfa.

— Seu nome é Sylva Arkenia, e vocês devem acolhê-la da melhor forma possível. Nunca fomos realmente inimigos dos elfos, mesmo que tenhamos nos sentido assim. Vamos esperar que este seja o primeiro passo de uma longa e frutífera aliança.

O rosto de Sylva permaneceu impassível, mas Fletcher notou a cauda de Sariel balançando sob a mesa. Ele se espantou com a coragem da jovem menina, que deixou o país e o lar para lutar numa guerra que não era dela, dentre pessoas que não confiavam no seu povo. Enquanto ele planejava seu pedido de desculpas, a voz de Cipião se ergueu novamente.

— Enfim, todos dispensados. As aulas começam em alguns minutos. Ah, e Fletcher — disse ele, virando-se para o rapaz. — Venha me ver no meu gabinete. Imediatamente.

24

O gabinete de Cipião estava tão quente quanto no dia anterior, mas dessa vez as persianas das janelas tinham sido abertas, deixando um facho de luz cortar o ar entre Fletcher e a escrivaninha do reitor. O homem vinha encarando Fletcher por sobre os dedos unidos pelo último minuto, e este já estava começando a se sentir constrangido.

— Por que você mentiu para mim, menino? — perguntou Cipião, com o olhar dardejando entre Ignácio e o rosto de Fletcher.

— Eu não tive a intenção — respondeu Fletcher e então, depois de um momento, acrescentou: —, senhor reitor Cipião.

— Perguntei onde você tinha conseguido esse demônio, e você me respondeu que Arcturo tinha mandado você. Achou que isso responderia à minha pergunta? Achou mesmo que o que disse não tinha certas implicações? Não achou que eu descobriria a verdade depois que falasse com Arcturo? — A voz de Cipião era calma e composta, um contraste profundo com o homem exaltado que Fletcher vira no refeitório poucos minutos antes. Ele não sabia bem qual versão preferia.

— Eu... não sei por que disse aquilo. Era verdade que Arcturo tinha me mandado, mas entendi o que o senhor quis dizer. Foi errado da minha parte mentir. Eu só queria muito ter permissão para estudar aqui. Peço desculpas, senhor.

Fletcher baixou a cabeça, sentindo-se um idiota. Se ele simplesmente tivesse dito a verdade, poderia estar numa aula com Arcturo agora, aprendendo a fazer fogos-fátuos. Em vez disso, corria o risco de ser expulso de Vocans no primeiro dia, por ter mentido a um oficial superior. Cipião pigarreou com o que Fletcher torcia que fosse aprovação, e depois o chamou até a escrivaninha.

— Tenho culpa nisto também. Eu deveria ter investigado melhor. Afinal de contas, pesquisar como capturar novas espécies de demônios é uma tarefa conferida a todos os magos de batalha. Presumi que você não conheceria a magnitude das implicações representadas pela sua Salamandra... Ando presumindo demais, ultimamente — admitiu o reitor, com um suspiro. — Arcturo me explicou como você se deparou com seu demônio... um pergaminho de conjuração de um xamã orc, quem poderia imaginar. Suspeito que a minha frustração tenha derivado do meu desapontamento com o fato de não termos feito uma descoberta; apenas tivemos sorte. Entretanto, devo pedir a você que deixe o livro que Arcturo mencionou com a bibliotecária, para que ela possa examiná-lo e extrair dele qualquer conhecimento novo. James Baker era obviamente um homem de segredos.

Fletcher aguardou num silêncio esperançoso enquanto o velho guerreiro o examinava. Finalmente, Cipião puxou uma folha de papel e a colocou na escrivaninha, diante dele.

— Este é o compromisso que todos os oficiais cadetes têm de assinar antes de se alistar nas forças armadas de Hominum. Uma vez que estiver assinado, você será oficialmente um soldado estudante desta academia, trabalhando sob a autoridade de Sua Majestade. Sua renda anual será de mil xelins, descontados alojamento, refeições e custos de instrução. Está tudo aí escrito. Escreva seu nome e saia já daqui. — Ele estendeu uma grande pena a Fletcher, que rabiscou o nome na linha pontilhada embaixo, com o coração cheio de alegria.

— Nada de sobrenome? — indagou Cipião, espiando a assinatura.

— Eu nunca recebi um — murmurou Fletcher, um pouco envergonhado.

— Bem, escreva alguma coisa. Oficiais são conhecidos pelos sobrenomes, não pelo primeiro nome — afirmou Cipião, indicando o espaço vazio ao lado do nome de Fletcher. O sobrenome de Berdon era Wulf, então Fletcher o escreveu.

— Para o átrio, cadete Wulf. Seu padrinho de academia está dando a primeira aula, e você já está cinco minutos atrasado — disse Cipião, oferecendo-lhe um raro sorriso.

Quando Fletcher chegou ao átrio, o salão estava pontilhado com fogos-fátuos errantes, orbes que flutuavam pelo ar como vagalumes. Sob a brilhante luz turquesa, ele viu os nobres rindo e criando uma bolinha atrás da outra com os dedos, competindo para ver quem conseguia fazer a maior. Otelo, Genevieve e Rory eram os únicos plebeus ali, afastados dos nobres num silêncio infeliz.

— Isso foi rápido. É tão fácil assim? — indagou Fletcher, observando enquanto Tarquin criava uma bola de luz do tamanho de um punho, para grande espanto dos outros nobres.

— Não, a gente nem viu como se faz ainda. Só que o fato de serem filhos de conjuradores faz com que os nobres já saibam uma ou duas coisinhas — sussurrou Rory, com uma expressão de desapontamento e inveja.

Arcturo estava parado no meio do aposento, observando os nobres com olhar impassível. Estalou os dedos, e todos os orbes se apagaram, lançando o salão numa escuridão absoluta. O átrio se iluminou de novo lentamente quando um pequeno fogo-fátuo surgiu no dedo de Arcturo. Delicados filamentos azuis brotavam das pontas dos dedos dele e pulsavam para a luz, se expandindo numa esfera do tamanho da cabeça de um homem. Ele a soltou acima de si, onde ela flutuou, imóvel, como se estivesse suspensa do teto. O salão ficou imediatamente preenchido por uma luz azul calorosa.

— Não pedi que vocês demonstrassem; perguntei se algum de vocês já era versado na técnica. Claramente, seus pais nobres já lhes ensinaram esse truque. Assim sendo, vocês podem sair, se quiserem. Suas tabelas de horários estarão aguardando em suas camas. Sugiro que as memorizem. Atrasos são inaceitáveis. — Arcturo lançou um olhar significativo a Fletcher com essas palavras.

— Eu sabia que esta aula ia ser uma piada. Vamos, Penélope, deixe os amadores brincarem de correr atrás — zombou Isadora. Outra menina nobre, com cabelos escuros e enormes olhos castanho-claros, assentiu depois de um momento de hesitação. Isadora saiu altiva, seguida pela menina, que lançou um olhar de desculpas a Arcturo por sobre o ombro.

Tarquin as seguiu calmamente, acompanhado pelos dois outros nobres: um menino grande de cabelos completamente negros, com pele tão escura quanto a de Serafim, e um rapaz mais magro com cabelos de um castanho mortiço e rosto de anjinho. Quando Tarquin passou, olhou para o uniforme esfarrapado e mal-ajustado de Fletcher e o rosto cheio de hematomas. Franziu o nariz de nojo e seguiu em frente. Fletcher estava bem-humorado demais para se aborrecer com aquilo naquele momento.

— Deixem que partam — afirmou Arcturo, uma vez que os nobres estavam fora do alcance de sua voz. — Eles ainda não aprenderam a controlar os movimentos de seus fogos-fátuos. Na próxima aula, eles que estarão brincando de correr atrás. Os princípios dos fogos seguem os mesmos princípios de todo lançamento de magia.

Ele se virou para os plebeus e lhes lançou um longo olhar de avaliação.

— A primeira lição é muito importante; vocês descobrirão que todos têm capacidades diferentes de feitiçaria. Seus demônios são a fonte de todo o seu mana, e espécie, experiência e idade dele determinarão quanto mana ele tem e quão rápido se recarrega.

Mana. Essa fora a palavra que Serafim tinha usado ontem. Fletcher deduziu que significava algum tipo de energia, usada para alimentar feitiços. Agora Arcturo vinha na direção deles, o fogo-fátuo acima de sua cabeça se movendo no mesmo ritmo. Sob o luzir etéreo, a cicatriz do oficial parecia mais aterrorizante que nunca.

— Com licença, onde estão Serafim e Atlas? — perguntou Fletcher, entrando na frente de Genevieve e Rory para que Arcturo finalmente o percebesse.

— Senhor — corrigiu o professor.

— Senhor — repetiu Fletcher, exasperado.

— Suspeito que tenham ido recolher seus demônios. Já que eu decidi patrocinar você, mas não lhe dei um dos meus demônios, o reitor decidiu que seria justo se eu fornecesse um diabrete a um dos outros plebeus. Eu o capturei ontem, numa operação de muito risco para Sacarissa. Espero que você valha o sacrifício — comentou ele com uma nota de arrependimento na voz, para desencorajamento de Fletcher.

— Isso significa que era um demônio poderoso, senhor? — sondou Rory enquanto Fletcher sentia o desânimo crescer.

— Não necessariamente. Ele o será com o tempo, mas era raro demais para que eu o deixasse escapar. Um dos seus amigos terá grande sorte em recebê-lo. Nunca tinha visto um deles antes. Agora, chega de perguntas. Sentem-se no chão e fechem os olhos.

Os alunos obedeceram, e os passos de Arcturo ecoaram conforme ele andava às costas do grupo.

— Deixem suas mentes se esvaziarem. Escutem apenas o som da minha voz.

Fletcher tentou acalmar o bater empolgado de seu coração, prestando atenção nas palavras de Arcturo. A voz do capitão era melíflua, envolvendo-o como uma brisa morna.

— Estabeleça uma conexão com seu demônio, sinta a ligação entre vocês. Aja com delicadeza. Esta provavelmente será a primeira vez que o alcançará. Não se preocupe se tiver dificuldade em achá-lo no começo; quanto mais praticar, mais fácil ficará.

Fletcher seguiu as instruções, buscando a outra consciência que parecia flutuar no limite da sua mente. Sentiu a psique do demônio e, ao tocá-la, Ignácio se remexeu, desconfortável, no pescoço dele. Aquele não era o pulso de emoção que Fletcher tinha lhe mandado antes, mas algo completamente diferente.

— Quando você o segurar, sentirá o mana do demônio fluir. Tome a energia e a focalize toda pelo dedo indicador da sua mão dominante. Por enquanto, é só isso que você precisa fazer.

Fletcher sentiu aquela sensação de clareza se espalhar pelo seu corpo mais uma vez, ainda mais forte do que quando ele evocara o demônio no cemitério. Ela o trespassou, violenta como um furacão, e ele percebeu que seu corpo tremia.

— Pelo seu dedo, Fletcher! Você está tomando muito! Controle-se! — gritou Arcturo. A voz dele soava muito distante.

Fletcher inspirou fundo e exalou pelo nariz, erguendo o dedo e canalizando a corrente para ele. Ao fazê-lo, o dedo formigou, passando-lhe uma sensação tanto de calor ardente quanto de frio congelante, tudo ao mesmo tempo. A escuridão detrás das pálpebras se tornou um azul fraco.

— Abra os olhos, Fletcher — comandou Arcturo, colocando a mão no ombro dele para estabilizá-lo. O menino percebeu que estava respirando forte e se acalmou, em seguida abriu os olhos com receio.

A ponta do dedo dele incandescia num azul tão brilhante que quase chegava a ser branco. No momento em que moveu o dedo, deixou um rastro de luz no ar, como a pós-imagem de uma brasa ardente brandida no escuro.

— Eu disse *pelo* seu dedo, Fletcher, não para ele — exclamou Arcturo, mas havia um leve tom de orgulho em sua voz.

— Vou ficar bem? — indagou o garoto, horrorizado enquanto traçava um oito de luz no ar. Os outros agora já tinham aberto os olhos, tendo obviamente levado muito mais tempo que Fletcher para canalizar o mana dos seus demônios. Em vez de deixar que isso lhe subisse à cabeça, o rapaz se relembrou de que passara alguns dias a mais com seu demônio do que eles.

— Você conseguiu fazer algo que só iriamos mencionar daqui a várias aulas; a arte de entalhar. Observem com atenção.

Arcturo ergueu o próprio dedo e a ponta brilhou, azul. Ele desenhou um estranho símbolo triangular, feito de linhas serrilhadas. Moveu o dedo aleatoriamente diante dos alunos, e o símbolo o seguiu, como se estivesse preso a uma moldura invisível. Assim que começou a sumir, Arcturo disparou filamentos de fogo-fátuo pelo espaço entre o dedo e o símbolo. Porém, quando os fios passaram pelas marcas, uma torrente de filetes fantasmagóricos e opacos emergiram, formando um escudo circular diante dele, que Fletcher reconheceu como o mesmo que salvara sua vida meros dois dias antes nas ruas de Corcillum.

— Quando usamos mana sem um símbolo, ele se torna nada além de fogo-fátuo, também conhecido como mana cru. Mas quando você entalha um símbolo e canaliza seu mana por ele, os aspectos mais úteis da caixa de ferramentas do mago de batalha se tornam disponíveis. Não é fácil; leva tempo e prática para se criar um escudo como o meu, em vez de uma massa disforme. Até mesmo o ato de formar uma bola de fogo-fátuo exigirá algum tempo até que vocês o dominem.

O dedo de Fletcher se apagou de volta ao cor-de-rosa, e ele o abraçou contra o peito. Ignácio ronronou e saltou para o chão. O demônio lambeu o dedo do dono com uma língua triangular que era surpreendentemente macia, aliviando o formigamento estranho na ponta do dedo.

— Então, o que nós perdemos? — A voz alegre de Serafim soou atrás deles

Fletcher se virou e viu Serafim, Atlas e a capitã Lovett saindo do salão de conjuração. Acompanhados por seus demônios.

Serafim sorria como um louco, em total felicidade. Seu demônio caminhava ao seu lado, com um passo desajeitado e um tamanho que fizeram Fletcher pensar num texugo supercrescido. Porém, era ali que as semelhanças terminavam. A criatura era coberta de uma pele áspera que parecia casca de árvore, com uma camada de bolor salpicada em cima. Uma crista espessa de espinhos corria pela coluna dorsal, cada um com uns três centímetros de comprimento e afiados como uma faca de cirurgião. Lembrava Fletcher de um arbusto de tojo, espetos verdes brutais que perfuravam a pele com facilidade.

— O que que é isso!? — exclamou Rory maravilhado enquanto o demônio corria à frente dos outros e farejava as botas de Arcturo, a quem reconhecia. O focinho curto de pug se abriu para revelar uma boca estranha, cheia de placas. Fletcher notou os restos mastigados de folhas lá dentro, logo engolidos com a ajuda de uma língua marrom coriácea.

— É um Cascanho — respondeu Arcturo. — São mestres da camuflagem, por isso é tão raro encontrar um deles. Você terá dificuldades em alimentá-lo; eles precisam comer pelo menos meio quilo de folhas todos os dias. Mas tenho certeza de que o major Goodwin vai ensinar tudo isso a você nas aulas de demonologia.

Arcturo olhou o demônio com emoções ambivalentes, então acariciou-lhe a cabeça com alguma relutância. Serafim alcançou os dois e deu um sorriso de gratidão ao professor.

— Eu teria realmente amado ficar com ele para mim e capturar outro demônio para você, Serafim, mas o bicho ardiloso deixou Sacarissa cheia de espinhos quando ela se aproximou. Ela ficou ferida demais para fazer uma segunda jornada pelo éter. A pobre garota quase não conseguiu segurá-lo depois que o arrastou pelo portal. Mal tive tempo para executar o ritual de arreamento. É tarde demais para capturar outro agora. Desejo-lhe tudo de bom ao seu lado.

— Muitíssimo obrigado, senhor! — exclamou Serafim, agarrando o demônio num abraço e fazendo uma careta com o peso. — O senhor não faz ideia do quanto isso significa para mim. Vou chamá-lo de Farpa.

Atlas tinha ficado para trás, com um sorriso estampado no rosto. Seu demônio era do tamanho de um cachorro grande, com pelo grosso e eriçado, e dois incisivos afiados que se salientavam à frente da boca. Parecia uma enorme lontra dentuça, exceto por uma cauda de rato com uma bola espinhenta na ponta, no formato de uma maça-estrela. A criatura era incrivelmente ágil, praticamente fluindo pelo chão enquanto circulava os pés de Atlas.

— O meu é um Lutra. Chamei ele de Barba, por causa do pelo!

— Barba — repetiu Arcturo. — Talvez seja melhor pensar um pouco mais sobre isso. Não é um... nome tradicional para demônios. Por que não Bárbaro? Conheço pelo menos mais um que atende a esse nome.

— Perfeito! — concordou Atlas, agarrando o bicho nos braços.

A capitã Lovett tinha voltado para a sala de conjuração, mas não antes que Fletcher espiasse um relance de penas castanhas enquanto a porta se fechava. Ele imaginou o que poderia ser. Aparentemente, havia mais espécies de demônios disponíveis aos evocadores de Hominum do que ele tinha pensado.

Quando Arcturo pegou fôlego para continuar a lição, Fletcher levantou a mão. Havia uma coisa que ele precisava saber.

— Onde está Sacarissa agora, senhor? E onde estão os demônios dos nobres? Estão todos sentados nos quartos, esperando pelos donos?

— perguntou Fletcher, sua curiosidade tendo finalmente alcançado o ponto de ebulição.

— Você sabe o que é infusão? — inquiriu Arcturo, fitando-o atentamente. Fletcher fez que não com a cabeça.

— Infusão é quando um conjurador absorve um demônio para dentro de si, permitindo que a criatura descanse e se cure. O conjurador ainda pode se comunicar com o demônio, até mesmo usar mana, mas o ser continua dentro dele, fora do caminho. Quando as lanças dos orcs chovem ao seu redor, a infusão é a melhor defesa para o seu demônio. Você aprenderá o procedimento na aula com a capitã Lovett amanhã. Eu me especializo em feitiçaria, então não cabe a mim ensinar a infusão. Esta resposta lhe basta?

— Sim, senhor. Muito obrigado.

Enquanto Arcturo se virava e começava a entalhar outro símbolo no ar, Fletcher levou a mão ao ombro e acariciou Ignácio. Podia sentir a carne e os ossos sob as pontas dos dedos. Infusão. Ele só ia acreditar quando visse.

25

O grupo estava animado ao deixar a aula, todos risonhos e sorridentes enquanto subiam as escadas. Fletcher, Otelo e Serafim haviam sido os únicos a conseguir criar fogos-fátuos; pequenos mas funcionais, que flutuavam junto aos seus ombros. Os outros tinham conseguido projetar um filamento de luz azul, mas foram incapazes de encontrar o foco para formar a bola. Apesar disso, o primeiro gostinho de feitiçaria tinha lhes deixado eufóricos, e Rory e Genevieve não eram do tipo que sentia inveja dos amigos. Até mesmo Atlas esfregava a cabeça de Bárbaro com um imenso sorriso estampado no rosto.

— Vou praticar controle de fogo-fátuo no meu quarto — anunciou Serafim, quando eles chegaram ao alojamento. — Consegui empurrar a luz de um lado para o outro, mas jamais vou conseguir fazer ela ficar parada como Arcturo fez!

Ele desapareceu no corredor dos meninos, com Farpa logo atrás. Não havia sinal de Sylva, desaparecida mais uma vez. Fletcher não sabia bem por que ela tinha recebido permissão para faltar à primeira aula, mas estava ansioso para fazer as pazes.

— Será que a gente devia ter esperado? — indagou Rory num tom melancólico, contemplando Malaqui sob um novo ponto de vista.

— Eu amo Azura do fundo do meu coração, mas não posso deixar de pensar que vamos ficar em desvantagem daqui para a frente. Se Arcturo acha difícil capturar um novo demônio, que esperanças podemos ter? — resmungou Genevieve em concordância. Fletcher não conseguiu pensar em nada que pudesse animar os amigos, porém foi o geralmente sombrio Otelo quem falou em seguida:

— Vocês podem não conseguir capturar um demônio tão poderoso quanto um Cascanho ainda, mas talvez possam capturar outro Caruncho. Vivendo tão perto das linhas de frente, a gente escuta algumas coisas sobre os diferentes tipos de magos de batalha. Alguns têm um só demônio poderoso que é difícil de controlar, enquanto outros têm muitos diabretes menores, como os xamãs orcs fazem. Vocês não prefeririam mandar um enxame de Carunchos contra seus inimigos? Talvez até consiga enviar vários deles ao éter e aproveitar sua força combinada para trazer um demônio mais poderoso de volta — sugeriu Otelo, coçando o queixo.

— Ei, é mesmo — concordou Rory, com um enorme sorriso no rosto. — Imaginem só mil Malaquinhos. Isso seria o máximo!

Serafim voltou ao salão, brandindo uma folha de papel numa das mãos e um pequeno saco de pano na outra.

— Olhem só isso! — disse ele, colocando o que descobriram ser uma tabela de horários na frente deles. — Só três dias por semana com horário integral de aulas, com um treino opcional de combate no porão no quarto dia. O resto é estudo livre! Podemos fazer o que quisermos nesse tempo.

Rory riu e deu um tapa na mesa, fazendo Malaqui e Azura saírem voando com zumbidos repreensivos.

— Ooops! — exclamou Rory, estendendo a palma para que o inseto aborrecido pousasse, e lhe dando um beijo de leve na carapaça verde.

— E isso não é tudo! Eles nos pagaram o que resta do nosso primeiro mês de salário. Quem precisa de universidade quando você pode se alistar no exército e ser pago para estudar? — continuou Serafim, balançando a bolsa, que tilintou. — Tem sessenta xelins aqui.

— Acho que merecemos uma visita a Corcillum! — exclamou Genevieve, cujo rosto se iluminou com um sorriso brilhante. — Isso é mais do que a minha mãe ganhava num mês, e ela trabalhava o dia inteiro. Vamos depois do almoço.

— Eu certamente preciso de uma visita a um alfaiate — concordou Fletcher, mexendo na gola esfarrapada da camisa.

— Minha família deve estar preocupada comigo. Eu adoraria ter uma chance de contar para eles que tenho... alguns amigos aqui. — Otelo puxou a barba timidamente.

— Está combinado, então. Quem foi que disse que não teríamos dinheiro para ir a Corcillum? Provavelmente vai nos custar os olhos da cara chegar lá, mas valerá a pena — comentou Serafim, correndo de volta para seu quarto.

Passos ecoaram nas escadas atrás deles, seguidos do som de vozes.

— Quem poderia ser? — perguntou-se Fletcher em voz alta.

— Então, veja só... eles me largaram aqui com os plebeus, quando o meu sangue é tão puro quanto o seu. É uma completa desgraça! Tenho certeza de que, se você falar com o reitor em meu nome, eu poderei me mudar para a mesma ala que você. — Era Sylva, seguida por Isadora e a outra garota nobre.

— Ugh, este lugar é menor que o meu banheiro — fungou a menina loira, franzindo o nariz perfeito como se sentisse algum fedor no aposento.

— Eu sei! Você deveria ver meu quarto. Deixe-me mostrá-lo — disse Sylva, tentando arrastar a outra ao alojamento das meninas. Isadora parou e avaliou o grupo, estreitando os olhos quando passaram por Otelo.

— Espere um instante — disse ela, batendo um pé delicado. — Chegou a hora de dizer a esses plebeus como serão as coisas este ano.

Isadora caminhou ao redor do grupo como se fosse um leão da montanha espreitando a presa. Ela exalava uma confiança natural que colocava Fletcher na defensiva.

— Eis o que vai acontecer. Vocês plebeus vão manter as cabeças baixas e não vão criar nenhum problema para os nobres. Quando o torneio deste ano começar, vão todos desistir na primeira rodada e deixar que seus superiores assumam seus lugares de direito. Afinal de contas, são os nossos impostos que sustentam o exército do rei, e também pagamos pelos nossos próprios batalhões de nobres. É apenas justo que lideremos os soldados pagos por nossas famílias. Vocês não têm direito nem chance de se tornarem oficiais seniores. Simplesmente não receberam a criação correta. Então fiquem fora do nosso caminho e talvez nós permitiremos que um de vocês sirva como nosso tenente. Que tal?

Ela sorriu docemente quando terminou, como se tivesse acabado de elogiá-los. Fletcher foi o primeiro a falar:

— Parece que vocês estão com medo da competição — afirmou, se espreguiçando com indiferença exagerada. Os outros permaneceram calados, imaginando o que a menina faria em seguida. Isadora fez um biquinho, como uma criança mimada; um contraste estranho com a diabinha confiante de meros instantes atrás.

— Ser raro não é equivalente a ser poderoso. Lembre-se disso, Fletcher — sussurou no ouvido dele.

Quando ela se endireitou, Serafim voltou ao salão e sorriu ao ver as meninas.

— Legal, ninguém me avisou que tínhamos visitas. Bem-vindas ao nosso humilde lar! Ainda não fomos apresentados. Eu sou Serafim.

Isadora lhe lançou um olhar de puro desprezo, então saiu pela escadaria, ignorando Sylva, que estava a meio caminho do quarto. A elfa olhou com raiva para Fletcher, como se fosse culpa dele, e saiu correndo atrás da nobre. A morena ficou indecisa na entrada, mordendo o lábio para Serafim, cujo rosto era uma imagem de incredulidade.

— Lamento por isso — disse ela numa voz quase inaudível.

— Vamos, Penélope! — gritou Isadora, de baixo. A menina se virou e partiu, com a nuca vermelha de vergonha.

— Prazer em conhecê-las! — exclamou Rory enquanto ela desaparecia.

— O que diabos foi isso? — perguntou Serafim, se largando numa cadeira.

— Ela estava nos avaliando, querendo ver se éramos molengas. Acho que se enganou — explicou Otelo, cerrando os punhos de raiva.

— E o que Sylva está fazendo, se insinuando para os nobres? — indagou Genevieve, igualmente aflita.

— Acho que, como filha de um chefe de clã, ela se considera nobre também — sugeriu Fletcher, cujo pedido de desculpas ainda sendo formulado tinha desaparecido completamente dos pensamentos.

Por mais que Isadora e Tarquin parecessem ser a fonte de toda arrogância dos nobres, pelo menos até onde Fletcher podia ver, o fato de Sylva ter amarrado o boi na carroça deles não a colocou na sua lista de amigos.

— Vamos lá, juntem suas coisas; vamos pular o almoço e ir para Corcillum agora — chamou Fletcher.

— Ótima ideia. Acho que perdi o apetite — concordou Otelo, balançando a cabeça e parecendo desapontado.

26

Uma carruagem até Corcillum teria custado extorsivos seis xelins por pessoa, mas Otelo sabia de uma cidade um pouco mais adiante na estrada principal onde o transporte poderia sair mais barato. Depois de meia hora de caminhada e mais dez minutos de negociação, o grupo embarcou na caçamba de uma carroça puxada a cavalo por um xelim cada. Eles compraram uma cesta de maçãs por mais um xelim e a devoraram, curtindo o doce azedume das frutas. Nem a chuva que desabava sobre eles conseguiu desanimar os calouros, que riam e tentavam pegar pingos de água com a boca. O Lutra de Atlas foi quem mais curtiu a chuva, latindo e rolando nas tábuas molhadas da carroça.

Foram deixados na estrada principal da cidade, lotada de comerciantes e clientes, apesar do temporal. Conforme o grupo se aglomerava numa esquina, as pessoas olhavam seus demônios e uniformes, algumas sorrindo e acenando, outras passando apressadas com medo no olhar.

— Quero ir à perfumaria — anunciou Genevieve, ao ver duas meninas passando com sombrinhas cor-de-rosa. Elas exalavam uma fragrância exótica que fez Fletcher lembrar das montanhas. Seu estômago se revirou quando ele percebeu quão pouco tinha pensado em Berdon nos últimos dias. Precisava entrar em contato com o pai para lhe informar que estava tudo bem.

— Eu preciso resolver algumas coisas, mandar algumas mensagens, coisas assim. Otelo, você sabe de alguém que possa fazer uma bainha para a minha espada? — perguntou Fletcher.

— Claro... desde que você não se incomode em passar pela casa da minha família no caminho — respondeu o anão, puxando a barba de empolgação.

— Por que não? Ainda não visitei o bairro dos anões. Tem alfaiates lá também? —indagou Fletcher.

— Os melhores de Hominum — respondeu o outro, com firmeza.

— Bem, alguém tem que vir comigo à perfumaria. Não posso ir sozinha — choramingou Genevieve quando mais jovens damas passaram. Os olhos de Serafim se iluminaram ao vê-las, e ele se ofereceu sem hesitação.

— Eu vou. Talvez haja alguma água-de-colônia que me ajude a derreter o coração frio de Isadora — comentou ele com uma piscadela.

— Rory, você vem conosco ou vai com eles? — perguntou Fletcher.

— Acho que vou com Genevieve. Seria interessante ver o que eles fazem com todas as flores. Minha mãe colhe flores da montanha e as vende aos mercadores de perfumes — explicou Rory enquanto espiava de canto de olho as meninas bonitas que passavam. Fletcher tinha certeza de que a motivação de Rory era baseada em algo mais que a arte da perfumaria, mas não o culpava. Fora apenas dois dias antes que ele tinha se maravilhado com a beleza das jovens de Corcillum e seus rostos pintados. Atlas já tinha começado a perambular rua abaixo, mas Fletcher presumia que o colega não iria querer visitar o Bairro dos Anões com eles, considerando sua animosidade para com Otelo.

— Nós nos encontramos aqui em cerca de duas horas. Tem carroças de sobra a caminho da linha de frente por aquela estrada, então podem ir embora se o outro grupo se atrasar — explicou Otelo.

Eles se separaram e apressaram o passo conforme a chuva torrencial se intensificava, abrigando-se sob os toldos das lojas e se mantendo próximos das paredes. Ignácio ronronava no calor seco sob o capuz de Fletcher enquanto Salomão seguia alguns metros atrás, lutando para acompanhá-los com suas pernas atarracadas. O anão tomara a precaução de trazer uma jaqueta com capuz, mas o pobre Salomão parecia miserável, todo molhado.

— Então, o que mais você precisa fazer além de visitar um alfaiate e um ferreiro? Ouvi alguma coisa sobre mandar uma carta? — perguntou Otelo, olhando por sobre o ombro para se assegurar de que Salomão ainda estava à vista. Enquanto o anão escolhia o caminho por entre os muitos becos estreitos, Fletcher se tocou de que ele seria o guia perfeito para ajudar o menino a aproveitar sua visita a Corcillum ao máximo.

— Sim, preciso mandar uma carta à frente élfica — contou Fletcher. Seria melhor não mandar nada diretamente a Berdon para o caso de Caspar e Didric interceptarem a comunicação. Talvez, se ele a enviasse a Rotherham, então o soldado poderia passar a mensagem em segredo.

— Bem, se é esse o caso, então é melhor mandar da Cidadela. Os mensageiros militares passam por lá toda hora. Quanto ao ferreiro, acredite em mim quando lhe digo que é o melhor. Ele criou isto para mim.

Otelo parou e abriu a bolsa de couro que levava no ombro, puxando uma machadinha de dentro. O cabo era feito de madeira negra, endurecida pelo fogo e minunciosamente esculpida para se encaixar no contorno da mão do proprietário. A cabeça do machado era fina mas devastadoramente afiada, com uma lâmina bem amolada na parte de trás, que resultaria num contragolpe fatal.

— Esta é uma machadinha enânica. Todos os anões recebem uma no seu décimo quinto aniversário, para se proteger em sua vida adulta. Foi decretado pelo primeiro dos nossos anciãos santos que todos os anões adultos teriam de portar uma destas o tempo todo, desde que nossa perseguição começou, há dois mil anos. Até mesmo as anãs possuem uma mara, uma pulseira cheia de pontas que levam o tempo todo no pulso. É considerado parte da nossa tradição, cultura e religião. Agora você entende a estima que tenho pela habilidade do ferreiro.

Os olhos de Fletcher se arregalaram quando ele viu a bela arma.

— Posso segurar? — perguntou, ansioso para experimentar a arma. Talvez ele pudesse colocar o mesmo cabo entalhado no seu khopesh.

Subitamente, soou um apito agudo e o som de pés correndo. Dois Pinkertons vinham em disparada até eles, com cassetetes em riste e pistolas apontadas para o rosto de Otelo.

— Solte isso! Agora!

O primeiro Pinkerton segurou o anão pela garganta, ergueu-o do chão e o empurrou contra uma parede de tijolos. O homem era um brutamontes, com uma barba negra eriçada que cobria um rosto feio e esburacado. A machadinha de Otelo caiu no chão enquanto ele lutava para respirar contra os dedos enormes que apertavam sua traqueia.

— A gente já não falou que vocês anões não podem portar armas em público? Por que vocês não conseguem enfiar isso nessas suas cabeças duras? Só humanos dispõem desse privilégio! — exclamou o segundo Pinkerton numa vozinha aguda. Era um homem alto e magro com um bigodinho fino e cabelos loiros ensebados.

— Soltem ele! — gritou Fletcher, recuperando a voz. O rapaz avançou ao mesmo tempo que Ignácio saltou para o chão, sibilando violentamente. O demônio soprou uma rajada de chamas em advertência.

— Solte-o, Turner — comandou o Pinkerton magro, percebendo o perigo e arrastando o cassetete pela parede.

— Tudo bem, sargento Murphy. Vamos nos divertir mais com ele nas celas, mesmo — grunhiu o grandalhão, soltando Otelo, que caiu, ofegante, nos paralelepípedos da rua. O homem acertou um pontapé violento no flanco do anão, fazendo-o gritar de dor. Com isso, um rugido sobrenatural soou detrás de Fletcher.

— Não! — arfou Otelo, erguendo a mão quando seu Golem avançou e detendo-o a poucos metros de Turner. — Não, Salomão, está tudo certo.

O anão se levantou com dificuldade, apoiando-se nas paredes enquanto cambaleava atrás de Fletcher.

— Está tudo bem? — perguntou o rapaz. O Golem correu até o mestre, ribombando de preocupação.

— Estou bem. Eles já me fizeram coisa pior antes — grasnou o anão, dando tapinhas amistosos na cabeça do Golem.

Fletcher girou e fez uma careta para os Pinkertons, levando a mão lentamente até o khopesh. Murphy avançou e cutucou-lhe no peito.

— Quanto a você, pode tirar essa cara de mau do rosto — grunhiu o sargento, erguendo o queixo de Fletcher com o cassetete. — Por que você está defendendo um anão, afinal? É melhor tomar mais cuidado com essas suas amizades.

— Eu acho que você deveria estar mais preocupado com o fato de ter tentado prender um oficial do exército do rei por portar uma arma! Ou você espera que ele enfrente os orcs de mãos vazias? — retrucou Fletcher com uma confiança que não sentia. Turner brandia o cassetete de um lado a outro.

— Quem é você para me dizer o que eu posso ou não posso fazer? — inquiriu Murphy, apontando a pistola para o rosto de Fletcher. Não havia nada que Ignácio pudesse fazer contra uma bala. Fletcher considerou suas chances de sucesso ao lançar um feitiço de escudo pela primeira vez, e desistiu da ideia. Melhor levar uma surra do que arriscar a morte. O menino praguejou em voz baixa; aquela era a segunda vez que se encontrava encurralado nas ruas de Corcillum com uma pistola no rosto.

— O que você acabou de dizer? Acho que ele xingou o senhor, sargento Murphy — rosnou Turner, erguendo a própria pistola.

— Nada! Eu estava só praguejando pela minha sorte — gaguejou Fletcher. Os dois canos eram como um par de olhos de serpente, pronta para atacar.

— Vocês não fazem ideia de quem estão provocando — grunhiu Otelo, endireitando-se com um estremecer. — Melhor vocês baixarem essas pistolas e caírem fora daqui agora.

— Já chega, Otelo! — sibilou Fletcher. O anão devia ter enlouquecido! Era fácil para ele ser arrogante quando não era ele quem encarava os canos de duas pistolas!

— Esperem só até ele contar ao pai sobre vocês. Lorde Forsyth ficará muito aborrecido ao saber que uns Pinkertons pés-rapados apontaram as armas para seu filho Tarquin — continuou Otelo, desabotoando a jaqueta para mostrar o uniforme por baixo. Fletcher tentou não parecer surpreso demais, mas por dentro estava horrorizado com o blefe arriscado do anão. De qualquer maneira, era tarde demais. Então Fletcher percebeu um sinal de hesitação no rosto de Murphy.

— Obviamente, vocês estão cientes dos batalhões enânicos sendo formados na frente élfica. Se os Forsyth tiverem que incorporar um deles em nossas forças, queremos ter os melhores oficiais anões disponíveis — declarou Fletcher com confiança na voz, afastando a pistola de Turner do seu rosto. — E agora encontro vocês atacando nosso mais novo oficial na rua porque ele está carregando uma arma que lhe foi dada pelo próprio Zacarias Forsyth? Quais são seus nomes? Murphy? Turner?

A pistola de Murphy vacilou, em seguida sendo apontada ao chão.

— Você não fala como um nobre — acusou Murphy, focalizando o olhar na bainha esfarrapada das calças do uniforme de Fletcher. — Nem se veste como um deles.

— Seu uniforme também ficaria assim se você estivesse lutando nas linhas de frente. Quanto à minha voz, se você tivesse crescido em meio aos soldados rasos, sua linguagem também seria áspera como a minha. Não podemos todos ser rapazes almofadinhas como vocês. — Fletcher estava pegando o jeito da coisa agora, mas Otelo o cutucou nas costas. O rapaz se controlou, preocupado em ter ido longe demais. — Agora, se vocês me dão licença, vou seguir meu caminho. Ignácio, venha! — chamou, afastando-se a passos largos rua abaixo. Ele não olhou para trás, mas ouviu o clique da pederneira sendo engatilhada.

— Continue andando — sussurrou Otelo atrás dele. — Eles estão nos testando.

Fletcher seguiu adiante, a cada segundo imaginando uma bala irrompendo do seu peito. Assim que eles viraram a esquina, saíram correndo pela rua, e desta vez Salomão mal conseguiu acompanhá-los com as perninhas curtas.

— Você é um gênio — ofegou Fletcher quando eles estavam a uma distância segura.

— Não me agradeça ainda. Na próxima vez em que te encontrarem, provavelmente vão te dar uma surra. Não vão conseguir me reconhecer, todos os anões são iguais para eles. Já fui preso duas vezes por esse par e eles nem me reconheceram — resfolegou Otelo, agarrando o flanco ferido. — Mas acho que eles podem ter me quebrado uma costela.

— Aqueles monstros sádicos! Temos que levar você a um médico. Não se preocupe comigo. Eu tinha o capuz levantado, e estava escuro. Desde que eles não vejam Ignácio e Salomão da próxima vez que nos encontrarmos, vai ficar tudo bem. Precisamos aprender a infundir nossos demônios o mais rápido possível. E feitiços de escudo também, por falar nisso — afirmou Fletcher.

— Tem toda razão. Bem, vamos lá. O Bairro Anão não fica longe daqui. Minha mãe deve conseguir fazer um curativo no meu torso — disse Otelo. Salomão soltou um grunhido gutural quando eles partiram novamente. Claramente, não estava acostumado com tanto exercício. — Vou ter que botar você em forma — ralhou Otelo, pausando para fazer cafuné na cabeça rochosa do Golem.

Eles continuaram andando, por ruas que ficavam cada vez mais estreitas e mais sujas. Era óbvio que os limpadores não se davam mais ao trabalho de passar por ali, não com o Bairro Anão tão perto. Os anões devem ter recebido a pior parte da cidade para viver.

— Por que você foi preso antes? — indagou Fletcher, evitando pisar num mendigo que dormia no meio da rua.

— Meu pai se recusou a pagar o dinheiro de proteção que os Pinkertons lhe cobraram. Todos os negócios de anões são extorquidos pelos policiais, mas esses dois são os piores. Eles me jogaram nas celas nas duas vezes, até o meu pai pagar.

— Isso é loucura! Como é que eles se safam com isso? — perguntou Fletcher. Otelo continuou andando em silêncio e o rapaz se arrependeu do que disse. Que pergunta idiota. — O que o seu pai faz? Ele é ferreiro? Meu pai era um ferreiro — contou, tentando romper o silêncio constrangedor que tinha criado.

— Meu pai é um dos artífices que desenvolveram o mosquete — afirmou Otelo, orgulhoso. — Agora que guardamos o segredo da sua criação, os Pinkertons pararam de aborrecer os ferreiros anões. Não posso dizer o mesmo de todos os negócios enânicos, porém. A criação dos mosquetes foi o primeiro passo na longa jornada pela igualdade. Nossa entrada para o exército é o segundo. Vou terminar o que o meu pai começou.

— Você deve ser o primeiro oficial anão em Hominum, mesmo que por enquanto seja só um cadete. Isso é motivo de muito orgulho — afirmou Fletcher.

Ele acreditava em cada palavra; quanto mais aprendia sobre os anões, mais os respeitava. Ele se empenharia para emular sua determinação em melhorar a própria situação.

Otelo parou e apontou adiante.

— Bem-vindo ao Bairro Anão.

27

Os prédios altos desapareceram para revelar fileiras e mais fileiras de barracas brancas, lindamente bordadas com formas caleidoscópicas em vermelho e azul. Grama verde primaveril substituía os paralelepípedos, e cada pavilhão era cercado de jardins carinhosamente mantidos. As flores de cores vívidas emanavam perfumes doces no ar, lembrando Fletcher dos verões da sua juventude nas montanhas. Liberado dos prédios esquálidos, o sol de inverno lançava uma luz pálida, mas quente, no rosto do rapaz.

— É lindo — comentou ele, maravilhado pela súbita transformação. Fletcher tinha esperado que o Bairro Anão fosse um lugar paupérrimo e miserável, considerando o nível das construções que o cercavam. Otelo sorriu com essas palavras e seguiu mancando, acenando para os anões próximos sentados pelos jardins, conversando.

— Eis o meu lar — disse Otelo, apontando uma barraca próxima. — Minha família inteira mora ali.

— E quantos vocês são? — indagou Fletcher, tentando não se incomodar com os olhares que recebia dos outros anões ao passar.

— Ah, tem pelo menos uns trinta de nós em cada barraca, mas a nossa contém a oficina do meu pai, então somos só vinte. Ele precisa do espaço.

Fletcher tentou entender como um grande pavilhão de pano poderia conter vinte pessoas e uma oficina. Cada um deles era do tamanho de um grande celeiro mas, a menos que eles dormissem em beliches, não havia como isso ser verdade.

— Baixe o capuz e tire os sapatos antes de entrar. Na nossa cultura, isso é educado — instruiu Otelo.

Fletcher ajudou o amigo a tirar as botas; o pobre anão tinha começado a empalidecer por conta da dor do ferimento, e abaixar-se era difícil para ele. Enquanto o rapaz humano, ajoelhado, lutava com os nós grossos dos cadarços do anão, uma silhueta baixa com robes esvoançantes correu até eles, gritando em choque. Seu rosto era obscurecido por um véu cor-de-rosa preso por uma delicada corrente de prata.

— Otelo, o que aconteceu? — uivou a silhueta numa voz aguda.

— Estou bem, Thaissa. Eu só preciso entrar. É melhor não deixar que os outros me vejam ferido, ou vão achar que estou sendo maltratado em Vocans, o que não é o caso.

Thaissa abriu a aba da tenda e os colocou para dentro. Estranhamente, não era o aposento espremido que Fletcher tinha esperado. Em vez disso, o piso era decorado com tapetes e almofadas. No centro, um grosso cano de metal se estendia até o topo da barraca, como uma chaminé. Fletcher finalmente entendeu tudo ao ver a escada em espiral que circundava o cano, descendo terra adentro. Eles viviam no subterrâneo!

Thaissa, que só poderia ser a irmã de Otelo, continuou a fazer um rebuliço ao redor do anão, empilhando almofadas no chão para que ele se reclinasse.

— Vocês têm um belo lar — comentou Fletcher enquanto outra figura subia as escadas. Ele captou um relance de um rosto com bochechas rosadas e olhos verdes brilhantes antes que a anã soltasse um berro e puxasse um véu sobre o rosto.

— Otelo! — gritou ela. — Como você pôde trazer visitas sem nos avisar? Ele viu meu rosto!

— Está tudo bem, mãe; não acho que humanos contam. Ele é meu amigo e eu peço que o tratem como tal. — Otelo desabou para o chão e agarrou o flanco.

— Você está ferido! — exclamou ela, correndo até o filho.

— Por favor, pegue as ataduras. O policial Turner e o sargento Murphy me atacaram de novo. Desta vez, acho que podem ter me quebrado uma costela. Preciso que você passe bandagens pelo meu tórax.

Ele falava entrecortadamente, como se respirar fosse doloroso, enquanto tirava a jaqueta e a parte de cima do uniforme. Seus largos ombros e peitoral eram cobertos com uma grossa penugem ruiva encaracolada, que também descia até a metade das costas. A pele dos ombros estava coberta com uma malha de cicatrizes, mais uma demonstração da brutalidade dos Pinkertons. Fletcher estremeceu ao vê-las.

A mãe de Otelo desceu as escadas correndo enquanto Thaissa enxugava a testa do irmão com a manga da roupa. Ela logo voltou com um rolo de linho e começou a enrolá-lo com força ao redor do peito do filho. Otelo se encolhia com cada volta, mas aguentou estoicamente. Fletcher já podia ver um hematoma negro crescendo no tórax do amigo.

— Otelo, o que você está fazendo aqui de volta tão cedo? Alguém me contou que tinha lhe visto na cidade — disse uma voz atrás deles.

— Estou só sendo remendado, Átila — respondeu Otelo. — Os Pinkertons bateram um papo comigo de novo. Sorte que Fletcher estava lá para me ajudar.

Havia outro anão parado na entrada. Ele era extremamente parecido com Otelo; quase idêntico, na verdade. Lançou um olhar de puro ódio a Fletcher e ajudou Otelo a se levantar.

— Os humanos nunca vão nos aceitar. Deveríamos abandonar esta cidade maldita e criar nossos próprios assentamentos, longe daqui. Olhe só o que aconteceu com você depois que fraternizou com esse humano — ralhou Átila. — Vá embora daqui, humano, antes que eu faça o mesmo a você.

Como se Ignácio pudesse entender as palavras, ele saltou para o chão e sibilou, deixando uma fina coluna de fumaça sair das narinas.

— Chega! Estou farto da sua retórica anti-humana! — gritou Otelo. — Não vou permitir que insulte meu amigo no meu próprio lar. É você quem tem que ir embora! — Ele tossiu de dor com a explosão de raiva e se apoiou em Fletcher.

Átila lançou mais um olhar furioso ao rapaz e então partiu da barraca, resmungando em voz baixa.

— Você vai ter que desculpar meu irmão gêmeo. Ele também passou no teste, mas seu ódio pelo seu povo, Fletcher, significa que ele jamais lutará por Hominum, nem mesmo como um mago de batalha. Nós dois desejamos a libertação dos anões, mas é aí que termina nossa concordância — explicou Otelo, infeliz. — Eu me preocupo com ele, com o que é capaz de fazer. Mal posso lembrar quantas vezes me entreguei quando eles emitiam um mandado de prisão no seu nome, e sofri as punições dele. Se tivessem tentado prendê-lo, ele poderia ter resistido e lutado de volta, e então o matariam. O que mais eu poderia fazer além de ir em seu lugar?

— Está tudo bem. Como eu poderia culpar seu irmão por se sentir assim depois do que vi hoje? Espero que eu tenha uma chance de mudar a opinião dele um dia. Não somos todos tão ruins.

— Sim, sim, você até que não é tão mau — admitiu Otelo com um sorriso. — Estamos tentando manter Átila longe de encrencas, trabalhando com meu pai na oficina. Acho que é melhor levar você lá logo. Meu pai vai dar uma olhada em sua espada. É o melhor ferreiro em toda Hominum.

— O inventor dos mosquetes e pistolas? Não duvido — comentou Fletcher, em seguida se lembrando das boas maneiras. — Eu ficaria honrado se me permitissem visitar seu lar — disse às duas anãs, curvando a cabeça.

O véu da mãe de Otelo escondeu sua expressão, mas ela assentiu depois de alguns instantes.

— Confio no julgamento do meu menino, e fico feliz que ele tenha encontrado um amigo em Vocans. Temíamos que ele pudesse ser infeliz por lá. Meu nome é Briss, é um prazer conhecê-lo.

— Ele tem muitos amigos, sou só um deles — explicou Fletcher, dando tapinhas amistosos nas costas de Otelo. — Estou honrado em conhecê-la, Briss, e você também, Thaissa.

— Devemos parecer muito estranhas para você, com nossos véus — comentou Thaissa, com voz tímida e hesitante. — Não é comum que anãs encontrem humanos. Ora, muitos ainda pensam que as anãs têm barbas e são idênticas aos anões!

Ela riu, e até mesmo Briss soltou uma risadinha leve e melódica.

— Tenho que admitir, estava me perguntando por que vocês os vestem. Seria rude da minha parte perguntar? — inquiriu Fletcher.

— De forma alguma. Nós os usamos para que os anões se casem por amor, e não por luxúria — explicou Briss. — Nossos maridos não podem nos ver até a noite de núpcias, então precisam nos amar por nossas personalidades, e não pelas aparências. São também um sinal de recato e privacidade, de modo que não exibimos nossa beleza para que todos vejam. É um privilégio reservado aos nossos maridos...

— Falando em marido, preciso levar Fletcher para conversar com meu pai agora mesmo — interrompeu Otelo, desconcertado com a franqueza da mãe. — Vamos, Fletcher, ele está no andar de baixo.

28

Os degraus se abriam numa câmara, tão larga e alta quanto o pavilhão acima. O cano no centro continha uma chama que crepitava sobre uma grelha, e as correntes de ar vindas de baixo lançavam fagulhas velozmente para o alto. As paredes eram de terra nua, escoradas por fortes vigas de carvalho que sustentavam o aposento. Pequenos candelabros com velas de cera pendiam do teto, conferindo ao salão uma iluminação alaranjada e calorosa. Havia sete portas construídas nas paredes da sala redonda, todas feitas de aço sólido.

Eles seguiram descendo até chegar a outra câmara quase idêntica, contendo uma mesa de jantar de pedra. Em vez da lareira, o cano estava conectado ao que parecia ser um grande forno e fornalha. Vasos e panelas de todos os tamanhos estavam empilhados contra as paredes. Cada um era pintado com intrincados padrões florais.

— É aqui que a minha mãe passa a maior parte do tempo. Ela gosta de assar, tanto comida quanto porcelana. Um homem vem comprar os produtos dela em grande quantidade uma vez por semana, para vender na loja dele. As donas de casa de Hominum torcem os narizes para porcelana enânica, então ele finge que são de fabricação própria. Faturamos um lucro bem decente — gabou-se Otelo. Fletcher estava impressionado com a velocidade da recuperação dele. Os anões eram um povo forte, com certeza.

Os dois continuaram descendo cada vez mais fundo na terra, conforme a escadaria se tornava mais estreita e apertada. Fletcher estava feliz que Salomão tivesse se contentado em descansar com Thaissa e Briss; suas pernas atarracadas jamais dariam conta daqueles degraus.

Eles passaram por mais duas câmaras enquanto desciam, cada uma menor que a anterior. A primeira era revestida de pedra e estava cheia de vapor residual, com tubulações de cobre que circulavam ao redor da coluna central; algum tipo de sauna.

O salão seguinte estava escuro demais para que se visse muita coisa, mas Fletcher pôde discernir silhuetas de piques e espadas. O rapaz deduziu que se tratava de um depósito, lotado com as armas do pai de Otelo. A essa altura, a escada ficou tão íngreme que Fletcher quase teve de descer escalando, atrapalhado na penumbra.

— Peço desculpas pelas escadas. Foram desenhadas para defesa, sabe. Elas descem no sentido horário, então qualquer grupo de homens que tentassem abrir caminho lutando teriam que batalhar com a mão esquerda, e só poderiam descer um de cada vez. Um anão sozinho poderia defender esta escadaria contra mil inimigos, se fosse um guerreiro bom o bastante — explicou Otelo, batendo com os nós dos dedos no pilar central que impediria um espadachim destro de usar sua espada.

Ele soou oco às bastidas do anão, e Fletcher reconheceu o som de ar quente em seu interior.

— Os seus lares sempre foram assim? — perguntou, começando a se sentir claustrofóbico conforme o teto baixo começava a raspar em sua cabeça. Para alguém acostumado aos céus abertos do alto das montanhas, aquela não era uma experiência confortável.

— Sim, até onde nossas memórias alcançam. Achamos que antes era defesa contra animais selvagens e orcs, mas com o tempo passamos a preferir dormir debaixo da terra. É tão silencioso e pacífico. Tenho que confessar, ando tendo problemas em dormir no alto daquela torre, com o vento soprando no meu quarto.

— É... eu também — admitiu Fletcher, pensando no vulto na ponte levadiça da noite passada.

— Aqui estamos — anunciou o anão ao alcançar o fim da escada. Havia uma grande porta de aço cercada por rocha, como se tivesse sido incorporada a uma camada natural de rocha subterrânea.

— Mesmo que eles escavassem ao redor do portão, teriam que desbravar a rocha sólida para entrar. Meu pai valoriza muito sua privacidade. Há muitas outras oficinas como esta, abrigando as fábricas onde se produzem os mosquetes. Mas esta é especial. Foi aqui que o primeiro mosquete foi criado.

Ele bateu o punho contra a porta com um ribombar rítmico, algum tipo de código secreto. Alguns segundos mais tarde, houve uma série de estrondos que indicavam trancas sendo removidas. Por fim, um rosto familiar abriu a porta.

— Athol! — exclamou Fletcher, sorrindo ao ver o conhecido. — O pai de Otelo é seu mestre? Eu deveria ter adivinhado, por causa daquelas belas armas.

— O que você está fazendo aqui? — O rosto de Athol foi tomado por uma expressão de surpresa e confusão. — E com Otelo, ainda por cima?

— Ele é meu amigo de Vocans — explicou Otelo, empurrando para entrar no aposento. — Eu quero apresentá-lo ao meu pai.

— Uhtred está ocupado agora, Otelo. É melhor você voltar outra hora — avisou Athol. — Espere aqui fora, Fletcher. Não acho que ele gostaria da sua presença na oficina.

Os anões desapareceram do lado de dentro, deixando Fletcher espiando pela porta. A oficina estava cheia de ferramentas e pilhas de lingotes de metal. Diferentemente da forja de Berdon, tudo estava organizado a um grau quase obsessivo. O interior do salão radiava calor, como se Fletcher estivesse com o rosto a centímetros de uma fogueira. Logo que ficaram fora de vista, uma conversa começou a ser murmurada, mas o rapaz não conseguia entender o que era dito graças ao rugido abafado das chamas da forja.

— O QUÊ? — trovejou uma voz. — AQUI?

O baque de passos pesados soou pelo salão, e o pai de Otelo apareceu diante de Fletcher. O peito nu do anão era muito largo, com braços musculosos cuja envergadura ocupava toda a extensão da porta enquanto ele bloqueava a vista para dentro do aposento. A barba vermelha que pendia do queixo era dividida numa bifurcação que descia em duas tranças até a cintura, e o longo bigode escorrido quase lhe alcançava o estômago. A densa pelugem no peito cintilava com o suor no incandescer alaranjado do fogo na forja.

— Athol me conta que você pediu trabalho como meu aprendiz há meros dois dias. — A voz retumbante de Uhtred ecoou no espaço apertado da escadaria. — Agora descubro que você está todo amiguinho do meu menino, se enfiando na nossa forja. Não confio em você, nem de longe, tão longe quanto eu poderia te arremessar. E garanto que eu poderia te arremessar a uma boa distância.

Ignácio se agitou no interior do capuz de Fletcher, sentindo a ameaça. O menino recuou alguns passos, horrorizado com a implicação. Porém, ao mesmo tempo, entendeu como a situação parecia suspeita.

— Eu juro, não tinha plano nenhum ao vir aqui. Trabalhei no norte como aprendiz de ferreiro. Tinha acabado de chegar a Corcillum e estava procurando emprego! Otelo e eu só nos encontramos quando me alistei em Vocans. Preciso de uma bainha para minha espada, e seu filho se ofereceu para me levar num ferreiro de confiança. Eu nem sabia que ele vinha de uma família de ferreiros até alguns minutos atrás, nem que Athol trabalhava aqui. Vou esperar lá em cima. Minhas sinceras desculpas por ter perturbado vocês.

Fletcher fez uma mesura e se virou para partir, mas só chegou ao primeiro degrau antes que Uhtred pigarreasse.

— Eu posso ter... sido apressado. Meu filho é um bom juiz de caráter, assim como Athol. Mas preciso testar a sua história primeiro e ver se você realmente é um aprendiz. Athol, esconda as ferramentas de produção de mosquetes e traga um dos martelos menores para Fletcher. Se ele for um espião, melhor descobrir logo, para que possamos tomar as devidas precauções. Enquanto isso, mostre-me essa espada. Faz um bom tempo que não vejo um khopesh de qualidade

Fletcher sacou a arma e entregou a Uhtred. Ela parecia minúscula nas mãos enormes do anão, mais como uma foice para podar flores do que uma arma mortal. O ferreiro tinha quase um metro e meio de altura, praticamente um gigante dentre os anões.

— Você precisa cuidar melhor disto. Quando foi a última vez que você a oleou ou afiou? — indagou Uhtred, inspecionando a espada por todos os ângulos à luz fraca. — Uma espada é uma ferramenta como outra qualquer. Vou lhe deixar um oleado para servir de embrulho enquanto a bainha for preparada, caso a sua história se comprove. Cuide das suas armas, rapaz! Você deixaria seu demônio passar fome?

— Acho que realmente fui relapso nos últimos tempos — admitiu Fletcher, envergonhado. Ele mal dedicara um único pensamento ao khopesh desde que o recebera, exceto durante sua luta contra Sir Caulder. Mais uma pontada de culpa o atravessou ao pensar em quanto tempo e esforço Berdon deve ter dedicado à criação da arma.

— Muito bem. Athol já deve ter preparado tudo — afirmou Uhtred, saindo do caminho. — Vamos ver do que você é capaz.

29

Fletcher fez uma careta quando o metal vermelho incandescente na bigorna lentamente ficou cinzento de novo. Toda vez que ele removia a barra de aço das chamas estrondosas da forja, o metal esfriava depois de apenas uma ou duas marteladas do menino. Ele a tinha moldado numa grosseira estaca de metal, nada parecida com a adaga que queria criar.

— Eis o aço enânico — comentou Otelo, com um tom de pena. — É mais duro e afiado que qualquer metal conhecido pelo homem, mas esfria rápido. Você precisa ter a força de um anão para causar algum impacto nele antes que endureça de novo.

— Foi um truque injusto que pregamos em você, Fletcher — admitiu Uhtred, não sem gentileza. — Eu sabia que não conseguiria trabalhá-lo. Athol, pegue um pedaço de ferro-gusa lá nos fundos.

— Pelo menos ele não soube identificar o aço enânico pela aparência, logo percebi pela expressão de espanto — comentou Athol. — Um espião dos militares de Hominum certamente saberia isso. Agora vamos descobrir se ele era mesmo um aprendiz.

— Esperem — disse Fletcher, com uma ideia se formando na cabeça. — Acho que consigo dar um jeito nisso.

Ele tirou Ignácio do pescoço e cutucou o bicho para acordá-lo. O diabrete bocejou e coçou o rosto com a pata traseira, como um cachorro.

Fletcher sorriu e esperou que a consciência de Ignácio passasse de confusa à clara conforme acordava.

— Hora de pegar no batente, sua coisinha preguiçosa — provocou o rapaz. Então ele se concentrou no aço, desejando que ficasse incandescente de novo. Ignácio trinou de empolgação. Ele respirou fundo e soprou uma chama azulada no metal.

Lenta, mas implacavelmente, o metal ficou vermelho, depois rosado.

— Uau... um desses me seria muito útil — sussurrou Uhtred, admirado, enquanto o demônio inspirava mais uma vez antes de intensificar a chama. O metal tornou-se quase branco, enchendo a oficina com um cheiro acre e sulfúrico.

Fletcher desatou a martelar, moldando a adaga com cada impacto. Depois do que pareceu uma era, ele acalmou Ignácio com um pensamento. Exausto, o demônio rastejou de volta ao seu lugar sob o capuz. Fletcher também se sentia exausto, com o braço doendo da chuvarada de marteladas que ele despejara na lâmina.

Uhtred usou uma tenaz para levar a arma à luz. O cabo era um punho de metal simples com um pomo redondo, pronto para ser envolvido em couro a fim de que proporcionasse um aperto mais firme à mão. A lâmina propriamente dita era um punhal clássico, longo e fino como preferiam os assassinos.

— Onde você aprendeu a fazer um desses? — indagou Otelo, testando a ponta com o dedão. — Não é exatamente um equipamento padrão.

— Nós vendíamos quase todos aos mercadores. Eles gostavam de uma arma fácil de ocultar, para pegar os salteadores de surpresa — explicou Fletcher, admirando o produto do seu trabalho. Era uma de suas melhores peças.

— Muito bem, rapaz, você está livre. Não é como se tivesse descoberto nada de mais, de qualquer maneira. Para compensar minha falta de educação, vamos lhe fazer a bainha de graça. Você vai ter que deixar a lâmina conosco, mas a receberá de volta em alguns dias. Minha mulher vai lhe costurar um novo uniforme, também. Não vai ser feito sob medida, mas será melhor que essa coisa comida por traças que você veste agora. Não queremos que ninguém diga que os companheiros de nosso filho são vagabundos. Sem ofensa — afirmou Uhtred com um sorriso.

— Quanto eu lhe devo? — perguntou Fletcher, pegando a bolsa de dinheiro.

— Só esse punhal e sua promessa de que vai tomar conta do meu menino. Você parece ser de um tipo raro, Fletcher. É gente como você que me dá esperanças de reconciliação entre anões e homens — explicou Uhtred.

A chuva caía forte quando eles alcançaram o ponto de encontro, mas não havia sinal dos outros. Otelo chutou a parede enquanto eles tremiam de frio num vão de porta, planejando o que fazer em seguida. Não havia carroças à vista, e as ruas estavam praticamente desertas.

— Droga de chuva — resmungou Otelo. Ele estava de péssimo humor, e não só por causa do tempo e da falta de transporte. Na pressa para escapar dos Pinkertons, a machadinha de Otelo tinha ficado no chão. Os rapazes não a encontraram ao voltar pelo mesmo caminho. — Droga de Pinkertons, também. Minha costela está rígida como pedra, e perdi uma das melhores peças do meu pai — continuou Otelo, estreitando os olhos em meio ao dilúvio.

— Lamento, Otelo. Tenho certeza de que seu pai fará outra para você — disse Fletcher, fazendo uma careta de solidariedade.

— Como você se sentiria se perdesse seu khopesh? — Otelo soava amargurado, saindo para a rua.

Fletcher não sabia como responder, então ficou de boca fechada. Ele seguiu o anão abatido pela chuva. Os dois estavam gelados até os ossos apesar das jaquetas, e Fletcher sabia que a jornada de volta para casa seria fria e miserável.

— Acho que nossa melhor opção é a praça Valentius — gritou Otelo em meio aos trovões que retumbavam no ar. — É lá que fica a maioria dos estábulos.

— Tudo bem, vamos lá! Não aguento mais ficar parado — berrou Fletcher de volta, de olho no céu barulhento.

Eles correram pelas ruas vazias, pisando nas poças que se formavam no caminho. A cada tantos segundos, a rua era congelada num clarão de relâmpago, seguido do estrondo do trovão.

— Os raios estão perto, Otelo! Deve ter uma tempestade de verdade se formando — gritou Fletcher, cuja voz quase foi levada pelo vento.

— Quase lá! — berrou Otelo de volta.

Finalmente eles chegaram a uma pequena praça com um enorme toldo, que protegia o lugar do pior da chuva. Estava tomada por uma multidão que se abrigava da tempestade e escutava um homem numa plataforma. Ele gritava, mas Fletcher estava cansado demais para ouvir.

— Eles leiloam cavalos daquele palco, se você sentir vontade de comprar um para mim algum dia — brincou Otelo, torcendo a barba.

— Hah, talvez um pônei barrigudo; é o máximo que você conseguiria montar — zombou Fletcher de volta, feliz que o anão tivesse recuperado o ânimo.

Enquanto eles vasculhavam o lugar em busca de uma carroça, Fletcher captou as últimas palavras do discurso do homem irado.

— ... E ainda assim os elfos fazem a guerra se arrastar, custando às duas nações um preço muito maior do que o valor do imposto! Só que, ao invés de levar a guerra até eles, nosso rei fala em paz, sem perceber as verdadeiras intenções dos elfos! Eles querem que o nosso reino perca a guerra, vocês não percebem? Quando Hominum cair, os elfos ficarão livres para tomar nossas terras! Os orcs não as desejam; eles só querem nos ver mortos. Quando o sangue correr pelas ruas de Corcillum, os elfos se regozijarão com nossas mortes!

A multidão rugiu em aprovação, agitando os punhos no ar. Fletcher prestou atenção, distraído de sua tarefa imediata. Ele nunca tinha visto um homem falar tão abertamente contra o rei, nem com tanto ódio pelos elfos. Nem mesmo Rotherham tinha sido tão veemente.

— Então o que podemos fazer quanto a isso? Como forçar a mão do rei? Eu digo a vocês! Vamos marchar até a embaixada deles e matar cada um dos desgraçados de orelhas pontudas! — uivou o homem, com uma paixão tão fervente que quase chegava a um berro.

Desta vez a plateia ficou menos empolgada. Essa sugestão era tão ousada que um silêncio constrangedor recaiu sobre a multidão, acompanhado de murmúrios perturbados. O homem ergueu a mão como se pedisse silêncio.

— Ah, eu sei, o primeiro passo é sempre o mais difícil. Mas vamos dá-los juntos. Vamos aproveitar este momento! — rugiu ele, acompanhado por um punhado de vivas da multidão, que começava a se interessar pela sua retórica. — Mas, primeiro, deixem-me mostrar como se faz. Grindle, traga a prisioneira!

Um homem gordo e careca, com braços tão fortes quanto os de Otelo, emergiu de uma porta atrás do palco e arrastou uma elfa, que gritava desesperadamente, até a frente da plataforma. Mesmo de onde estava, bem no final do grupo, Fletcher reconheceu a vítima.

— Sylva! — gritou ele.

30

A turba pulsava de excitação, tanto ultrajada quanto empolgada. O homem gordo brandiu uma clava no ar com um floreio, suscitando mais gritos do povo. Fletcher começou a abrir caminho até a frente, mas foi contido por Otelo.

— Vamos lá! — chamou Fletcher, lutando contra o aperto firme do anão.

— Não temos nenhuma arma, Fletcher. Precisamos procurar ajuda! — retrucou Otelo, enquanto a multidão ao redor deles se convulsionava.

— Quem vamos chamar, os Pinkertons? Se não fizermos alguma coisa agora mesmo, Sylva vai morrer — retrucou Fletcher, soltando o braço e se lançando adiante.

O menino empurrou dando cotoveladas, mas a multidão ficava mais densa conforme ele se aproximava do palco. Logo estava sendo esmagado pela massa de corpos, mal capaz de ver acima das cabeças daqueles à sua frente.

— Os elfos são tão ousados que andam por nossas ruas, como se a guerra nada significasse para eles! — gritou o homem no palco. — Grindle, traga ela até aqui para que possamos mostrar a todos o que fazemos com elfos que não conhecem seu lugar de direito.

A multidão rugiu, alguns a favor, outros contra. O humor coletivo estava eletrizado como o relâmpago que iluminava o toldo acima deles, paralisando seus rostos gritantes a cada clarão. O sol mal acabara de se pôr, e o céu exibia a cor azul-marinho do crepúsculo invernal.

— O que está acontecendo? — perguntou Otelo, gritando de trás do rapaz, pulando para tentar ver o que ocorria. Salomão estava abaixado entre as pernas do dono, grunhindo para os pés que pisoteavam a lama ao redor.

— Eu não sei. Precisamos encontrar um jeito de atravessar essa multidão! — gritou Fletcher. O ar estava carregado com o som do trovão, gritos raivosos e a chuva martelando a lona esticada acima. O grito de Sylva cortou tudo isso, um longo berro de medo irracional que trespassou o coração de Fletcher.

O menino trincou os dentes de frustração e tentou avançar novamente, mas só conseguiu se mover alguns centímetros.

— Otelo, mande Salomão fazer barulho! Se não dá para passar, então precisamos dispersá-los — pediu Fletcher por sobre o ombro.

Um urro irrompeu de trás dele, um rugido profundamente grave que lembrou a Fletcher um urso das montanhas. As pessoas ao redor se viraram e se afastaram, abrindo um pouco de espaço.

— Ignácio! — gritou Fletcher, mandando o demônio para seu ombro com um pensamento. O diabrete disparou uma forte rajada de chamas no ar, assustando o resto da multidão para lhes abrir ainda mais espaço. Quando um caminho se fez disponível, eles se lançaram escada acima até o palco.

Fletcher avaliou a cena de relance. A cabeça de Sylva estava sendo mantida sobre um toco pelo orador revoltado, que estava ajoelhado ao lado da elfa prostrada. Grindle tinha erguido a clava, pronto para despedaçar a cabeça da vítima. A pobre menina estava vendada; nem chegaria a ver a chegada da morte.

Ignácio reagiu instintivamente, cuspindo uma bola de fogo que atingiu o homem gordo no alto do ombro, jogando-o para trás. Enquanto o corpo obeso desabava no chão, Otelo saiu em disparada e chutou o orador na cabeça, produzindo um estalo alto e nocauteando-o.

Mais três homens investiram contra o anão, armados de cassetetes muito parecidos com aqueles usados pelos Pinkertons. Otelo levou um golpe no rosto e desabou como uma marionete com os cordões cortados. Antes que o homem pudesse golpear de novo, Salomão o socou na perna, dobrando-a de lado com um barulho nauseante. O Golem subiu no peito do homem e deu-lhe um pisão. O estalo das costelas sendo partidas revirou o estômago de Fletcher.

Os outros dois começaram a avançar, brandindo os cassetetes com prática. Fletcher empalideceu e dançou para trás para ganhar mais tempo, desejando não ter deixado o arco no quarto. Aquilo seria complicado.

— Muito bem, Ignácio. Pegue eles — disse Fletcher. O diabrete saltou do seu ombro como um morcego infernal, um redemoinho de garras e chamas. Aterrissou no rosto do homem mais próximo e sibilou, com o fino espinho na ponta da cauda estocando a presa como um ferrão de escorpião.

Antes que o outro homem pudesse intervir, Fletcher avançou. Assim que o cassetete veio em sua direção, o rapaz criou um clarão de fogo-fátuo na mão, cegando o adversário com a luz azul. Chutou o homem no meio das pernas e depois lhe acertou uma joelhada no nariz quando ele se curvou. Rotherham tinha razão; lutar como um cavalheiro era coisa para cavalheiros. Ignácio tinha rasgado a cara inteira do outro homem, que rolava no chão gemendo de dor enquanto o diabrete lambia seu focinho ensanguentado alegremente. A inocência de cachorrinho do demônio não estava mais lá.

Sylva estava completamente amarrada como um embrulho de presente, mas lutava com selvageria no chão. Salomão estava uivando, enfiando a cara rochosa na barba de Otelo.

Fletcher arrancou a venda de Sylva, em seguida mexendo nos nós com dedos endurecidos pelo frio. As cordas estavam inchadas pela umidade, mas se afrouxaram conforme ele as puxava. O tempo todo a multidão assistia, como se ele fosse um ator num palco e eles, uma plateia pagante.

— Tire elas, tire elas! — gritava a elfa. Seus olhos estavam virados para trás. Como diabos ela tinha se metido nessa situação? Da última vez que o rapaz a vira, Sylva estava com Isadora, lá em Vocans.

Então o lado da sua cabeça explodiu em dor e Fletcher foi para o chão, com a brancura da lona acima preenchendo sua visão. A horrenda cabeça careca de Grindle surgiu e entrou em foco, com a clava erguida novamente. Era uma coisa feia, disforme, toda cheia de nós e sulcos como um galho de árvore mal podado.

— Traidor da raça — sibilou Grindle. O ombro dele era um caos de pano e carne queimados.

O sujeito segurava Ignácio pelo pescoço como se agarrasse uma galinha, com o esporão de cauda do demônio cravado no outro braço, flácido. O coração de Fletcher se encheu de esperança quando o peito de Ignácio se encheu, mas nada lhe saiu das narinas exceto um fino fio de fumaça. O gordo pousou o pé no pescoço de Fletcher para imobilizá-lo, então centrou a clava em sua cabeça. Fletcher fechou os olhos e rezou para que fosse uma morte rápida.

Ouviu um grito e então um baque. Um peso caiu sobre seu corpo, pressionando o peito e o deixando sem fôlego. Abriu os olhos e viu Sylva, segurando um cassetete ensanguentado nas mãos. O homem gordo gorgolejava no ouvido de Fletcher.

Ele tentou erguer o corpo, mas era como se tentasse mover uma árvore.

— Não consigo respirar — ofegou Fletcher com a última lufada de ar em seus pulmões. Sylva se agachou e tentou empurrar com toda a sua força, mas o corpo mal se mexeu. A pulsação de Fletcher martelava em seus ouvidos, errática e frenética. O limiar de sua visão começou a escurecer enquanto ele ofegava, capturando pequenas lufadas de ar.

Então Otelo estava lá, cambaleando até a cena com sangue escorrendo pelo lado do rosto. A elfa e o anão empurraram até que Fletcher conseguiu respirar de novo, arfadas profundas e soluçadas, mais doces que mel.

— Seus monstros! — gritou Sylva, cuspindo contra os espectadores mudos.

— Vamos dar no pé agora! — exclamou Otelo, olhando enojado para a multidão.

Os dois levantaram Fletcher e desceram os degraus cambaleantes como três bêbados, quase incapazes de ficar de pé. Desta vez, a multidão se abriu para lhes ceder uma larga passagem.

O trio trepidante fugiu pelas ruas desertas, todos castigados pela chuva que caía em ondas conforme o vento aumentava e diminuía. Otelo parecia conhecer o caminho, guiando-os por becos estreitos e ruas secundárias até chegarem à estrada principal que trouxera o grupo a Corcillum. Eles não faziam ideia se estavam sendo seguidos. A escuridão os alcançaria a qualquer minuto, porém, com a presença de Sylva, eles não poderiam de forma alguma passar a noite numa taverna. Os três andaram por duas horas sem ver uma única charrete ou carroça. Sylva não trajava nada mais que um vestido de seda, e tinha de alguma maneira perdido os sapatos ao ser capturada. Estava tremendo tão violentamente que quase não conseguiu passar os braços pelas mangas da jaqueta de Fletcher quando ele a ofereceu.

— Precisamos parar e descansar! — gritou o rapaz por sobre o rugido do vento e da chuva. Otelo concordou com a cabeça, cansado demais até para erguer os olhos da estrada. Seu rosto estava totalmente branco, e filetes de água tingida de sangue escorriam pelos lados do seu rosto. O ferimento na cabeça estava molhado demais para estancar sozinho.

Milharais verdes se estendiam de ambos os lados ao seu redor, mas Fletcher viu um telhado de madeira por sobre as espigas, algumas centenas de metros à direita.

— Por aqui! — gritou ele, puxando-os da estrada. O grupo abriu caminho por entre os longos talos, rompendo os caules frágeis ao pisar. Salomão ia na frente, desesperado para levar seu mestre a um lugar seguro.

Não era nada além de um barracão metido a besta, abandonado havia muito tempo. Fletcher quase se desesperou por um instante quando viu que estava trancado com uma corrente enferrujada, mas Salomão a arrebentou com um soco.

O lado de dentro estava úmido e mofado, cheio de velhos barris de farinha já apodrecida. Mesmo assim, escapar do dilúvio que os castigava era pura alegria.

Sylva e Otelo desabaram no chão, juntando-se para aquecer um ao outro. Fletcher bateu a porta ao entrar e desmoronou também. Não fora assim que ele imaginara sua viagem a Corcillum.

— Não se preocupem, pessoal, vou esquentar vocês. Ignácio, venha cá. — O diabrete desceu pelo seu braço e olhou para ele, parecendo infeliz. O pescoço da criaturinha estava com um hematoma vermelho--escuro onde Grindle o agarrara. Ignácio respirou fundo e soltou uma chama fina, que infelizmente, no ar úmido, não fez nada além de iluminar o aposento imerso em trevas. A única luz vinha das rachaduras nas paredes, que também deixavam entrar correntes congelantes de ar. Tinha que haver outro jeito. Se Fletcher não fizesse alguma coisa, eles provavelmente contraíriam alguma doença mortal.

Salomão grunhiu e começou a despedaçar alguns barris. As mãos dos Golems eram como luvas sem dedos de pedra, mas o polegar opositor lhe dava destreza o bastante para rachar as tábuas podres e jogá-las no centro do aposento.

— Pare, Salomão, economize sua energia — murmurou Otelo. O demônio pausou e deu ao anão um grunhido de desculpas. Então rosnou e indicou os barris, apontando com as mãos atarracadas. — Ah, tudo bem — resmungou Otelo, acenando, derrotado. Salomão continuou trabalhando, agora de forma mais metódica. O que raios ele estava fazendo?

— Ele está fazendo uma fogueira! Vamos lá, antes que Sylva entre em choque! — exclamou Fletcher. A elfa ainda estremecia, abraçando os joelhos. O menino não conseguia imaginar como teria sido o dia dela. A provação a tinha deixado com as pontas das orelhas marcadas pelo vento, avermelhadas de frio.

Logo a pilha de madeira estava alta, mas Fletcher separou a maior parte para mais tarde. Salomão esmigalhou algumas das tábuas em pilhas de farpas, para servir de isca para o fogo, então Ignácio soprou chamas repetidamente até o fogo pegar. Logo uma luz calorosa preenchia o barracão, e a fumaça subia e saía pelas rachaduras nos cantos do teto. A madeira queimava bem lentamente, como costumava acontecer com lenha podre. Por mais que o fogo deixasse um cheiro de mofo no ar, o frio abandonou vagarosamente os ossos dos três cadetes, e as roupas começaram a secar em seus corpos. Mesmo assim, seria uma longa noite.

31

Fletcher acordou num susto e olhou em volta. Otelo cutucava as chamas com um graveto, aborrecido. Ele estava de peito nu, com a camisa e jaqueta secando ao lado do fogo.

— Eu devo ter apagado. Quanto tempo dormi? — indagou Fletcher, se sentando. Suas roupas ainda estavam úmidas, mas ele decidiu não se despir. Supôs que Sylva não ficaria feliz com tal quebra de decoro. Porém, para sua surpresa, ela estava sentada do outro lado do fogo, rasgando a barra do vestido numa longa tira. Ignácio estava enrodilhado ao lado da elfa, com as costas aquecidas pelas chamas.

— Só por alguns minutos, Fletcher — respondeu ela, entregando o tecido a Otelo. — Aqui, use como bandagem para sua cabeça. Vai ajudar a curar.

— Obrigado — disse o anão, com uma expressão de feliz espanto no rosto. — Fico muito agradecido. Que pena que você teve que estragar seu vestido.

— Essa é a menor das minhas preocupações. Que burrice a minha, achar que poderia andar pelas ruas de Corcillum no meio da guerra e não sofrer as consequências.

— E por que você foi? — perguntou Fletcher, franzindo a testa.

— Pensei que estaria segura com os Forsyth. Eles andavam com os demônios em plena vista, e todos passavam longe de nós. Em retrospectiva, não estou surpresa. — Ela torceu as mãos em frustração. — Tenho certeza de que, se um homem fosse passear no território élfico, sofreria um destino semelhante. Há gente racista nos dois lados da fronteira.

— Ainda bem que você se sente assim. Eu não a culparia por pensar o pior de nós e convencer seu pai a encerrar todas as chances de uma aliança entre os nossos povos — comentou Fletcher, aproximando-se do fogo e aquecendo as mãos dormentes.

— Não, isso só fortaleceu minha determinação — respondeu Sylva, fitando as chamas. A menina arrogante que os olhara com o nariz empinado tinha desaparecido. Esta pessoa era muito mais íntegra.

— Como assim? — inquiriu Fletcher.

— Se até mesmo esta guerra falsa que fingimos lutar criou tanto ódio entre nossos povos, o que uma guerra de verdade não faria? — salientou a elfa, empurrando mais lenha para a fogueira.

— Qual é o sentimento entre os elfos? — perguntou Otelo, tirando as botas e deixando as meias secarem junto ao fogo crepitante. Salomão prontamente pegou os calçados e os segurou junto ao fogo.

— Alguns de nós entendem, dizendo que vale a pena se juntar aos humanos para lutar no sul, se isso mantiver os orcs longe dos nossos lares. Outros afirmam que eles jamais atacariam tão ao norte, mesmo se o Império de Hominum caísse — contou Sylva, torcendo o nariz para o chulé do anão. — Mas meu pai é um velho chefe de clã. Ele se lembra das histórias que seu pai lhe contou, dos dias em que os orcs devastavam nossas aldeias, massacrando nosso povo por esporte e reunindo as cabeças de nossos guerreiros como troféus. Os elfos mais jovens mal sabem que foram os saqueadores orcs que nos obrigaram a construir nossos lares nos grandes carvalhos do norte em primeiro lugar, milhares de anos atrás. E, mesmo quando o fizemos, isso só os atrapalhou um pouco. Foram os primeiros humanos que se aliaram a nós, rechaçando-os de volta às selvas e patrulhando as fronteiras. Nossa aliança existe desde que os primeiros homens cruzaram o deserto de Akhad, porém, com o tempo e a passagem das incontáveis gerações, ela caiu em desuso.

— Nós éramos aliados dos elfos? — indagou Fletcher, seus olhos arregalados de incredulidade.

— Estudei a história de nossos dois povos antes de vir para cá na minha missão diplomática. Nós, elfos, podemos viver por duzentos anos, então as memórias dos nossos historiadores são mais longas que as dos seus. Rei Corwin, o primeiro rei de Hominum, liderou uma guerra contra os orcs em nosso nome. Foram os elfos que ensinaram a ele e a seu povo como invocar, em troca de proteção, criando assim as primeiras casas nobres de Hominum.

— Uau. Não fazia ideia de que vocês participaram da criação do nosso império — maravilhou-se Fletcher. — Nem de que os elfos foram os primeiros conjuradores.

— Nem tanto — murmurou Sylva. — Os orcs já conjuravam muito antes de nós. Mas a arte deles era mais bruta, imatura; pequenos diabretes e nada mais. Ah, se ainda fosse assim hoje...

— Tenho uma pergunta — interrompeu Otelo. — Por que você não trouxe seu próprio demônio do território élfico? Certamente vocês têm demônios por lá, se ensinaram os homens a conjurar em primeiro lugar?

— Essa é uma pergunta complicada de se responder. Tivemos um longo período de paz depois que o Império de Hominum foi fundando. Enquanto os anões se rebelavam e os orcs saqueavam o reino dos homens, os elfos continuavam em relativa segurança. Assim, nossa necessidade de usar demônios para defesa pessoal deixou de existir. É claro que houve outros fatores. Por exemplo, a invocação de demônios foi banida por um curto período quatrocentos anos atrás, quando os duelos ficaram na moda entre os herdeiros dos nossos chefes de clãs. No fim, não havia mais demônios a se transmitir, pois foram todos mortos nesses duelos ou devolvidos ao éter.

O estômago de Otelo roncou e Sylva riu; o tom sério do aposento se desfez.

— Tive uma ideia — anunciou Fletcher, levantando-se. Depois de um momento de hesitação, ele saiu do abrigo. Trinta segundos depois, voltou correndo ao barracão, mais uma vez ensopado até os ossos, mas segurando uma braçada de milho.

Enquanto se sentava de novo, Fletcher percebeu algo novo. As costas de Otelo eram tatuadas em preto, uma ilustração de um martelo cruzado com um machado de batalha. O nível de detalhamento era extraordinário.

— É uma bela tatuagem, Otelo. O que significa? — inquiriu ele.

— Ah, isso. É um signo enânico. São as duas ferramentas usadas pelos anões. O machado representa nossa proeza em batalha e o martelo, nossa habilidade como artífices. Nunca fui muito fã dessa ideia de tatuagens, porém. Não preciso de marcas na minha pele para dizer ao mundo que sou um verdadeiro anão — resmungou Otelo.

— Então por que a fez? — perguntou Sylva, espetando algumas espigas de milho num forcado enferrujado e segurando-o sobre as chamas.

— Meu irmão se tatuou com isso, então tive que fazer o mesmo. Às vezes tenho que levar a culpa no lugar dele. Faz mais sentido se tivermos a mesma aparência. Os Pinkertons tiram a sua camisa quando... castigam você.

Syvla continuou fitando o anão com uma mistura de espanto e horror, então seus olhos se arregalaram ao pousar nas cicatrizes de Otelo.

— Nós somos gêmeos. Não que os Pinkertons saibam diferenciar os anões, normalmente. Somos todos iguais para eles — explicou Otelo.

— Então... vocês são como Isadora e Tarquin, afinal — deduziu ela. — Sempre me perguntei como seria ter um irmão gêmeo.

— Achei que eles fossem gêmeos, mas não tinha certeza — comentou Fletcher, tentando lembrar dos dois nobres.

— É claro que são — afirmou Otelo. — São sempre os primogênitos que herdam a habilidade de evocar, gêmeos incluídos. Os outros filhos têm chances muito menores, mesmo que aconteça, às vezes. Ninguém sabe bem o porquê, mas certamente ajudou a consolidar o poder nas casas nobres. Filhos e filhas primogênitos herdam a propriedade inteira, então as terras não são distribuídas para múltiplos filhos na maioria dos casos. Os Forsyth têm terra mais que suficiente para dois, porém, isso é certo.

O anão tirou uma espiga de milho do forcado e mordeu com voracidade, soprando os dedos.

— Então me conte, Sylva, o que você estava fazendo em Corcillum? Encontrou Genevieve e os outros na perfumaria? — perguntou Fletcher, tentando evitar o fato de que quase tinham morrido por causa dela.

— Os nobres me levaram numa carruagem até a praça. Então Isadora e Tarquin me trouxeram ao bairro das flores, pois queriam rosas frescas para seus quartos. Eu estava com um lenço na cabeça para cobrir meus cabelos e orelhas, então não pensei que teria problemas. Mas meus olhos devem ter me denunciado. Aquele homem gordo, Grindle, arrancou o xale da minha cabeça e me arrastou para um beco. Isadora e Tarquin correram ao primeiro sinal de problemas. Nem olharam para trás. Eu não tinha meu couro de conjuração, então Sariel continuou infundida dentro de mim. Nunca mais cometerei esse erro.

— Couro de conjuração? — perguntou Otelo, terminando sua espiga e estendendo a mão para pegar outra. Sylva afastou-lhe com um tapa brincalhão.

— Guloso! Fletcher, coma também. Eu percebi que alguns de vocês não desceram para o almoço na cantina mais cedo, você deveria comer alguma coisa.

— Obrigado. Eu só comi uma maçã de almoço — contou Fletcher, pegando uma espiga para si. Mordeu os grãos macios, cada um explodindo com doçura surpreendente em sua boca.

— Um couro de conjuração— continuou Sylva, virando-se para Otelo. — É só um pentagrama, impresso num pedaço quadrado de couro, que me permite conjurar Sariel se ela estiver infundida em mim. Não sei bem se os seus conjuradores ainda os chamam por esse nome hoje em dia. Os documentos que encontrei sobre práticas de conjuração eram bem antigos.

— Eu não acredito que Tarquin e Isadora fugiram! — exclamou Fletcher, a boca cheia de milho.

— Essa nem é a pior parte. Os dois estavam com os demônios soltos quando eu fui capturada. Suspeito que foram as criaturas que chamaram tanta atenção para nós em primeiro lugar.

— Aqueles covardes — grunhiu Otelo.

— E seus demônios veteranos foram herdados da mãe e do pai — explicou Sylva. — Poderiam ter derrotado dez vezes o número de homens que me atacaram. Se eu tivesse ficado mais perto dos dois, os sujeitos jamais teriam avançado, mas eu estava um pouco farta da conversinha narcisista deles, então me afastei por um momento. — A elfa fez uma pausa, mordendo delicadamente sua espiga.

— Por que você tentou fazer amizade com eles se não os suporta? — indagou Fletcher.

— Estou aqui como diplomata. Com quem você acha que seria melhor fazer amizade se eu quiser promover uma aliança entre os nossos dois povos? Agora eu obviamente sei que a melhor maneira é me tornar uma oficial assim que possível e criar fama em batalha, e não bajular pirralhos mimados sem nenhum poder real. Isso vai facilitar minha causa, se todos souberem que os elfos também estão dispostos a lutar.

— Ah — comentou Fletcher. Fazia sentido, porém a forma como ela o tratara antes ainda magoava. Por outro lado, se ele estivesse sozinho em terras hostis com um fardo de responsabilidade tão grande, ser simpático talvez também fosse a última de suas preocupações. — Certo, melhor nos deitarmos para dormir. Provavelmente vamos levar bronca por termos passado a noite fora, mas não tem como voltarmos andando com esse tempo — sugeriu Fletcher, se esticando ao lado do fogo.

— Ah, não sei — respondeu Otelo, enrolando a jaqueta num travesseiro improvisado e se recostando nele. — Não tem guardas nem nada assim na entrada da academia. Se nós chegarmos antes das entregas, devemos ser capazes de entrar escondidos sem que alguém nos veja.

Enquanto Sylva se enrodilhava ao lado do fogo e puxava o capuz da jaqueta, um pensamento cruzou a mente de Fletcher: como Otelo sabia disso?

32

— Onde diabos vocês estavam? — sibilou Serafim. Fletcher, Otelo e Sylva tinham acabado de entrar cambaleantes na sala de conjuração, juntando-se aos outros o mais silenciosamente possível quando os outros estudantes passaram, vindos do átrio. O trio estava com uma péssima aparência, mas não havia nada que pudessem fazer. Tinham chegado enquanto as entregas eram feitas, então só puderam se esgueirar depois do café da manhã, bem quando as aulas estavam prestes a começar.

— É uma longa história. Contamos mais tarde — sussurrou Fletcher. Isadora se virou para ver qual era a comoção, arregalando os olhos ao ver Sylva. Ela cutucou Tarquin, que também se virou e levou um enorme susto. A elfa os encarou, inexpressiva, então se virou para a capitã Lovett, que esperava todos se assentarem. A mulher alta vestia um avental de couro sobre seu uniforme de oficial, além de usar grossas luvas do mesmo material.

— Vamos trazer alguma luz a este lugar — disse Lovett, soltando várias bolas de fogo-fátuo no ar. Ao contrário de Arcturo, ela permitia que as luzes flutuassem sem rumo pelo salão, criando uma iluminação clara mais fantasmagoricamente mutável. — Então, pelo que eu soube, Arcturo deixou que quem já tivesse praticado fogos-fátuos fosse embora mais cedo ontem. Isso não vai acontecer nas minhas aulas. Meu lema é "a prática leva à perfeição" e, considerando o seu curto tempo aqui, vocês deveriam aproveitar cada segundo sob nossa tutela.

Ela andava de um lado para o outro diante deles, com os olhos severos esquadrinhando cada um dos rostos. Aquela não era uma pessoa que Fletcher gostaria de irritar.

— A primeira tarefa de hoje será ensinar-lhes a arte da infusão. Vejo que alguns de vocês não estão com seus demônios, então presumo que já tenham aprendido isso. Entretanto, o tempo que você leva para libertar seu demônio de dentro de si pode ser a diferença entre a vida e a morte. Confiem em mim, eu sei. Aqueles de vocês que foram treinados pelos pais vão praticar nos círculos de conjuração do outro lado da sala. Eu vou conferir seu desempenho mais tarde.

Os nobres se afastaram com expressões arrogantes, falando e rindo entre si. Lovett separou o salão em dois com uma enorme cortina, de modo que eles saíram de vista depois de atravessar a partição central. Depois de alguns momentos, Fletcher viu luzes brilhantes piscando por baixo. Que tipo de demônios os nobres possuíam?

Sylva ergueu a mão e deu um passo à frente.

— Aprendi sozinha. Será que eu poderia ficar com os outros e aprender a técnica correta? — indagou a elfa.

Lovett espiou o vestido rasgado e os cabelos desfeitos dela e ergueu uma sobrancelha. Depois de uma longa e severa encarada, a professora cedeu.

— Muito bem. Mas, por favor, lembre-se de que, no futuro, espero que você esteja de uniforme — afirmou ela, antes de se voltar ao resto dos plebeus. — Cada um deve pegar um couro de conjuração, além de um avental de couro. Deve haver luvas e óculos de proteção no compartimento abaixo, também. — Ela indicou o fundo do salão, e um dos fogos-fátuos disparou até lá e pairou sobre uma fileira de armários embutidos na parede.

— O que aconteceu com vocês? — murmurou Genevieve pelo canto da boca enquanto eles rumavam ao equipamento. — Esperamos o máximo que pudemos, mas tivemos que ir antes que a última carruagem partisse.

— Perdemos a última carruagem e tivemos que voltar andando para cá esta manhã — murmurou Fletcher de volta, revirando vários rolos de couro até encontrar um com o pentagrama não muito apagado. Ele não sabia se Sylva queria que o incidente se tornasse de conhecimento geral.

— Vocês foram assaltados no caminho ou coisa assim? — insistiu Genevieve, sem acreditar muito.

— O que faz você achar isso? — retorquiu Fletcher enquanto vestia um avental.

— Bem, mesmo ignorando as ataduras na cabeça de Otelo, você está com um galo do tamanho de um ovo na lateral da cabeça — argumentou Genevieve enquanto eles voltavam. O rapaz tocou a têmpora e estremeceu ao perceber que ela tinha razão. Felizmente, a essa altura chegaram de volta a Lovett, que os silenciou com um olhar.

— Ouvi que alguns de vocês têm seus demônios há pelo menos sete dias. Eles devem estar bem cansados agora, então seria melhor vocês infundi-los imediatamente, para que possam repousar. Levante a mão quem tiver recebido seu demônio na semana anterior — anunciou Lovett. Genevieve e Rory ergueram as mãos. Depois de alguns instantes, Fletcher levantou a dele também.

— Por que a hesitação? Fletcher, não é? — indagou Lovett, indicando que o rapaz desse um passo à frente.

— Estou com meu demônio há duas semanas e meia — respondeu ele. — Isso é normal?

— Não, ele deve estar realmente exausto! Vamos dar uma olhada nele — repreendeu ela.

Fletcher acordou Ignácio com uma cutucada mental. O diabrete miou de irritação e saltou para o chão. Olhou em volta e lambeu os beiços. O demônio devia estar bem faminto agora, depois de torcer o nariz para o milho assado da noite anterior.

— Ele anda meio sonolento, mas costuma ser sempre assim, de qualquer maneira — explicou Fletcher, sentindo uma pontada de culpa enquanto o demoniozinho bocejava.

— Uma Salamandra! — exclamou Lovett. — Realmente rara! O major Goodwin ficará muito interessado nela. Não é sempre que ele tem a chance de examinar uma nova espécie de demônio.

— Ignácio vai ficar bem? — inquiriu Fletcher, ainda preocupado com a suposta exaustão.

— Parece-me que sim — respondeu Lovett. — Quanto mais poderoso um demônio, mais tempo ele pode sobreviver sem descanso no nosso mundo, apesar de levar vários meses antes que o cansaço se torne realmente um risco de vida. Eu tinha pensado que, como você é um plebeu, seu demônio seria de uma das espécies mais fracas. Por outro lado, pelo que andei ouvindo, vocês parecem ser um grupo bem sortudo. No ano passado, a maioria dos plebeus recebeu Carunchos, mas vocês têm uma Lutra, um Cascanho, uma Salamandra e um Golem.

— E um Canídeo também! — exclamou Sylva, desenrolando seu couro no chão. Fletcher sorriu, feliz por ela ter se incluído no grupo dos plebeus.

Rory arrastou os pés e cerrou os punhos.

— Estou cansado de ouvir como sou azarado em ter Malaqui — sussurrou, com óbvia frustração.

— Por que você não começa, Sylva? Vou confirmar se você estiver fazendo tudo corretamente. É um ato relativamente simples, uma vez que se sabe o que fazer — sugeriu Lovett.

Sylva se ajoelhou sem hesitar e pousou as mãos enluvadas no tapetinho de couro. Os óculos se encaixavam de forma desajeitada sobre as orelhas pontudas, mas ela não parecia se importar. Fletcher tinha certeza de que ela mal podia esperar para estar sob a proteção de Sariel de novo, depois de tudo que acontecera na noite anterior. Inspirando longa e calmante, a elfa encarou o pentagrama até que ele tremeluziu com uma suave luz violeta.

— Observem como ela empurra o mana através das mãos, para o couro e até o pentagrama. Ela saberá que o momento de empurrar o demônio chegou quando o pentagrama estiver com brilho constante.

A estrela de cinco pontas incandescia em luz azul, porém nada aconteceu por quase meio minuto. O único som era a respiração ofegante de Sylva enquanto ela encarava o símbolo. Então, sem aviso, uma forma de Canídeo cresceu naquele espaço vinda do nada, expandindo-se de um pontinho de luz a uma grande silhueta brilhante em meio segundo. O vulto brilhou em branco, então a cor desvaneceu e Sariel apareceu sobre o pentagrama.

Os olhos dela se focalizaram em Sylva, então o Canídeo saltou para a mestra, derrubando-a. O demônio lambeu o rosto da dona e uivou. Fletcher se perguntou se Sariel estava ciente de tudo que tinha acontecido à Sylva na noite anterior. Talvez fosse apenas saudade.

— Obviamente seu demônio precisa de um pouco de disciplina e treinamento, mas bom trabalho mesmo assim! Vou conjurar meu demônio, Lisandro, para demonstrar como infundir. Afastem-se, por favor! — anunciou Lovett. Sylva e Sariel se moveram para o lado, e o resto do grupo recuou vários passos. — Quanto maior for o seu demônio, mais difícil a invocação. É claro que, no campo de batalha, vocês não poderão usar equipamento de proteção, mas é melhor tomar precauções sempre que for possível... especialmente com aprendizes sem treinamento como vocês — explicou Lovett, se ajoelhando no canto do couro de conjuração. — O motivo principal para toda essa proteção é o uso de pentagramas chaveados, mas não vamos falar disso até mais tarde.

Ela pescou um par de óculos de proteção com lentes escuras e um boné de couro de um bolso do avental e os vestiu com firmeza.

O pentagrama se acendeu de novo, lançando fagulhas brancas que queimavam no couro ao redor. Um orbe branco apareceu sobre a superfície e, para o espanto de Fletcher, um demônio se formou em apenas alguns segundos. A criatura tinha o corpo, a cauda e as patas traseiras de um leão, só que a cabeça, as asas e garras dianteiras eram como as de uma águia. Tinha o tamanho de um cavalo, com penas castanhas amareladas que se mesclavam com o pelo dourado da metade posterior da criatura.

— Eu também fui abençoada com um demônio raro, um Grifo. Mas não o recebi de presente. Eu comecei com um Caruncho, assim como alguns de vocês. Não deixem que seus começos humildes os desencorajem. Carunchos são criaturas ferozmente fiéis, e vocês podem comandar vários deles ao mesmo tempo. Lisandro exige toda a minha concentração só para mantê-lo sob controle. O major Goodwin vai lhes ensinar mais sobre controle de demônios nas aulas de demonologia.

Genevieve sorriu e levou Azura até os lábios, beijando a carapaça azul-cobalto do besouro.

— Isso significa que a senhora era plebeia também? — indagou Rory, incapaz de tirar os olhos da majestosa criatura.

— Não... mas eu estava presente quando os primeiros plebeus chegaram em Vocans. Sou a terceira filha dos Lovett de Calgary, um pequeno feudo no norte de Hominum. Por uma estranha coincidência, meu pai foi abençoado com vários filhos adeptos. Eu era a mais nova, então recebi o demônio mais fraco. Fico feliz que ele tenha feito isso, porém. Se não, eu jamais teria me especializado em captura demoníaca. Todos vocês podem possuir um demônio poderoso como este, desde que trabalhem bastante. — Ela abraçou Lisandro, que esfregou o bico em seu peito com afeição. Os olhos do Grifo eram de um âmbar profundo, grandes e inteligentes como os de uma coruja. Eles saltaram de aluno em aluno com curiosidade, finalmente pousando em Ignácio com atenção especial. — Agora, vou demonstrar como infundir. É praticamente o procedimento reverso. O pentagrama tem que estar apontando diretamente para o demônio e não pode estar muito longe. É por isso que fazemos com que eles fiquem nos couros de conjuração. Entretanto, se Lisandro pairasse vários metros acima do pentagrama, eu ainda assim conseguiria infundi-lo.

Lovett se ajoelhou e pôs as mãos no couro mais uma vez, acendendo o pentagrama.

— Você primeiro precisa empurrar mana para o pentagrama. Logo sentirá um obstáculo entre a consciência do seu demônio e a sua. Uma vez que alcançar essa sensação, puxe o demônio através dela... — A capitã arfou com o esforço e Lisandro brilhou, em seguida se dissipando em fios de luz branca que fluíram para as suas mãos. — E isso é tudo — anunciou Lovett, com a testa molhada de suor.

Eles aplaudiram sua habilidade, mas Fletcher ficou cheio de apreensão quando a professora voltou os olhos de aço para ele.

— Fletcher, você tenta primeiro, pois o seu demônio é o que mais precisa de descanso. Arcturo me contou que você é particularmente talentoso com feitiçaria. Vamos ver se o mesmo é verdade para a infusão. — Lovett apontou para o chão diante dele.

Fletcher lentamente desenrolou seu tapete de conjuração e mandou Ignácio subir sobre ele. O demônio sentou e soltou um chilreio nervoso ao sentir a ansiedade do dono. O rapaz fez conforme instruído, canalizando o mana para o couro através das mãos. O pentagrama se acendeu num violeta ardente, constante e estável.

— Você está sentindo, Fletcher? — indagou Lovett, pousando a mão firme e tranquilizante no ombro do aprendiz.

— Sim, estou — grunhiu ele de volta, entre dentes. Naquele estado carregado de mana, a luz era quase cegante, preenchendo seu campo de visão com a estrela reluzente.

— Puxe-o pela barreira. Você pode ter um pouco de dificuldade no começo, mas é normal na sua primeira infusão. — A voz de Lovett soava como se viesse de muito longe.

O mana pulsava pelas veias do rapaz com cada batida do coração, trovejando em seus ouvidos. Sua ligação com Ignácio estava bloqueada. Fletcher alcançou e agarrou a mente do demônio e, com um esforço colossal, puxou-o para dentro. Por um momento, fez força, sibilando entre dentes cerrados. Era como se Ignácio estivesse preso a uma teia elástica. Depois do que pareceu uma eternidade, houve um estalo gentil e a consciência do demônio se fundiu com a do garoto. Era como se deixar submergir num banho morno.

— Muito bem, Fletcher! Você pode descansar agora — sussurrou Lovett no ouvido dele.

Fletcher encostou a cabeça no couro macio, inspirando fundo repetidas vezes. Ele ouvia os outros batendo palmas e bradando sons incoerentes. Sua mente estava cheia de felicidade e clareza extraordinárias, como se estivesse completamente entorpecido.

— O que Fletcher está sentindo agora é a euforia temporária causada pela fusão de duas consciências. Seu demônio está dentro dele, porém ele mal ficará consciente da presença da criatura após alguns minutos. Ignácio verá tudo que Fletcher vê, mesmo que só entenda muito pouco. Isso pode ser extremamente útil se vocês precisarem conjurar no meio de uma batalha, pois os demônios estarão preparados para a situação assim que reaparecerem — ensinou Lovett, andando de um lado ao outro diante dele. — Alguns invocadores experimentam clarões de memórias demoníacas nos meses após a primeira infusão de seus demônios. Isso também vai passar, mas é uma parte importante de como aprendemos sobre o éter. Se acontecer com vocês, não deixem de registrar cada detalhe e transmitir tudo a mim e ao major Goodwin. Precisamos de cada migalha de informação que pudermos juntar sobre a vida dos demônios — continuou ela.

Fletcher se levantou com dificuldade e voltou para junto dos outros, com a cabeça ainda girando. Serafim lhe deu tapas amistosos nas costas, com um sorriso invejoso no rosto.

— Muito bem. Parece que você é meu maior concorrente — sussurrou ele.

— Ou não. Acho que aquilo quase me matou — respondeu Fletcher, sentindo o calor agradável de Ignácio dentro de si. Era estranho; ele mal conseguia distinguir a consciência de Ignácio da própria. O filamento não os conectava mais; os dois fluíam um para o outro como o encontro de dois rios.

Otelo lhe lançou um sorriso encorajador e até mesmo Sylva o tocou de leve no braço antes de voltar sua atenção para Sariel. A elfa enterrou o rosto e as mãos no pelo dourado do demônio, agarrando-se ao Canídeo como se sua vida dependesse dela. Fletcher suspeitou que se passaria um longo tempo antes que ela quisesse infundir Sariel de novo.

— Agora, Otelo e Fletcher, vamos dar uma olhada nessas suas cabeças — disse Lovett, chamando os dois à frente. Uma vez que estavam diante dela, a professora sussurrou: — Tem alguma coisa que vocês, rapazes, precisem me contar? Vocês e Sylva parecem ter vindo da guerra, e eu sei bem como a guerra é.

— Não foi nada que não pudéssemos resolver — assegurou Fletcher, olhando para Otelo em busca de apoio.

— Nós cuidamos de tudo — concordou o anão.

Lovett encarou os dois por um momento antes de inclinar a cabeça, cedendo.

— Bem, se vocês mudarem de ideia, podem vir falar comigo — murmurou ela, encarando os três. — Vocês não precisam lutar suas batalhas sozinhos.

Então deu um passo atrás e ergueu a voz:

— Venham cá, todos vocês. Vou usar o feitiço de cura; é uma boa oportunidade para vocês observarem.

O resto dos plebeus se aproximou, tagarelando empolgados com a chance de ver outro feitiço. Otelo tirou a atadura, revelando um corte feio na têmpora.

Fletcher estremeceu com a visão. Ele não tinha se tocado da seriedade do ferimento.

— Observem com muita atenção — anunciou Lovett. A professora entalhou um símbolo no formato de um coração no ar com fogo-fátuo, depois o apontou para o machucado de Otelo. — O feitiço de cura é perfeito para cortes, hematomas e até ferimentos internos, mas não tem efeito algum contra venenos e doenças — continuou, franzindo o cenho ao se concentrar. — Requer muito mana e leva algum tempo para se executar, especialmente em ferimentos mais profundos.

Ela exalou, e luz dourada fluiu do símbolo à cabeça de Otelo. Nada aconteceu por alguns segundos. Enfim, para o espanto de Fletcher, o ferimento começou a se fechar sozinho, selando a si mesmo até a pele ficar completamente curada, deixando nada além de uma crosta de sangue seco.

O grupo bateu palmas, comemorando o feito. Lovett voltou o olhar à testa de Fletcher, mas balançou a cabeça.

— Você vai ter que deixar esse machucado sarar sozinho, Fletcher — explicou a professora, apontando o inchaço. — Pode haver uma fratura, e o feitiço de cura pode fazer com que os ossos se fundam de maneira incorreta, deixando você permanentemente desfigurado. Melhor não arriscar.

Fletcher assentiu, tocando o galo com um estremecimento.

— Certo, vamos treinar o resto de vocês. Uma vez que tiverem dominado a infusão, poderemos passar para a parte divertida! — exclamou Lovett, batendo palmas.

— O que acontece nessa parte? — indagou Rory enquanto, abaixado, desenrolava o couro de conjuração.

Lovett tirou os óculos e sorriu misteriosamente.

— Vamos entrar no éter.

33

A lição seguinte foi dada pelo major Goodwin, um sujeito idoso, falastrão mas severo, com um nariz vermelho e um cavanhaque branco eriçado. Ele caminhava pela sala de aula, desafiando seu físico corpulento.

— A demonologia é essencial no suporte de sua feitiçaria e trabalho em éter. Diz respeito a identificação, compreensão e criação de todos os demônios, além do estudo da geografia e da diversidade do éter. Isso inclui o impacto demoníaco nos níveis de mana e na realização do conjurador. — Ele falava em explosões curtas que cobriam a primeira fila de nobres com cuspe. Fletcher ficava feliz em ver que Tarquin estava diretamente na linha de fogo e que, julgando pela expressão de nojo em seu rosto, o rapaz não gostava de ser banhado em saliva.

Infelizmente, o sorriso de Fletcher atraiu a atenção de Goodwin.

— Você, garoto, o que é a realização de um conjurador? — inquiriu ele, apontando para Fletcher.

— Hum... a satisfação dele? — sugeriu o rapaz. Não era óbvio?

— Uma resposta risível. A realização de um conjurador é relacionada a quantos demônios ele é capaz de controlar. Eu tinha esperança de que alguém afortunado o bastante para ser presenteado com um demônio raro investisse algum tempo pesquisando sobre o assunto antes da sua primeira lição. Obviamente, eu estava enganado. Uma pena — lamentou Goodwin, balançando a cabeça.

Fletcher sentiu o rosto arder de vergonha. Isadora se virou e lhe lançou um sorrisinho zombeteiro da fileira de baixo.

— Será que alguém que se preparou poderia explicar? Que tal você, Malik? — perguntou Goodwin.

— Senhor, todos os conjuradores nascem com capacidades variadas de absorção de energia demoníaca — respondeu um nobre alto, de pele escura. — Por exemplo, a capitã Lovett só tem capacidade para atrelar e controlar um Grifo e um Caruncho. Outro conjurador pode ser capaz de atrelar e controlar dois Grifos, caso tenha um nível de realização mais alto do que ela.

— Correto. O velho rei Alfric tem nível de uma centena, o mais alto jamais registrado desde que começamos a classificar demônios. Usando mais uma vez o exemplo da capitã Lovett, sabemos que ela tem um nível de realização de onze, dado que seu Grifo é um demônio classe dez, e seu Caruncho, classe um. O que mais?

— Os níveis de realização podem melhorar — acrescentou Malik depois de uma pausa.

— Como?

— Eu não sei, senhor.

Goodwin fungou longamente, com irritação.

— Insuficiente. A resposta é que os níveis crescem naturalmente em velocidades diferentes para cada conjurador com a passagem do tempo. Esse processo pode ser acelerado pelo trabalho duro do conjurador. Lovett não nasceu com um nível de realização suficiente para atrelar e controlar um Grifo. Ela teve que se esforçar muito para alcançá-lo pelo uso constante de feitiçaria, visitas ao éter e combate e atrelamento frequente de outros demônios. Alguns conjuradores passam suas vidas inteiras com um nível de realização de não mais que cinco, enquanto outros começam em cinco e se esforçam até chegar a vinte ou mais. Bem, por que vocês não estão anotando tudo isso? — gritou Goodwin, lançando perdigotos sobre a turma.

Os outros pegaram pergaminhos nas bolsas e começaram a escrever furiosamente. Fletcher fitou as mãos, infeliz, percebendo que não tinha onde anotar. Todos os outros ficaram sabendo que viriam a Vocans semanas antes e trouxeram os materiais necessários, mas Fletcher tinha se esquecido de comprar algumas coisas nos poucos dias em que estivera lá. Goodwin se irritou ao notar a inatividade de Fletcher.

— Fletcher, não é? — rosnou ele.

— Sim, senhor — respondeu o rapaz, baixando a cabeça envergonhado.

— Enquanto os outros estão ocupados aprendendo, talvez você possa me dizer o que acontece a um demônio depois que seu conjurador morre?

Fletcher contemplou a questão, ansioso para se redimir, mesmo que fosse por deduções. Ele sabia que demônios mortos eram frequentemente preservados em jarros e vendidos como curiosidades. Mas certamente alguma coisa tinha que acontecer quando o conjurador morria e deixava o demônio desatrelado... a não ser que a pergunta fosse uma pegadinha? Fletcher se lembrou da história de Rotherham sobre Baker e o demônio que não o abandonava, mesmo na morte. Talvez fosse um truque.

— Nada, senhor — respondeu Fletcher, confiante. Porém, seu coração afundou ao ver Tarquin sorrir. Sabia que tinha errado antes mesmo de Goodwin abrir a boca.

— Ridículo. Você não sabe absolutamente nada sobre demônios? Quando um conjurador morre, seu demônio permanece em nosso mundo por apenas algumas horas, antes de ser reabsorvido de volta pelo éter. Para ficar vivo no nosso mundo, ele precisa estar atrelado. É essa conexão que os mantém aqui. Caso contrário, eles simplesmente desvanecerão. Ou você achou que havia demônios selvagens correndo por aí? — Goodwin falou bem alto para que todos ouvissem, e a reação geral foi um aumento generalizado na intensidade das anotações. Desgostoso, o professor deu as costas ao menino e foi até a parede atrás de si. Havia vários rolos longos de pergaminho encostados ali, dos quais ele pegou um, desenrolou e fixou na parede. Era um diagrama detalhado de um Caruncho em preto e branco, com várias estatísticas e números abaixo. — Hoje vamos aprender sobre Carunchos, o nível mais baixo de demônio, afora seus vários outros primos na base da cadeia alimentar, os quais não vale a pena capturar. Sei que temos dois deles aqui hoje, especificamente Escaravelhos, os mais poderosos da família Caruncho. Fracos em mana, tamanho e força, mas úteis como batedores. Muito bons em distrair o inimigo durante uma luta, especialmente se atacarem os olhos. Genevieve e Rory possuem Escaravelhos juvenis, mas em alguns meses vão desenvolver ferrões, que podem causar paralisia de baixo nível e uma dor nada insignificante. Um enxame de dez ferrões pode matar um orc touro, portanto não subestimem o poder do veneno.

— Fantástico! — exclamou Rory em voz alta, em seguida cobriu a boca com as mãos. Todos riram, exceto Goodwin, que fungou com irritação.

A lição continuou nesse estilo por várias horas, listando inúmeros dados e discutindo os hábitos de alimentação e criação do Escaravelho. Fletcher observou deprimido enquanto páginas e mais páginas de anotações se empilhavam nas carteiras dos outros, até que Otelo o cutucou com o pé e sussurrou:

— Não se preocupe, você pode copiar minhas anotações mais tarde.

Durante o almoço, Fletcher conseguiu pegar uma pena emprestada de Rory e um maço de pergaminhos com Genevieve, agora estava mais bem preparado para a segunda metade da aula. Entretanto, quando voltaram, o rapaz se surpreendeu ao encontrar Cipião esperando por eles na sala de aula, com uma expressão de impaciência no rosto.

— Fletcher, vá se apresentar na biblioteca. Você ainda não entregou o livro de James Baker, apesar de ter recebido ordens de levá-lo à bibliotecária há vários dias — ralhou ele, irritado. — Major Goodwin, você se incomoda?

— Não com esse cadete — resmungou Goodwin. — Ele foi uma decepção.

Cipião ergueu as sobrancelhas para Fletcher mas não disse nada. O rapaz juntou seus pertences, corado de humilhação. Ele tinha mesmo causado uma impressão tão ruim?

— Caramba, eles levam os livros atrasados a sério mesmo nessa biblioteca daqui, hein? — murmurou Rory no seu ouvido.

— Encontro você lá. Não se esqueça de levar o livro — instruiu Cipião a Fletcher, saindo sem olhar para trás.

O garoto correu escada acima, amaldiçoando seus esquecimentos. Ele tinha esquecido de escrever para Berdon, de entregar o livro e, acima de tudo, de examiná-lo.

Fletcher lembrou a si mesmo que na carroça de ovelhas estivera escuro demais para conseguir ler, um fato que o aborrecera bastante. Tinha sido uma jornada incrivelmente quente e fétida sem nada para se distrair além dos próprios pensamentos. Mesmo assim, Fletcher definitivamente tinha tido tempo de lê-lo na noite anterior.

Depois de correr até o topo da torre, recolher o livro e descer de volta à biblioteca, Fletcher estava ofegante. Apoiou-se na parede e tentou se recompor. Não queria piorar ainda mais a opinião que Cipião tinha dele, chegando ao local todo suado e atrapalhado.

— O que você está esperando, Fletcher, já para dentro! — vociferou Cipião atrás dele, fazendo o menino pular. O reitor pôs a mão no ombro do aluno e o conduziu para o interior do aposento.

Os dois entraram na biblioteca juntos, e o cheiro bolorento de livros velhos trouxe memórias da cripta de Pelego de volta à mente de Fletcher. Aquilo tudo tinha mesmo acontecido havia meras semanas?

— Ah, aqui está você. Tenho de admitir que estava antecipando este momento. Obrigada por tê-lo trazido, reitor Cipião — disse uma voz vinda de trás das prateleiras. Momentos depois, uma mulher de meia-idade com cabelos loiros encaracolados e óculos de armação dourada emergiu das estantes de livros. Ela tinha uma aparência de matrona e um rosto sincero.

— Esta é a dama Rose Fairhaven, a bibliotecária e enfermeira de Vocans. Ela já está conosco há muito tempo — murmurou Cipião.

— Ora ora, reitor, você me faz parecer uma velhinha. Não faz assim tanto tempo! Bem, deixe-me ver o tomo. Vamos dar uma olhada.

Ela chamou os dois até uma mesa baixa iluminada por uma infinidade de velas bruxuleantes.

— Coloque-o aqui onde todos podemos ver. Arcturo me explicou a origem do livro. Eu me lembro de James Baker. Rapaz calado, sempre desenhando. Tinha o coração de um artista, não de um guerreiro. Não nasceu para ser soldado. Lamento saber o que aconteceu com ele. — Ela suspirou e se sentou à mesa.

Fletcher pousou o livro e os dois se juntaram à bibliotecária, inclinando-se para mais perto enquanto ela folheava o tomo com um ar experiente.

— Isto é incrível! — exclamou a dama Fairhaven.

As páginas estavam cheias de esboços intrincados de demônios com uma caligrafia fina e elegante abaixo. O nível de detalhamento era extraordinário, com estatísticas e medidas muito semelhantes ao pergaminho de Caruncho usado pelo major Goodwin para dar aula.

— Ele estava estudando demônios da parte órquica do éter, sua fisiologia e características. Provavelmente dissecava quaisquer demônios órquicos preservados nos quais conseguia colocar as mãos! É exatamente disto que precisamos para nossos arquivos. A maioria dos magos de batalha parece ter esquecido um dos ditos mais importantes de um soldado: *conheça seu inimigo*. Talvez agora, que está tudo registrado, eles comecem a levar isso mais a sério.

Fletcher sorriu, feliz por finalmente ter sido capaz de contribuir, mesmo indiretamente.

— São notícias excelentes, dama Fairhaven, mesmo que eu tivesse esperanças de que o livro nos desse mais informações sobre como Baker encontrou o pergaminho de conjuração da Salamandra de Fletcher — comentou Cipião, com um toque de decepção na voz.

— Na verdade, dama Fairhaven, se a senhora olhar no final, deve haver alguma coisa sobre esse assunto. Acho que Baker esteve escrevendo um diário perto do fim — sugeriu Fletcher.

Ela passou as páginas até chegar às últimas, onde os diagramas terminavam e as folhas estavam cobertas de linhas de texto.

— Esperem, o que é isso? — indagou a dama Fairhaven, puxando o pergaminho de conjuração coriáceo e o examinando à luz.

— Eu... não tocaria nisso se fosse a senhora — gaguejou Fletcher.

— Sei do que isto é feito, Fletcher — retrucou a bibliotecária, manuseando o material com fascinação. — Já vi um destes, muitos anos atrás. Inscrever um pergaminho por meio da escarificação da pele de um inimigo era o método costumeiro dos velhos xamãs orcs para presentear demônios aos aprendizes. Não é tão comum nos dias de hoje, porém. Vamos ver o que Baker tinha a dizer sobre o assunto.

Os olhos dela esquadrinharam as páginas enquanto Fletcher e Cipião esperavam pacientemente. A dama Fairhaven parecia estar lendo numa velocidade incrível, mas, bem, ela era uma bibliotecária, afinal. Pouco tempo depois, fechou o livro e o pôs de lado.

— Pobre James — comentou, balançando a cabeça. — Ele estava bem deprimido perto do fim; ninguém levava a pesquisa dele a sério. Os outros magos de batalha não o respeitavam porque ele era um conjurador fraco. Fora amaldiçoado com um nível de realização três, pobre coitado. Desconfio que sua malfadada missão floresta adentro foi uma tentativa desesperada de encontrar um xamã orc e, de alguma forma, descobrir as chaves que eles usam.

— Insensatez da parte dele — escarneceu Cipião, lançando as mãos ao ar. — Os xamãs orcs sabem que queremos descobrir quais chaves eles usam, então nunca entram no éter perto das linhas de frente. Agora me conte sobre esse pergaminho. Ele é o motivo de todo esse rebuliço, afinal.

— Diz aqui que ele encontrou o rolo enterrado num velho acampamento órquico. Num trecho mais anterior do diário, ele conta que encontrou muitos ossos no mesmo sítio, tanto de humanos quanto de orcs. Suspeito que o acampamento dos orcs tenha sido atacado no meio da cerimônia de concessão de demônio, e o rolo de pergaminho foi enterrado numa vala comum. Os homens que sepultaram os corpos provavelmente não sabiam de sua importância — explicou a dama Fairhaven, acariciando o documento com fascinação mórbida.

— Inútil! — resmungou Cipião, com a voz cheia de desapontamento. — Uma mera coincidência. Duvido que encontraremos quaisquer outros pergaminhos escavando esses ossos velhos. Faça uma cópia do livro sem o diário e o mande aos magos de batalha.

— Sim, senhor, começarei esta noite. Se bem que devo precisar contratar alguns escribas para copiar as ilustrações direito — respondeu a dama Fairhaven, folheando o livro distraidamente.

— Pode contratar. Pelo menos algum bem adveio de tudo isso — disse Cipião enquanto saía da biblioteca. — Além da sua presença aqui, é claro, Fletcher — acrescentou, do corredor.

Fletcher fitou o livro com cobiça. Não podia acreditar que tinha deixado para lê-lo tão tarde, por maior que fosse. A dama Fairhaven continuou passando as páginas e, quando Fletcher se endireitou, ela ergueu o olhar para ele, como se tivesse se esquecido de sua presença.

— Por favor, me desculpe, Fletcher, é que estou tão fascinada por este livro. Muitíssimo obrigada por tê-lo trazido. Temo que terei que ficar com ele até que cópias suficientes tenham sido feitas, o que deve levar alguns meses. Você poderá ficar com ele depois disso.

34

Fletcher tinha esperado poder ver quais eram os demônios dos nobres quando Lovett finalmente decidiu que todos os plebeus tinham dominado a infusão. Infelizmente, ela sempre mandava que eles os infundissem antes de abrir a cortina.

O menino ficara surpreso ao ver que Rory e Genevieve tiveram facilidade com a infusão, enquanto Serafim, Otelo e Atlas precisaram de várias tentativas para dominar a arte. Fazia muito sentido pois, quanto mais poderoso o demônio, mais difícil era infundi-lo.

Conforme as lições progrediam, Fletcher começou a avaliar seus colegas. Os nobres eram versados, mas preguiçosos, satisfeitos com os níveis atuais de habilidade e complacentes no aprendizado.

Em contrapartida, os plebeus aprendiam num ritmo feroz, absorvendo cada migalha de informação que encontravam. Infelizmente, a prática era o melhor professor tanto na feitiçaria quanto na infusão, e portanto o progresso era lento.

Ainda assim, havia vários alunos se destacando dentre os amigos de Fletcher. Sylva e Otelo eram naturalmente talentosos, recebendo comentários positivos dos professores em quase todas as lições. O mesmo acontecia nas aulas de demonologia, mais teóricas. O par praticamente vivia na biblioteca, buscando conhecimento oculto em tomos antigos. Fletcher aprendia quase tanto com eles quanto com o major Goodwin.

Quanto aos plebeus humanos, Fletcher e Serafim lideravam o grupo, mais por puro esforço do que por um dom natural. Os outros tinham criado o costume de tirar os fins de semana de folga em Corcillum, comprando presentes e necessidades e mandando-os às famílias. A família de Serafim parecia já ser abastada e ele visitara a capital no passado, então preferia passar seu tempo estudando com Fletcher.

Era um jovem de bom caráter com um senso de humor desavergonhado que lhe rendia muitos olhares desaprovadores de Sylva e Otelo enquanto estes liam no silêncio poeirento da biblioteca.

— Todos juntos aqui no meio, pessoal — gritou Lovett, tirando Fletcher de seus devaneios.

Quatro criados tinham levado uma mesa redonda de pedra ao centro do aposento. Estava coberta com um lençol branco, mas Fletcher via uma grande elevação convexa no meio. Todos conseguiram lugar em volta da mesa, apesar de ter ficado apertado. Isadora fez uma careta quando Atlas, todo suado, espremeu-se ao seu lado. A menina, com um gesto nítido, levou um lenço rendado ao nariz .

— Desculpa — murmurou Atlas, envergonhado.

Lovett deixou seu lugar à mesa e se ajoelhou ao lado do maior pentagrama no centro da sala. Ao contrário dos couros de conjuração que eles vinham usando, esta estrela de cinco pontas estava cercada pelas estranhas chaves que tinham sido gravadas na capa do livro de James Baker.

— Jamais usem um pentagrama chaveado sem a presença de um professor, entenderam? — grunhiu ela, apontando para a estrela diante de si. — Quebrar essa regra é motivo para expulsão imediata. Vocês foram avisados!

Os estudantes assentiram calados enquanto ela energizava o pentagrama, cujas linhas crepitavam com poder e cuspiam fagulhas para todos os lados. Desta vez, Lovett permaneceu de cabeça baixa por vários minutos, seu rosto contorcido de concentração. O pentagrama pulsava com um zumbido volátil, tremeluzindo como o cantarolar incessante de um louco.

— Caramba, se Lovett demora tanto tempo, não acho que eu conseguiria usar um pentagrama chaveado nem se quisesse — sussurrou

Serafim ao lado de Fletcher. — Eu mal consigo infundir Farpa sem quase desmaiar.

— Não se preocupe. Tenho certeza de que, com a prática, nós vamos conseguir — murmurou Fletcher de volta.

Finalmente, uma esfera se expandiu no centro da estrela e se manteve pairando no ar como um fraco sol azul. Lovett ofegou e então passou de joelhos para o próximo pentagrama. Com um toque suave, ela libertou um demônio acima dele.

— Um Caruncho! — sussurrou Genevieve a Rory. Lovett ouviu e se virou com um sorriso cansado.

— Isso mesmo. Eles são os melhores batedores, sempre necessários quando caçamos no éter. Valens é o primeiro demônio que eu tive. Sem ele, não teria conseguido capturar Lisandro, nem qualquer um dos demônios que eu tive antes dele, na verdade. — Ela voltou à mesa e pousou a mão sobre o pano branco que a cobria. Na outra mão, segurava uma longa tira de couro que se conectava à base do pentagrama chaveado. Fletcher suspeitava que servia para manter o mana fluindo. — Estou prestes a lhes mostrar o equipamento mais caro da academia inteira. Não toquem. Nem sequer respirem nele. Apenas observem — sibilou Lovett, olhando nos olhos de cada um até que todos estivessem assentindo. Com esse aviso final, ela arrancou o lençol e revelou o que havia abaixo.

Uma enorme gema estava montada numa superfície de mármore branco. O cristal era límpido como uma nascente e sua cor era do roxo profundo da urze selvagem.

— Esta gema é um tipo muito raro de cristal chamado Corundum — explicou Lovett. — Ele se forma em quase todas as cores, mas uma peça tão grande e transparente assim é incrivelmente difícil de se encontrar. Nós as chamamos de pedras de visão, porém esta gema em particular é conhecida como o Oculus. Vamos fornecer-lhes uma peça se vocês não tiverem meios de comprar uma para si, apesar de que vocês poderão notar que a qualidade e o tamanho das gemas da academia são bem... limitadas.

Lovett chamou Valens com um gesto, e a criaturinha esvoaçou sobre as cabeças dos alunos, pousando na gema. Diferentemente de Malaqui e

Azura, a carapaça desse Caruncho era de um marrom-escuro sem graça. Como se ela pudesse ler a mente de Fletcher, Lovett sorriu astutamente e acariciou a carapaça do besouro demônio.

— Valens é muito apropriado para suas funções. Ele não fica bonito no meu ombro, mas será mais difícil de se detectar se acabar topando com um demônio faminto lá no éter.

Fletcher teve uma rápida lembrança de Ignácio comendo um besouro marrom quando ele o conjurou pela primeira vez, mas aquele era muito menor que qualquer um dos Carunchos que o rapaz vira. Talvez fosse de uma espécie diferente.

— Certo, vamos botar esse circo na estrada. Vocês precisam empurrar mana através do demônio para a pedra, assim — explicou ela, pousando a mão livre sobre Valens.

A gema se tornou negra. Quando a capitã afastou a mão, a cor mudou de novo. Inicialmente, Fletcher pensou que a gema tinha se tornado um espelho, pois se viu fitando a imagem do próprio rosto. Porém, logo a imagem se transformou na de Serafim.

— Vocês agora estão enxergando pelos olhos de Valens. É uma técnica que chamamos de cristalomancia, muito útil para fazer reconhecimento e controlar seu demônio a distância. Nós já podemos sentir os pensamentos de nossos demônios. Agora podemos ver o que eles estão vendo no cristal. É essencial verificar o que há do outro lado do portal através do seu demônio menos importante antes de entrar no éter. Se houver algo perigoso do lado de lá quando ele atravessar, será Valens correndo o risco em vez de Lisandro. Como um Caruncho é menor e mais ágil, é também menor a chance de ser notado e pode escapar com mais facilidade.

A imagem tremeu quando Valens zumbiu no ar e pairou logo em frente ao orbe azul que girava. Lovett estalou a língua e, com isso, o demônio disparou luz adentro como um tiro de mosquete.

A primeira coisa que Fletcher viu na pedra foi o chão tingido de vermelho. Grãos finos de poeira ferruginosa rodopiavam acima, transformados em pequenos torvelinhos por um vento feroz. O céu era do alaranjado da aurora, só que não continha nenhum calor, nem havia nele uma fonte de luz. Árvores atrofiadas pontilhavam a paisagem, seus galhos esparsos contorcidos em *rigor mortis*. Não existia vida ali, apenas a carcaça seca de uma terra morta havia muito.

— Perfeito — comentou Lovett. — Emergimos nas terras mortas.

— Terras mortas? — indagou Rory, numa voz de espanto.

— Entrar no éter não é uma ciência exata. Existe uma larga margem de erro de onde poderemos aparecer. As terras mortas têm seus pontos positivos e negativos, dependendo do seu propósito. Não haverá nada para lhe surpreender aqui, porém, se você estiver tentando capturar um demônio, terá que arrastá-lo por uma bela distância para voltar ao local de origem. Se eu estivesse caçando, fecharia este portal e abriria um novo, porém, para os fins deste exercício, este é o lugar ideal. As terras mortas se localizam entre o vazio e a orla exterior do éter habitado — declarou Lovett numa voz fatigada. Fletcher notou uma veia pulsando na testa da professora. Entrar no éter provavelmente exigia muito poder e concentração.

Valens se virou e voou para longe do portal, ganhando altitude constantemente. A sala permanecia em silêncio, exceto pela respiração de Lovett, conforme os minutos se passavam. A paisagem parecia ficar mais e mais desolada, com cada vez menos árvores, até que só se via terra plana e crua.

— Como você sabe para onde ir? — perguntou Tarquin. — Parece tudo igual para mim.

Fletcher percebeu que era uma boa pergunta. O jovem nobre poderia ser muitas coisas, mas não era burro.

— O portal está sempre voltado para o centro do éter quando o seu demônio sai dele, então você é orientado assim que chega. Além disso, todos os demônios são atraídos instintivamente ao centro, e têm uma bússola interna que lhes diz para que lado ele fica. Eu posso me guiar usando esses sentidos, mas exige prática e não é muito preciso. É por esse motivo que é sempre arriscado entrar no éter. Só consigo manter o portal aberto por um tempo limitado e, se eu fechá-lo antes que Valens passe de volta, nosso vínculo será rompido, e o perderei — explicou

Lovett. Tarquin abriu a boca para fazer outra pergunta, mas Fletcher falou primeiro.

— O que você quer dizer com centro? Isso significa que o éter tem uma forma? — perguntou ele, tentando entender.

— Até onde sabemos, o éter tem forma de disco. Os demônios mais fracos tendem a permanecer nos anéis exteriores, enquanto as criaturas mais poderosas gravitam pelo centro. Parece haver uma cadeia alimentar rudimentar, com Carunchos de nível baixo na base, mais próximos às terras mortas.

Tarquin começou a falar de novo, mas Lovett ergueu a mão para silenciá-lo.

— Guardem suas perguntas para mais tarde. Já é difícil o suficiente manter o portal aberto e guiar Valens sem ter que pensar em respostas para vocês. — Mesmo enquanto ela falava, o pentagrama tremeluzia. A professora grunhiu e o símbolo brilhou num violeta constante novamente.

Apesar da intensidade da lição, Fletcher se sentiu relaxar, talvez pela primeira vez. Todos estavam aprendendo alguma coisa, até Tarquin. Tudo fazia sentido para Fletcher, como se ele estivesse se lembrando de algo havia muito esquecido. Ele nascera para aquilo.

O horizonte começou a cair, escurecendo dramaticamente. O brilho do céu desapareceu numa treva pura e sem estrelas, porém o pequeno Caruncho continuou subindo e subindo. Finalmente, ele parou e olhou para baixo novamente.

— Olhem de perto. Vocês os verão — instruiu Lovett, a voz tensa com o esforço.

A terra terminava numa linha regular, criando um perfeito precipício que mergulhava nas trevas turvas abaixo. Fletcher viu que a linha do penhasco se estendia bem ao longe, curvando-se quase imperceptivelmente ao desaparecer de vista. Percebeu que o disco devia ser enorme, maior que mil Hominums. Aquele não era um bom lugar para se perder, pensou sombriamente.

Seu raciocínio se perdeu quando ele viu algo se mexer no abismo. Conforme os olhos do demônio se ajustavam à escuridão, uma massa tempestuosa surgia. Ela se torcia e se retorcia tortuosamente, um caos emaranhado de tentáculos, olhos e dentes serrilhados.

— Ceteanos — sussurrou Sylva, em terror.

— Isso, Ceteanos. Você fez o dever de casa, Sylva — pronunciou Lovett, soturna, enxugando o suor da testa. — Alguns os chamam de Antigos. Eles passam fome lá embaixo, canibalizando uns aos outros enquanto esperam. Os Ceteanos agarram qualquer demônio que vague-ar para longe o bastante, geralmente os doentes ou feridos, tentando encontrar algum lugar onde se recuperar. Por isso precisamos voar tão alto. Esta é a primeira e única vez em que me arriscarei a chegar perto deles, então aprendam bem a lição. Fiquem longe daqui.

Valens girou e voou de volta em direção ao lugar de onde tinham vindo. Desta vez não houve perguntas enquanto o grupo refletia sobre as criaturas horripilantes que tinham visto. Os monstros gigantes eram seres grotescos e torturados, disso Fletcher tinha certeza. Por mais que não pudesse ouvir nada, era capaz de imaginar seus gritos atormentados.

O orbe azul do portal surgiu novamente à vista, mas Valens passou direto por cima dele. Com sua altitude atual, eles podiam voar bem rápi-do, vendo o solo passando sob eles como folhas caídas num rio. Fletcher tentou imaginar como seria a sensação de Lovett, de montar um Grifo sobre o campo de batalha, então sentiu uma pontada de inveja ao se tocar de que jamais seria capaz de montar Ignácio.

— Eu lhes mostrarei rapidamente onde começam os campos de caça, então terei que voltar — disse Lovett, os dentes trincados. — Normal-mente consigo durar muito mais, mas ainda não me recuperei da captu-ra da Lutra de Atlas, alguns dias atrás. Tive sorte do reitor Cipião estar lá para atrelá-la.

— Atrelar? — indagou Rory. Lovett o ignorou, limitando-se a apon-tar a gema.

O mundo tinha ficado verde. Valens contemplava uma floresta, mas a vegetação não era de nenhum tipo que Fletcher reconhecesse. Acima da mata, eles viram revoadas de demônios voando ao longe, mergu-lhando e girando como estorninhos. Um enxame de minúsculos Carun-chos voava baixo sobre as árvores, até se dispersar quando um grande

Caruncho não muito diferente de Valens agarrou um deles no ar. Bem ao longe, nuvens de cinzas manchavam o céu. Abaixo delas, vulcões com pontas de lava cuspiam pilares de fumaça que se erguiam no ar, como colunas sustentando os céus.

Algo atingiu Valens com força brutal, derrubando-o. Lovett gritou de dor conforme a imagem girava como um caleidoscópio, as árvores chegando cada vez mais perto.

A pedra se tornou negra como tinta.

35

O grupo fitou a pedra negra aterrorizado, prendendo a respiração. Lovett agarrava a tira de couro, os nós dos dedos brancos de tanta força, enquanto o pentagrama cuspia fagulhas violeta, chamuscando e fumegando no couro ao seu redor com o fedor de cabelos queimados.

O Oculus piscou e se acendeu novamente. A imagem estava nebulosa e fora de foco, mas girou lentamente enquanto Valens olhava para as copas iridescentes das árvores acima. O demoninho estava vivo!

— Era isso que eu temia — murmurou Lovett. — É nesta época do ano que os Picanços migram através dos nossos campos de caça. Nos anos anteriores, eu teria esperado pelo menos mais um mês antes de começar as lições no éter, mas tive de adiantar tudo graças a essa história de vocês, calouros, participarem do torneio. Maldito seja Cipião e sua pressa de botar vocês no campo de batalha! No tempo dele, eram cinco anos de estudo antes da formatura. Ele deveria saber o que está fazendo!

A professora praguejou longa e intensamente, uma tirada mais profana que uma conversa de marinheiros vesanianos. As orelhas de Fletcher ficaram vermelhas com a explosão de palavrões, mas ele sorriu consigo mesmo. Lovett sabia xingar como ninguém!

O menino tentou visualizar um Picanço com base no que tinha estudado, mas só conseguia lembrar que se tratava de criaturas perigosas, com aspecto de aves, que visitavam a parte de Hominum do éter.

— O Picanço vai voltar, mas Valens machucou uma das asas. Ele vai ter que disparar até o portal. Não existe a menor possibilidade de ele enfrentar um Picanço; o bicho está três classes acima dele. Talvez cinco, se for a matriarca da revoada.

A última frase não dizia nada a Fletcher, mas ele se perguntou a que classe Ignácio pertencia. Quando o Caruncho voltou a zumbir e se ergueu no ar, desajeitado, os pensamentos do rapaz voltaram ao presente.

O pobre demônio voava lentamente, atrasado pela asa ferida. Ele fazia um rasante sobre o deserto vazio, fustigado pelos ventos baixos que lançavam poeira em sua visão. Conforme os minutos se passavam com lentidão excruciante, Fletcher percebeu algo à frente. Era uma sombra, mas o rapaz não sabia bem do quê.

— Tem alguma coisa acima de nós — afirmou ele, apontando a forma negra na pedra.

— Eu sei. Esteve conosco desde a floresta. Picanços gostam de machucar a vítima com um ataque surpresa, depois segui-la do alto até que ela desabe por conta dos ferimentos. É uma técnica eficaz, mas será uma vantagem para nós hoje. Demônios selvagens têm um medo quase instintivo de portais, então é raro que um deles atravesse, a não ser que o arrastemos. Se pudermos fazer Valens vir pelo portal, então o Picanço o deixará em paz. Em seguida eu poderei infundi-lo, e aí ele vai sarar normalmente. Só espero que consiga voltar — respondeu Lovett, empurrando uma mecha de cabelo suado para longe dos olhos.

Finalmente, o portal apareceu no horizonte. Já não era sem tempo, pois o voo de Valens estava cada vez mais instável, e a imagem no Oculus escurecia com frequência preocupante.

— Só mais um pouco — sibilou Lovett, com a testa franzida de concentração.

Mas o Caruncho tinha vindo até onde podia. Valens desabou ao chão a poucos metros do portal, aterrissando numa baforada de poeira. Ele ficou caído, imóvel, e o único sinal de que ainda vivia era o brilho da pedra, exibindo as nuvens de poeira que giravam com o vento.

— Rápido, me tragam o equipamento etéreo, agora! Está no último armário da parede oposta. Não sei quanto tempo temos!

Serafim foi o primeiro a agir, disparando até o fundo da câmara e puxando para fora do armário um enorme volume.

— Eu preciso de ajuda, é pesado! — gritou ele. Otelo se adiantou para assisti-lo e juntos os dois carregaram o aparato até Lovett. Fletcher continuou fitando a gema. A sombra tinha dado outro rasante.

— Não dá para eu mandar Ignácio buscá-lo? — perguntou Fletcher.

— Não, nossos manas se fundiriam se o seu demônio entrasse pelo meu portal. A mistura de manas é algo difícil de se dominar. Se você fracassar na primeira tentativa, o portal se fechará e eu perderei Valens de vez.

Lovett estava lutando para entrar no que parecia ser um traje inteiriço. Era feito de couro pesado com botas de biqueira de aço na metade de baixo e um anel metálico em volta do pescoço no topo. Depois de encaixar os pés, Lovett prendeu a longa tira de couro que energizava o pentagrama a outra que se estendia nas costas do traje, esta com vários metros de comprimento. Havia uma mangueira longa e vazia conectada a um capacete no chão, enrolada em várias voltas.

— Estenda meu tubo de ar, Serafim. Preciso de uma via aérea livre — comandou Lovett, erguendo o capacete, que tinha um anel de metal na base. Assim que Serafim terminou de desenrolar a mangueira, a capitã encaixou o capacete sobre o pescoço.

— Precisa estar hermeticamente fechado — gritou ela com voz abafada. — O ar do éter é venenoso para nós. Se o meu traje for furado, puxem-me de volta imediatamente usando o cabo, quer eu tenha recolhido Valens ou não!

— É só um Caruncho. Por que arriscar sua vida por algo que você poderia substituir com outro igual amanhã? — indagou Tarquin, com a voz carregada de ceticismo.

Lovett se virou para ele, o rosto semivisível. O capacete era feito de cobre, com um painel redondo de vidro grosso na frente. Havia uma grade na viseira para impedir que se estilhaçasse.

— Um demônio não é uma coisa que se joga fora como uma camisa velha — vociferou ela. — Quando você tiver batalhado com o seu, lado a lado, talvez você entenda.

Com essas palavras de despedida, a capitã entrou no portal.

Eles viram Lovett emergir na imagem da gema, um vulto marrom nebuloso surgindo na visão de Valens. Era tão estranho ver a professora sair da penumbra azulada do salão de evocação para o céu calcinado do éter em meros segundos. Porém, lá estava ela, pisoteando a poeira na direção do Caruncho com passos lentos e cuidadosos.

Logo a mão enluvada alcançou e ergueu Valens, levando-o até diante do capacete. Os alunos viram os olhos cinzentos de Lovett pelo vidro, carregados com iguais quantidades de medo e preocupação, antes que ela se virasse e se arrastasse de volta na direção do portal.

— Por que ela se move tão devagar? — sussurrou Genevieve.

— Ela está vestindo um traje pesado num deserto calcinante enquanto mantém aberto um portal para outro mundo e controla um demônio moribundo. É um milagre que ela consiga ficar de pé — respondeu Tarquin num tom soberbo. — Se o portal se fechar, ela ficará presa até o veneno a matar depois que a sua mangueira de ar for cortada ao meio. Mulher insensata.

— Ela vai conseguir — murmurou Fletcher, torcendo intensamente enquanto ela dava um passo cambaleante depois do outro.

Foi Otelo quem viu primeiro, um pequeno ponto negro no céu, crescendo a cada segundo. Ele apontou com curiosidade e depois com olhos arregalados de terror, enquanto o demônio emplumado crescia ao se aproximar. Lovett pareceu notá-lo também, pois apressou o passo; o pentagrama crepitou perigosamente conforme a concentração dela se prejudicava.

O Picanço era uma ave gigante com longas penas negras. A envergadura das asas era tão larga quanto a altura de Fletcher, e as penas nas extremidades tinham pontas alvejadas de branco. Seu bico letal tinha uma curvatura cruel, com uma barbela em vermelho brilhante na garganta e uma crista vermelha no alto da cabeça, como um galo. Ele lembrava a Fletcher um enorme e feio abutre.

O pássaro demônio mergulhou contra Lovett com as garras laranja brilhantes estendidas. A capitã se abaixou, mas tarde demais; as garras riscaram o capacete com precisão brutal. As unhas se prenderam na grade do aparato, arrastando-a para trás e derrubando-a de costas. O bico curvado atacou repetidamente, só conseguindo fazer mossas no capacete de cobre.

— Puxem-na de volta! — gritou Fletcher. — Ela está com Valens nas mãos!

O menino agarrou o cabo e o puxou, esticando o couro grosso até que rangesse sob a tensão. Os demais logo seguiram seu exemplo; até mesmo Isadora delicadamente segurou e fez força com os outros. Eles progrediram rápido, extraindo vários metros de couro pelo portal crepitante. Fletcher olhou para trás, para a pedra de visualização, mas só conseguiu captar flashes de penas contra o céu de bronze enquanto o demônio continuava a bicar violentamente.

A tensão no couro diminiu quando Lovett conseguiu cambalear e ficar de pé, então ela caiu pelo portal num emaranhado de braços e pernas. No entanto, logo que o grupo começou a comemorar, suas vozes ficaram entaladas ao perceberem: a capitã não voltara sozinha.

O Picanço emitiu um crocitar áspero, depois abriu bem as asas e pisou no chão, ficando quase tão alto quanto um homem. Ele estreitou os ferozes olhos amarelos na luz fraca e então avançou num estranho saltitar, como se estivesse fazendo uma brincadeira macabra de amarelinha. Lovett jazia imóvel no chão; alguma coisa estava terrivelmente errada.

— Para trás! — gritou Tarquin, colocando-se no caminho do Picanço. Fletcher podia até não gostar do rapaz, mas ficou impressionado. Ele era corajoso.

O jovem nobre se ajoelhou rapidamente e pôs as mãos no chão, energizando o pentagrama mais próximo. Em instantes, um demônio se formou acima dele e investiu contra o Picanço sem hesitação.

O demônio de Tarquin era uma Hidra, com três cabeças reptilianas em pescoços longos e flexíveis, como um trio de cobras conectado ao corpo de um lagarto monitor. As cabeças oscilavam e tentavam abocanhar o Picanço, dardejando para um lado e para o outro conforme o demônio invasor era conduzido de volta ao portal. Eles estavam bem equiparados, já que a criatura de Tarquin era grande o bastante para ser montada, mesmo que boa parte de sua altura fosse formada pelos pescoços. As pernas da Hidra eram curtas, mas cada pata estava equipada com grossas garras negras que se cravavam no couro a cada passo.

— Nada consegue resistir contra Trébio! — bradou Tarquin quando o Picanço grasnou, confuso com o ataque em três frentes.

Fletcher ignorou a luta e contornou os dois monstros até Lovett. Ela deveria estar consciente, pois o portal ainda estava aberto, mas seu corpo estava imóvel como um cadáver. Valens se remexia na mão aberta dela, zumbindo enquanto o Picanço combatia o demônio de Tarquin. O pequeno Caruncho queria ajudar, mas não era forte o bastante.

— Vou buscar um professor! — afirmou Genevieve, saindo pela porta.

Fletcher se ajoelhou ao lado de Lovett e a arrastou para longe do perigo, depois tirou seu capacete com cuidado. Os olhos dele se arregalaram ao ver o que havia dentro. A boca da professora espumava e os olhos estavam tão revirados que ele só conseguia ver branco. A cabeça da pobre mulher quicava dolorosamente no couro conforme seu corpo era assolado por convulsões. Fletcher não fazia ideia de como ela ainda mantinha o portal aberto.

— O veneno! — exclamou Fletcher horrorizado, tentando proteger a parte de trás da cabeça de Lovett com as mãos. Seus olhos pousaram no capacete e viram uma rachadura profunda no vidro. As garras do Picanço provavelmente o tinham danificado no primeiro ataque.

Fletcher se virou furioso para a ave-demônio, notando que ela tinha parado a um ou dois metros do portal. Ao ficar tão próximo, o medo do portal pareceu sobrepujar o medo que sentia da Hidra. O Picanço deu um passo hesitante à frente e atacou a cabeça mais próxima do inimigo com uma bicada, tirando sangue da Hidra e um grito de espanto de Tarquin. Mas o nobre não precisava lutar sozinho.

— Ignácio! — gritou Fletcher, energizando o pentagrama mais próximo de si e conjurando seu demônio com uma explosão raivosa de mana.

A Salamandra se formou num mero instante, jogando-se ao combate com um guincho.

Apesar do fato do Picanço ser muito maior que ele, Ignácio mordeu a perna da ave-demônio, estocando-a repetidamente com o esporão de cauda. O Picanço crocitou com dor e alarme, perdendo o equilíbrio e caindo para trás na direção do pentagrama. A Hidra aproveitou a oportunidade sem hesitação, avançando pesadamente e cravando todos os três conjuntos de presas no pescoço do Picanço. O impulso do ataque levou os demônios, numa confusão de garras e dentes agitados, à beira do portal, gritando e uivando como banshees.

— Agora, Ignácio! — berrou Fletcher, preocupado que os demônios caíssem pelo portal instável e fossem todos perdidos para sempre. O diabrete rolou para longe do combate corpo a corpo e disparou uma rajada de chamas, calcinando o ar acima da Hidra e do Picanço. Essa foi a gota d'água. O Picanço fez um último ataque contra a Hidra com os gadanhos, então saltou de volta para o portal com um grasnido decepcionado, deixando as serpentes sibilando contra o ar. Momentos depois o portal se fechou, desparecendo no nada. Os fogos-fátuos logo fizeram o mesmo, dissipando-se em filamentos de luz azul, até que o salão caiu em absoluta escuridão. Lovett soltou um longo suspiro, então seu corpo relaxou. Fletcher ficou feliz ao notar que sua respiração se mantinha, mesmo que irregular.

Os novatos rugiram em triunfo, mas a alegria durou pouco, pois logo ouviram Lovett engasgar na escuridão. Enquanto Fletcher a colocava sentada e esfregava suas costas, a voz de Tarquin ecoou ao seu lado.

— Fletcher, seu idiota! Aquele Picanço ia ser meu próximo demônio!

Um fogo-fátuo trêmulo iluminou o aposento a partir da mão de Tarquin, que lhe apontou o dedo com raiva.

— Você está tão preocupado com nossa professora idiota. Não fique assim, eu vou lhe ensinar uma lição que você jamais esquecerá!

36

A Hidra avançou contra Fletcher, sibilando com as línguas bifurcadas. As cabeças ondulavam hipnoticamente, balançando de um lado para o outro como serpentes prestes a dar o bote.

— Salomão! — gritou Otelo, materializando o Golem. O demônio de pedra se plantou diante da Hidra e a encarou. Ignácio logo o seguiu, rosnando furiosamente. Juntos os dois se postaram, desafiando a Hidra a tentar passar.

— Eis que o anão decide botar suas cartas na mesa. Não estou surpreso. Os fracos frequentemente se unem — zombou Tarquin.

— Eu vou lhe mostrar quem é fraco aqui. Venha só para ver — grunhiu Otelo. Ele deu a volta para ficar ao lado de Fletcher.

— Não temos tempo para isso! Vocês não estão vendo que a capitã Lovett está morrendo? — berrou Fletcher, furioso com os dois. A respiração da professora estava ficando cada vez mais sofrida, sorvendo goles engasgados de ar como se cada segundo fosse uma luta.

— Deixe o meio-homem lutar, se quiser — retrucou Tarquin, causando espanto em todos diante do termo preconceituoso. Até mesmo Fletcher sabia que "meio-homem" era algo incrivelmente ofensivo para os anões. Otelo cerrou os punhos, mas não mordeu a isca.

— Cale a sua boca! Não ouse falar assim com ele! — rugiu Fletcher, com a raiva inundando suas veias como fogo líquido.

— O anão acha que só porque um de seus superiores foi forçado a lhe conceder um demônio valioso, ele agora está no nosso nível — continuou Tarquin, inabalado. — Vou mostrar a ele como está errado. Então matarei esse seu diabretezinho ridículo, Fletcher. Seus truques com fogo não assustam Trébio. — Ao som do próprio nome, a Hidra sibilou e raspou a pata no chão.

— Caríssimo irmão, não seja egoísta. Também quero duelar! — Isadora entrou no círculo de luz. Ela fez uma mesura, raspando o pé na beira do pentagrama mais próximo com o movimento. Filamentos delicados de luz branca voaram do couro e criaram forma, retorcendo-se e enroscando-se até que o demônio dela surgiu no meio do pentagrama.

Tinha uma aparência muito próxima a de um grande felino, porém parecia ser quase bípede, andando num agachamento curvado, como um chimpanzé da selva. Seu pelo espesso era listrado de laranja e preto como um tigre, com músculos poderosos que ondulavam sob a pele. Os caninos enormes de um dentes-de-sabre estendiam-se dos dois lados da boca, ambos com mais de dez centímetros de comprimento e terminando numa ponta afiada como agulha. Assim como um Canídeo, este demônio tinha um par extra de olhos atrás do primeiro.

— Nunca viu um Felídeo antes? — perguntou Isadora, percebendo a expressão de assombro de Fletcher. — Meu Tamil é um belíssimo espécime. Você não verá outro assim em toda a sua vida. Minha caríssima mãe foi gentil o bastante para me dar de presente. Foi o mínimo que ela poderia ter feito, depois que Tarquin recebeu o orgulho e a alegria de papai.

O Felídeo uivou de empolgação, com o rabo balançando de um lado para o outro. Ele voltou os olhos incandescentes para Ignácio, estendendo um conjunto de garras mortais com experiência.

Fletcher engoliu em seco quando os dois demônios avançaram, sua raiva se esvaindo conforme ele percebia a realidade da situação. Ambas as criaturas provavelmente haviam sido os demônios primários dos pais, o que significava que deviam ser extremamente poderosos. Mesmo com o suporte de Salomão, Fletcher tinha certeza de que Ignácio estava em forte desvantagem. O menino fez o diabrete cuspir uma rajada de fogo alaranjado no ar, mas os demônios dos nobres mal estremeceram quando as chamas irromperam acima deles.

— Agora, Trébio! — gritou Tarquin, fazendo a Hidra investir contra eles com um sibilo, seguida por um Tamil saltitante. Salomão separou as pernas e soltou um rugido gutural, erguendo os punhos de pedra. Ignácio se ergueu sobre as patas traseiras e inspirou fundo, pronto para soltar mais uma bola de fogo.

Subitamente, um clarão de pelos dourados surgiu entre os quatro demônios; Sariel tinha chegado à cena. Sua juba áurea estava eriçada, e todos os quatro olhos ardiam de fúria. O focinho geralmente elegante do Canídeo estava enrugado num rosnado apavorante que era todo dentes e saliva. Ela arrastou a pata dianteira no chão, deixando quatro rasgos no couro. Desta vez, a Hidra hesitou.

— Parem com isso! — exclamou Sylva. — Vocês já esqueceram quem é o inimigo? Nós estamos todos do mesmo lado!

— Não oficialmente; ou os elfos já se renderam? — respondeu Tarquin, com malícia. — Você é só uma refém de luxo, nada mais.

Sylva se indignou com essas palavras e Sariel latiu, sentindo sua raiva.

— Ora ora, Tarquin, não perca o controle — interveio Isadora, pousando a mão no ombro do irmão num gesto apaziguador. — Os elfos podem muito bem ser nossos aliados em breve. Os Forsyth e os chefes dos clãs élficos poderão se beneficiar muito uns com os outros... não se lembra?

Fletcher viu a menina apertar o braço do irmão, cravando as unhas em sua carne. Tarquin pausou e então curvou a cabeça, fazendo Trébio recuar alguns passos.

— Peço desculpas, eu me deixei levar pelo momento. Febre de batalha, vocês entendem — murmurou Tarquin, mas o rosto ainda estava vermelho de raiva. Ele lançou um olhar ameaçador a Fletcher.

— Então, Sylva, como vai ser? O anão e o pé de chinelo... ou nós? — indagou Isadora. Mas ela jamais ouviria a resposta da elfa.

A porta se abriu violentamente e Arcturo entrou num rompante, seguido por Genevieve e dois criados com uma maca.

— O que está acontecendo aqui? — rugiu ele.

Sacarissa entrou correndo e parou ao lado de Sariel, postando-se uma cabeça mais alta que o demônio da elfa. Com um estalar de mandíbula, ela mandou o outro Canídeo de volta à Sylva.

— Levem-na à enfermaria imediatamente — murmurou Arcturo, pegando Lovett e a deitando gentilmente na maca. Ele afastou um cacho de cabelo de sua testa e lhe fechou os olhos, que ainda fitavam cegamente o teto. Os criados partiram de imediato, tropeçando devido à pressa.

— Agora... alguém vai me contar o que está acontecendo aqui? — inquiriu ele, com raiva mal contida.

— Estávamos espantando um Picanço que veio pelo portal — mentiu Tarquin sem hesitação. — Ele já se foi.

Arcturo voltou os olhos a Fletcher, mas o menino não gostava de dedurar os outros. Ficou de boca fechada, mas se mexeu, culpado. Arcturo estreitou os olhos e avançou, jogando fogos-fátuos azuis por toda câmara. Enquanto os novatos estreitavam os olhos sob a súbita a luz elétrica, o capitão falou em voz alta:

— Espero que vocês não estivessem pensando em duelar. Os elfos gostavam de duelar. Eles perderam demônios e mais demônios, até que não tinham mais nenhum. Vocês sabem o que acontece quando os demônios acabam? Não há mais mana para se abrir um portal. Nenhum meio de se conseguir mais criaturas. É isso, o éter perde-se para sempre. Você, Sylva, mais que todos os outros, seria uma completa tola se duelasse. Só de pensar nas concessões que seu povo teve de fazer para que você estivesse aqui... Foi escolhida para ser a fundadora de uma nova geração de elfos adeptos, e será sua missão presenteá-los com seus primeiros demônios. Você é a primeira elfa conjuradora em mil anos. Não leve isso de forma leviana. Se perder seu Canídeo, não lhe daremos outro.

Sylva baixou a cabeça, envergonhada, e Sariel choramingou com o rabo entre as pernas. Fletcher ficou grato que a elfa corresse tal risco por ele, e silenciosamente agradeceu do outro lado do aposento. Eles poderiam ter sido flagrados no meio de um duelo e até sido expulsos, se não fosse pela intervenção dela.

— Qualquer ocorrência de duelos será retribuída com expulsão sumária. Plebeus terão de se juntar às fileiras de soldados rasos sem treinamento posterior. Talvez, com sorte, poderão chegar a sargento. Quanto aos nobres, terão o direito de comprar uma comissão de oficial, obrigando sua casa nobre a passar a vergonha de precisar de suborno para colocá-los no exército. Mesmo assim, terão de estudar com tutores particulares.

Tarquin fungou em escárnio ante as palavras de Arcturo, e sussurrou alguma coisa para a irmã.

— É isso que você quer, Tarquin? Que o grande Zacarias Forsyth seja forçado a comprar uma patente de oficial para o filho? — A voz mordaz de Arcturo estava carregada com várias camadas de sarcasmo. Tarquin empalideceu com a ideia, mas se recompôs ao sentir os olhos de todos em si.

— Seria um trocadinho. — Tarquin deu de ombros, em seguida retrucou, com tom sinistro: — E os meio-nobres? O que acontece com eles? Quer dizer, você é a pessoa certa a quem perguntar sobre esse assunto... ou eu estou enganado, Arcturo?

Tarquin sorriu como se tivesse vencido a discussão, e o capitão não respondeu, abalado. Em seguida seu rosto se tornou vermelho de raiva, e Sacarissa rosnou com ameaça profunda, tão alto que o som reverberou no peito de Fletcher. Tarquin deu um passo para trás, percebendo que talvez tivesse ido longe demais. Felizmente para ele, Cipião chegou correndo à câmara, o rosto de morsa vermelho pelo esforço.

— Eu vim assim que fiquei sabendo — ofegou ele, recuperando o fôlego. — Está tudo bem com ela?

Arcturo respirou fundo para se acalmar e se virou para o reitor.

— Não senhor, não está. É choque etéreo, estou certo disso. Vamos ter que esperar até que ela se recupere, mas não há como saber quando estará de pé novamente. Eu assumirei as aulas dela nesse ínterim.

Cipião fechou os olhos e suspirou de frustração. Em seguida se virou para os aprendizes e falou:

— Atentem bem, cadetes. Agora vocês entendem os perigos do éter, os riscos que seus pais e doadores correram para lhes dar seus demônios.

Sejam gratos e trabalhem arduamente para fazer com que seus presentes valham o custo. — Ele deu alguns passos em direção à porta, então parou e falou de novo: — Tarquin Forsyth, você vem comigo. Não fique pensando que escapou impune depois de falar de forma tão desrespeitosa a um oficial superior. Haverá consequências para sua insolência.

A expressão de Tarquin desmoronou e o menino fitou o chão, mas o bater de pé impaciente de Cipião o fez caminhar até a porta. Fletcher não pôde deixar de sorrir. O metidinho mimado bem que merecia.

Sua felicidade durou pouco, porém. Alguns momentos depois, a voz de Arcturo interrompeu seus pensamentos.

— Tire esse sorriso da cara, Fletcher. Como seu patrocinador, seu comportamento é refletido em mim. Vá direto para o meu gabinete e me espere lá. Vamos ter uma conversinha.

37

O gabinete de Arcturo era tão frio quanto o de Cipião era quente. Não possuía lareira e tinha uma daquelas seteiras sem vidro na parede. O ambiente era surpreendentemente despido de objetos, porém, pensando bem, tanto ele quanto Fletcher tinham chegado apenas algumas semanas antes, por mais difícil que fosse de acreditar. O rapaz sentia de que já estava em Vocans havia anos.

Os minutos se passaram, e logo Fletcher ficou entediado. Ignácio dormia no pescoço dele, exausto depois de toda aquela ação mais cedo. Atento a qualquer barulho de passos vindo do corredor, o menino contornou a grande escrivaninha de carvalho que parecia ser a única mobília no aposento, além de duas cadeiras e uma grande almofada para Sacarissa no canto. Papéis estavam espalhados pela mesa, porém um deles chamou-lhe a atenção.

Era uma lista de nomes, todos começando com "Fletcher". Confuso, o rapaz olhou abaixo dela e, para seu horror, encontrou outra lista, desta vez de nomes terminados em "Wulf". Não era uma boa notícia. Se Arcturo investigasse mais profundamente, poderia descobrir o crime de Fletcher. Pior, talvez deixasse uma trilha que permitisse a Caspar rastreá-lo. O rapaz vasculhou a memória, tentando se lembrar se tinha mencionado Pelego.

Passos soaram no corredor, fazendo Fletcher voltar correndo ao outro lado da escrivaninha. Momentos depois, Arcturo entrou a passos largos, seguido por uma Sacarissa saltitante. O rapaz percebeu, com base na sua linguagem corporal, que o professor estava bem agitado, por mais que a expressão não demonstrasse nada. O capitão se sentou à escrivaninha e organizou os papéis, sem dar nenhum sinal de que eles tinham algo a ver com Fletcher. Enfim ergueu o olhar e uniu as pontas dos dedos.

— Você sabe por que patrocinei você, Fletcher? — perguntou, olhando o aluno nos olhos.

— Foi porque eu já tinha um demônio, de modo que você não precisaria capturar um para mim? — sugeriu Fletcher.

— Não, eu não me incomodaria com isso. Sacarissa é muito boa em caçar, apesar daquele Cascanho ter se feito de difícil. Não foi, Sacha? — questionou Arcturo, afagando a cabeça do Canídeo. — Tente de novo — ordenou o capitão, reclinando-se na cadeira.

— Hummm... minha rara Salamandra? — perguntou Fletcher.

— Isso foi um bônus, mas não foi o motivo — respondeu o professor, com os olhos brilhando, entretidos.

— Minha bravura perante a morte certa? — brincou Fletcher, notando a expressão de Arcturo e tentando deixar o clima mais leve.

— Não, isso não! — retrucou Arcturo com uma curta risada. — Algumas pessoas diriam que você tomou a decisão errada naquele momento. Um oficial precisa aprender a sacrificar bons homens para que o resto do seu comando possa sobreviver. Assim, você também poderia ter desistido do seu dinheiro em troca da própria vida. Mas tenho que admitir que fiquei impressionado. Você ficou frio sob pressão e correu um risco calculado. Bons oficiais são pragmáticos e se mantêm calmos em combate. Mas os homens e mulheres que ascendem à grandeza são os ousados, os que buscam o risco. Aqueles que só aceitam tudo ou nada. Talvez você também se elevará ao nível deles, se jogar direito. — Fletcher sorriu com as palavras de Arcturo, mas elas tomaram um rumo mais sombrio em seguida: — Hoje você jogou mal, Fletcher. Muito mal. Um duelo com Tarquin poderia ter resultado em expulsão instantânea.

— Desculpe-me, senhor, eu estava só me defendendo. Se eu soubesse como erguer um escudo, eu teria usado um deles — murmurou Fletcher, baixando a cabeça.

— Um escudo não seria muito útil contra um demônio, mas essa não é a questão. Você precisa entender que os nobres farão qualquer coisa a seu alcance para se livrar de vocês. Melhor levar uma surra do que morder a isca. Acredite em mim, eu sei. — Arcturo soava amargurado. Pareceu prestes a continuar, mas pensou melhor e balançou a cabeça. Levantou-se subitamente e chamou Fletcher para mais perto da escrivaninha. Então prosseguiu: — Precisamos de conjuradores, Fletcher, mas eles não precisam ser oficiais magos de batalha. Um conjurador nas fileiras de soldados rasos é tão bom quanto um no refeitório dos oficiais, no âmbito geral. Treinar plebeus ao lado dos nobres não é uma prática popular. Muitos acreditam que vocês deveriam ter uma academia separada. Não dê a Cipião motivos para rebaixar você.

Fletcher assentiu sombriamente. Ele não conseguiu deixar de olhar de relance para os papéis na mesa. Arcturo não fez nenhuma menção de escondê-los.

— Quer saber por que fui seu patrocinador, Fletcher? Foi porque você me lembra de mim mesmo. Mais importante, foi porque eu sei quem você é. Ou *o que* você é, pelo menos.

Ele girou os papéis para que Fletcher pudesse lê-los e correu o dedo por eles.

— Há alguns Fletchers da sua idade listados em Hominum, e nenhum deles tem o sobrenome Wulf. Você não consta em nenhum censo oficial que eu tenha encontrado. Estaria certo ao afirmar que é um órfão não registrado?

O rapaz assentiu, sem entender.

Arcturo se reclinou, concordando com a cabeça para si mesmo como se Fletcher tivesse confirmado suas suspeitas. Apontou a cadeira do lado oposto da escrivaninha. O aprendiz se sentou e observou enquanto o professor o fitava.

— Você se lembra de quando Tarquin insinuou que sou meio nobre? — indagou o capitão, ajeitando o cabelo para trás e reajustando a fita que o mantinha no lugar à nuca. Fletcher fez que sim com a cabeça e, depois de uma longa pausa, Arcturo continuou: — Dez anos atrás, um jovem nobre estava a caminho da Cidadela, vindo de seu lar nos territórios setentrionais que fazem fronteira com as terras dos elfos. Ele estava passando a primeira noite em Boreas, que, como você sabe, não fica muito muito longe das suas montanhas do Dente de Urso. — Fletcher não sabia se ficava feliz ou ansioso pelo fato de Arcturo ter mencionado Dente de Urso em vez de Pelego. Havia centenas de vilas por lá, mas as notícias viajavam rápido. Arcturo somaria dois mais dois se descobrisse que um jovem fugitivo tinha escapado de lá. — Este rapaz nobre tinha sido presenteado com um Canídeo pelo pai, lorde Faversham — continuou Arcturo. — Mas ele não quis ler o pergaminho de invocação antes de chegar na academia, onde um professor poderia supervisionar a transferência. Assim, deixou o pergaminho nos alforjes da sela e foi dormir.

Arcturo parou por um instante, coçando as orelhas de Sacarissa. O demônio rumorejou com prazer e se esfregou nas mãos dele.

— Naquela noite, um cavalariço decidiu roubar tudo que o nobre estivesse carregando. Não tinha absolutamente nada no mundo; era um órfão que crescera num asilo de pobres e fora vendido para o mestre de estábulo por vinte xelins. Não era dono nem das roupas do corpo. O roubo era uma última tentativa desesperada de conseguir dinheiro suficiente para escapar e começar uma nova vida. Mas o destino tinha um plano diferente para ele.

Fletcher franziu o cenho. A história soava familiar, mas ele não conseguia lembrar onde a tinha ouvido antes.

— O menino sabia ler um pouco. Ele tinha estudado sozinho para que pudesse aprender sobre o mundo, devorando cada livro abandonado pelos viajantes na taverna à qual o estábulo pertencia. Então, quando o cavalariço encontrou o pergaminho e o couro de conjuração que o acompanhava, ele os abriu e os leu, mais por curiosidade do que por qualquer outra coisa. Felizmente para o menino, ele ainda tinha dificuldades com a leitura, então pronunciava cada palavra em voz baixa. Ninguém ficou mais surpreso do que ele quando uma filhotinha de Canídeo foi conjurada, com pelo negro e olhos brilhantes. Era a coisa mais linda que ele jamais vira.

Fletcher olhou para Sacarissa e depois para Arcturo, e finalmente a ficha caiu.

— Você foi o primeiro plebeu a ter um demônio desde... bem, desde sempre! — exclamou Fletcher. — Se não fosse por você, nenhum de nós estaria aqui! Sua descoberta triplicou o número de magos de batalha!

Arcturo assentiu com seriedade.

— Mas, peraí — continuou Fletcher, confuso. — O que isso tem a ver comigo? Ou com o fato de você ser meio nobre?

— Essa foi a história que você já conhecia, com um pouco mais de detalhes. Mas há uma segunda metade, que só é conhecida pela nobreza e alguns raros outros. Veja bem, alguns anos depois de eu ter sido descoberto, houve uma grande conferência entre as casas nobres, os generais de Hominum e o rei Harold. A guerra corria mal em seu primeiro ano: os xamãs orcs estavam se unindo sob o estandarte do orc albino, e seus números superavam várias vezes a nossa quantidade de magos de batalha. Os nobres odiavam colocar seus filhos e filhas primogênitos em risco, considerando que, com a morte de cada herdeiro, suas linhagens corriam o risco de se extinguir. Estavam sendo forçados a ter vários filhos, de modo que, se o primogênito morresse, poderia haver outro herdeiro com a habilidade de conjurar. Depois do primogênito, há apenas uma chance em três de que um filho de nobre seja adepto. Muitas casas nobres têm três ou quatro filhos no caso de uma morte, para que o adepto seguinte possa se tornar o herdeiro. Além disso, muitos jovens nobres eram forçados a se casar e ter filhos assim que se formavam na Cidadela, de modo que, se morressem lutando, deixariam um filho primogênito em seu lugar.

Fletcher nunca tinha passado muito tempo pensando nas questões de sucessão e linhagens nobres. Podia imaginar as famílias nobres, desesperadamente cientes de que, com uma única morte, a casa inteira poderia desaparecer em uma geração. Por um momento, ele sentiu pena de Tarquin e Isadora, com toda a pressão que o sangue nobre lhes trazia. Mas só por um momento.

— Acredite se quiser, foi o avô de Tarquin, Obediah Forsyth, o nobre que liderou o movimento pela introdução dos plebeus nas fileiras de magos de batalha, usando sua própria fortuna para financiar a grande Inquisição, trazendo crianças de todas as partes e buscando sinais de mana nelas. Ele era o nobre mais rico e poderoso naquela época, e continua sendo. Seu filho, Zacarias, se casou com a primogênita de outra grande casa, Josephine Queensouth, unindo as terras vizinhas sob o brasão dos Forsyth. Isso efetivamente dissolveu a casa dos Queensouth. Geralmente herdeiros se casam com o segundo ou terceiro filho de outra casa nobre, de modo a manter seu legado, mas a família Queensouth estava à beira da falência, quase chegando ao ponto de vender a própria terra. O casamento foi a única solução que eles encontraram na época. Eu lhe explico essas coisas, Fletcher, porque nobreza, casamento e sucessão são as chaves para entender quem você é.

Fletcher concordou com a cabeça prudentemente, tentando acompanhar a história toda. As maquinações políticas da nobreza eram interessantes, mas o rapaz ainda não compreendia o que elas tinham a ver com ele. Ou com Arcturo, para ser sincero.

— De qualquer maneira, a busca de Obediah rendeu frutos e os plebeus foram recebidos em Vocans, eu inclusive. Os Inquisidores do velho rei assumiram a busca e perceberam uma tendência curiosa, algo que Obediah não tinha notado. Havia estranhos agrupamentos de adeptos, mais notavelmente nos orfanatos de cidades do norte. Agora, por que você acha que isso acontecia, Fletcher? — perguntou Arcturo, o orbe branco de seu olho ruim fitando cegamente a cabeça do aprendiz.

Mas a mente de Fletcher estava vazia. O que havia de tão especial nos órfãos?

— O que diferencia os órfãos do resto das pessoas? — insistiu Arcturo, ecoando os pensamentos de Fletcher.

— Ninguém os quer? — sugeriu o rapaz.

— Exatamente, Fletcher. E diga-me: quem é que não quer os próprios filhos? — perguntou num murmúrio Arcturo, guiando o aluno.

— Pessoas que não têm dinheiro para cuidar deles. — A memória de Fletcher repassou as longas e solitárias noites que passara se perguntando exatamente isso.

— De fato, Fletcher, há quem abandone os filhos por esse motivo. Também há aqueles órfãos cujos pais morreram. Mas há outro grupo que abandona os filhos regularmente. A Inquisição descobriu que esse era o ponto em comum entre quase todos os adeptos órfãos. — O capitão respirou fundo. — Quase todas as mães deles eram cortesãs. Incluindo a minha.

Sacarissa ganiu, e Arcturo a calou gentilmente. Fletcher percebeu que o capitão estava tocando num assunto que lhe causava grande sofrimento.

— Veja bem, lorde Faversham era... digamos assim... um homem insaciável. A mulher dele não conseguiu lhe gerar filhos por um longo tempo. Lady Faversham acabou se tornando fria e distante, rejeitando a presença do marido em sua cama. Então ele procurou outras que não o rejeitariam.

Fletcher afundou na cadeira, finalmente compreendendo.

— Então os filhos primogênitos das cortesãs com quem ele dormiu se tornaram adeptos? É assim que funciona? — indagou Fletcher, tentando não pensar no que aquilo significaria quanto à sua própria ascendência.

— Sim, além do fato de que ele tinha várias amantes também. Um homem pode ter filhos adeptos com várias mulheres diferentes, desde que seja o primeiro filho da mulher também. Assim como uma mulher pode ter vários filhos primogênitos com pais diferentes, se o homem nunca gerou filhos antes. Foi pura coincidência que um pequeno número de plebeus também tivesse nascido com o dom. Eu fui a causa para o início da busca, mas não nasci com o poder independentemente, como os outros plebeus. Eu sou um adepto porque fui um dos filhos primogênitos de lorde Faversham.

A mente de Fletcher se pôs a trabalhar, pensando nas circunstâncias de seu abandono. Nem mesmo um cobertor para protegê-lo do frio. Parecia uma explicação adequada. Arcturo interrompeu seus pensamentos sombrios:

— É claro que a descoberta provocou um escândalo. A prova de infidelidade lançou vergonha sobre várias casas nobres, especialmente os Faversham. Mulheres nobres iniciaram uma greve e se recusaram a ir à guerra a não ser que fosse aprovada uma lei proibindo que os órfãos fossem testados pela Inquisição. Elas não aguentavam a humilhação de ver os outros rebentos de seus maridos lutando ao lado dos filhos e filhas legítimos — sussurrou o professor, com a voz carregada de emoções conflituosas. — Ouvi dizer que lady Faversham ficou ofendida ao saber que o demônio destinado ao seu filho acabou sendo passado para mim. Ela me odeia ainda mais que as outras aristocratas. Só deu à luz um filho, o que significa que, se o herdeiro morrer, eu serei o próximo na fila para me tornar lorde Faversham, de acordo com a lei de Hominum. Ela foi obrigada a requisitar permissão especial do velho rei para tirar o filho das linhas de frente, para evitar que eu tentasse matá-lo e tomar seu lugar na linhagem. Você não ficará surpreso ao ouvir que foi ela quem organizou a greve.

Fletcher se impressionou ao ver como Arcturo se mantinha calmo ao falar das suspeitas que sofria. Ele se perguntou se o professor seria capaz de tal crime. Lorde Faversham era dono da maioria das terras ao redor do Dente de Urso, um homem rico e poderoso.

— Obviamente, a maioria dos órfãos já tinha sido identificada e treinada quando isso tudo foi descoberto, portanto, foi feita a concessão de permitir que aqueles que já tivessem sido descobertos permanecessem — continuou Arcturo. — A única condição era que nós não poderíamos ser chamados por nossos sobrenomes aristocráticos, e é por isso que sou conhecido como capitão Arcturo, meu primeiro nome. Tenho mais três meio-irmãos mais ou menos da minha idade, também lutando no exército. Provavelmente há mais deles por aí, completamente ignorantes de suas verdadeiras identidades. Não tenho permissão de testar crianças nos orfanatos, por mais que eu queira. Porém, de alguma forma, o destino trouxe você até mim.

Fletcher mal compreendeu estas últimas palavras. Estava imerso demais nos próprios pensamentos. Será que o pai dele poderia ser o lorde Faversham? Poderia isso significar que a mãe dele esteve viva em Boreas durante toda a sua vida?

— Fletcher, eu posso estar errado — disse a voz de Arcturo, flutuando ao seu redor. — Você pode ser só mais um órfão, pois é muitos anos mais novo que eu, afinal. Nem sequer sei se Faversham continuou sendo infiel depois de ter o primeiro filho com lady Faversham. Mas quais são as chances de um órfão adepto abandonado perto de Boreas ser um dos poucos que não descendeu da nobreza?

— Então você está dizendo que sou filho bastardo de lorde Faversham e que minha mãe é uma amante, na melhor das hipóteses, e uma cortesã na pior? — retrucou Fletcher amargurado, desperto do devaneio.

— E meu meio-irmão... — completou Arcturo Faversham.

38

Fletcher saiu correndo do gabinete de Arcturo cheio de raiva; mas para quem era direcionado o sentimento, ele não sabia dizer. Ignácio passou boa parte da noite sibilando, soltando pequenos anéis de fumaça pelas narinas enquanto os outros riam e brincavam durante o jantar.

— Posso não ter certeza de quem me aborreceu, mas você definitivamente não faz a menor ideia, faz? — murmurou Fletcher, coçando o queixo de Ignácio. Era muito engraçado ver a agitação confusa do diabrete, e isso animou um pouco o rapaz.

Fletcher tinha conseguido despistar os colegas quanto ao teor da reunião com Arcturo com uma risada, afirmando que só tinha levado uma bronca por ser um estudante malcriado. Dentre todos os seus novos amigos, só Otelo tinha percebido seu desalento, batendo à porta de Fletcher depois que todos foram dormir. O rapaz decidiu lhe contar tudo; afinal de contas, precisava retribuir o nível de confiança que Otelo e sua família tinham depositado nele. Mas o anão não ficou impressionado com a história de Arcturo.

— A mim parece que Arcturo está procurando chifre em cavalo, se quer saber — comentou Otelo, coçando a barba. — Deve estar desesperado para encontrar mais parentes, e ignorou várias coisas para fazer sua história se encaixar na dele. Já ouvi falar de lady Faversham, por motivos completamente diferentes. Ela é prima do velho rei e era famosa por sua beleza nos tempos de outrora. Sinceramente duvido que, após o comportamento de lorde Faversham ter se tornado público, o velho rei Alfric teria permitido que sua prima real continuasse sendo humilhada dessa forma. O filho dele, rei Harold, também não teria deixado isso.

— Mas e se lorde Faversham continuou? E se ele teve um momento de fraqueza, anos depois que tudo veio à tona? — indagou Fletcher.

— Mesmo presumindo que ele seria tão tolo, por que você foi abandonado logo diante de Pelego? Certamente a mulher desesperada em questão deixaria você num orfanato ou à porta de alguma casa em Boreas, não num lugar tão obscuro e distante da cidade quanto Pelego. Quer dizer, é quase na fronteira élfica! — exclamou Otelo.

— Talvez ela não quisesse que eu acabasse num asilo de pobres como Arcturo — retrucou Fletcher, igualmente teimoso, por mais que não soubesse por que estava defendendo o lado de Arcturo na discussão.

— Se ela se importava tanto com você a ponto de fazer isso, então por que te largou para congelar na neve, sem nem um paninho, roupa ou cobertor? Não, Fletcher, a sua história vai muito além. Não se deixe desanimar pela teoria de Arcturo. Fique feliz por ele estar ao seu lado, e pelo encontro fortuito entre vocês dois em Corcillum.

Com essas palavras, Otelo foi dormir e deixou Fletcher se sentindo bem melhor, mas também muito mais confuso.

— Quem diabos eu sou? — sussurrou ele para as trevas. Ignácio miou em solidariedade e enterrou a cabeça no peito do menino.

Apesar dos eventos do dia, o sono de Fletcher naquela noite foi o sono tranquilo e sem sonhos dos exaustos.

Os novatos aguardavam na câmara de conjuração a próxima aula de prática etérea. Fletcher estava torcendo para ver Lovett, mas sabia que era muito mais provável que Arcturo ministrasse a lição. Suas tentativas de visitar a enfermaria foram em vão; a dama Fairhaven tinha cuidado disso. Ela informou Fletcher de que tinha certeza de que a capitã Lovett não gostaria de ser incomodada pelos alunos enquanto estivesse no seu estado de paralisia, e que as leituras que ela mesma fazia para a professora eram mais que suficientes para manter a capitã entretida.

A descoberta de que Lovett estava completamente paralisada, mas ciente de tudo ao seu redor, apenas aumentou a vontade de Fletcher de vê-la, mas a porta foi fechada firmemente na sua cara.

— Belo traje — comentou Genevieve, mostrando o polegar erguido. Fletcher sorriu e ajeitou o colarinho da jaqueta nova.

Uhtred tinha cumprido a promessa, mandando a Fletcher um belo uniforme azul-marinho, além da espada, com as entregas matinais. Os botões dourados da jaqueta e da calça tinham até sido decorados com uma sinuosa silhueta de Salamandra em alto relevo, para o deleite de Fletcher. A bainha era da mais alta qualidade, feita de couro negro firme e aço escovado. Fletcher notou que a espada também tinha sido afiada e estava acompanhada de um pano oleado, com um bilhete que mandava o rapaz cuidar bem da arma, pois era fruto de um trabalho de altíssima habilidade.

Ele ficou feliz em recebê-la de volta, pois tinha sido forçado a usar um bastão de madeira enquanto Sir Caulder ensinava a ele e aos outros plebeus o básico sobre o combate armado. Os filhos dos nobres haviam tido aulas nesta área desde a mais tenra idade e não os acompanhavam, apesar de Malik e Penélope terem assistido brevemente do lado de fora antes de se entediarem e irem embora. Quando Fletcher perguntou por que eles estavam aprendendo a enfrentar uns aos outros depois do que Sir Caulder lhe dissera sobre combater orcs, o velho guerreiro ralhou:

— O torneio, garoto. Eles vão botar vocês para esgrimir e Deus sabe mais o quê. Não quero ver todos vocês plebeus perdendo na primeira rodada porque só aprenderam a enfrentar selvagens de 2,15 metros em vez de um nobre com um florete.

A lembrança do torneio encheu Fletcher de temor e o fez correr para a biblioteca, onde se enterrou nos livros. Não estava sozinho; a maioria dos outros plebeus também estava lá. Como os calouros nobres tinham crescido com pais magos de batalha inteiramente qualificados, eles tinham uma grande vantagem sobre seus correspondentes plebeus, dando respostas corretas às perguntas dos professores sem dificuldade alguma.

Havia milhares de demônios cujos nomes precisavam ser memorizados, além de suas medidas, qualidades e defeitos, mesmo que a maioria deles não pudesse ser encontrada na parte do éter a que os evocadores de Hominum tinham acesso. As dezoito raças de Canídeo por si só tinham exigido de Fletcher quase um fim de semana para memorizar.

O som da porta sendo batida atrás dele interrompeu os pensamentos do menino. Um homem alto e magro entrou na câmara de invocação. Inicialmente, Fletcher pensou que se tratava de Arcturo, mas, quando o sujeito entrou na área iluminada por fogo-fátuo, o rapaz notou que o uniforme era diferente, negro com detalhes prateados. Seu rosto era pálido e barbado, com olhinhos negros que brilhavam enquanto ele avaliava os estudantes.

— Meu título completo é Inquisidor Damian Rook, mas vocês podem me chamar de senhor. Vou lhes instruir na arte da prática etérea até que a capitã Lovett tenha se recuperado de seu... acidente. Felizmente para vocês, Cipião decidiu contratar um professor mais competente desta vez.

Tais palavras conquistaram um sorrisinho de Tarquin e uma risadinha discreta de Isadora, para desgosto de Fletcher. Rook os ignorou e se virou para os plebeus, estudando-os com olhos encobertos.

— Ora, ora, parece que foi apenas ontem que eu testei vocês — disse Rook com uma voz que comandava obediência absoluta. — Genevieve, Rory, Serafim, Atlas, além do anão e da elfa, farão uma fila daquele lado.

Os amigos de Fletcher se moveram rapidamente, alinhando-se diante da parede distante. Rook os ignorou e escrutinizou Fletcher e os nobres como se fossem cavalos à venda.

— Uma bela turma, este ano. Tarquin e Isadora, presumo que seu pai esteja bem? — inquiriu ele.

— Sim, senhor, mesmo que faça vários meses desde a última vez que eu estive com ele — respondeu Tarquin, com polidez surpreendente. Fletcher se perguntou que tipo de homem inspiraria tamanho respeito num nobre como Tarquin. Como eles se conheciam?

— Você é claramente um Saladin, se não me engano — continuou Rook, parando diante do menino de pele escura.

— Sou Malik Saladin, filho de Baybars Saladin, oriundo das terras de Antióquia — respondeu Malik, projetando o queixo orgulhosamente.

— É claro. O Anubídeo de seu pai lutou bem ao lado do meu Minotauro na ponte de Watford. Você foi afortunado o bastante para recebê-lo?

— Não, senhor. Meu pai precisa mais dele do que eu. Mas fui presenteado com um Anubídeo juvenil, capturado antes que eu viesse para cá.

— Ótimo. Você logo precisará dele. — Rook passou à nobre seguinte, Penélope. — E você é?

— Penelope Colt... de Coltshire. — Ela fez uma mesura nervosa. Isso lhe rendeu um grunhido neutro de Rook, que passou ao último nobre, o menino pequeno de cabelo castanho que Fletcher tinha visto seguindo Tarquin como um cachorrinho.

— Eu sou... Meu nome é Rufus Cavendish, das colinas de Cavendish — gaguejou o garoto.

— Colinas de Cavendish. Nunca ouvi falar. Quem são seus pais? — inquiriu Rook, os olhos negros se cravando no rosto de Rufus com a intensidade de um falcão.

— Minha mãe morreu quando eu era novo. Ela era a capitã Cavendish. Meu pai não é de sangue nobre.

— Entendo — comentou Rook, desinteressado, virando-se em seguida. Claramente os Cavendish não eram uma família nobre importante ou de status significante.

O professor voltou seu olhar sinistro a Fletcher, os olhinhos dardejando da espada aos botões dourados do uniforme.

— E você? De onde veio?

Fletcher hesitou, em seguida arriscando:

— Sou do norte, senhor, de perto de Boreas. Meu nome é Fletcher.

— Um Faversham, então? Não sabia que eles tinham um filho em idade escolar. Como você escapou da minha atenção?

A voz de Tarquin soou antes que Fletcher pudesse responder.

— Ele não é nobre, senhor, é só um plebeu.

— Ridículo. Eu sou um Inquisidor. Conheço os nomes de cada adepto vulgar. Quem é você, garoto?

— Eu... fui patrocinado, senhor. Li um pergaminho de conjuração que eu... encontrei... e invoquei um demônio. Arcturo me descobriu e me trouxe para cá.

— E seus pais não pensaram em mandá-lo à Inquisição assim que descobriram que você era adepto? Foi Arcturo quem o descobriu? Ele não tem permissão de ir ao norte de Corcillum, como foi que encontrou você?

— Eu sou órfão, senh...

— Um ÓRFÃO! — sibilou Rook, interrompendo-o.

— Sim, mas não é como o senhor está pensando! — exclamou Fletcher, percebendo o que deveria estar passando pela cabeça do Inquisidor.

— Ele quebrou as regras! O arrogante filho de uma meretriz acha que pode desrespeitar o acordo que fez com o velho rei, mandando pergaminhos de conjuração para órfãos de Boreas em segredo! Ah, desta vez eu o peguei! — vociferou Rook com alegria.

— Ele não fez nada disso! — gritou Fletcher.

— Cale a boca, seu bastardinho! Nós achávamos que tínhamos visto o último da sua laia há muito tempo. Lady Faversham vai saber de tudo isso — sibilou o Inquisidor, cutucando o peito de Fletcher com força.

— Você está errado! Pergunte ao reitor! — bradou o menino.

— Ah, eu vou perguntar, não se preocupe. Mas isso pode esperar. Temos que medir os níveis de realização de vocês antes. Sigam-me, todos!

Eles caminharam atrás de Rook em fila indiana. Saíram da câmara de conjuração e subiram as escadas da ala oeste até o topo, depois pegaram o corredor até a torre sudoeste. Somente Otelo compreendeu o que tinha se passado, e pôs a mão reconfortante no ombro de Fletcher.

— Não se preocupe, vai ser tudo esclarecido — sussurrou o anão para o amigo.

Os outros lhe olhavam de relance com uma mistura de suspeita e confusão, mas o silêncio que pesava sobre os corredores impedia que lhe fizessem perguntas. Tarquin e Isadora estavam, com certeza, saltitantes, mas não dava para saber se era por causa da humilhação pública de Fletcher ou por conta da aula que estava por vir.

A torre não continha nenhuma escada em espiral. Em seu lugar, havia um imenso tubo de espaço vazio, com pisos vazados em cada andar. Um enorme pilar se erguia no centro do aposento, composto de vários segmentos cravejados de cristais multicoloridos de Corundum. Estendia-se até o topo da torre, cintilando com os raios de luz que penetravam pelas seteiras nas paredes da velha torre.

— Este é um realizômetro, o maior que existe. Cada segmento representa um nível de realização. Ao tocar a base, um conjurador ou demônio descobrirá em que nível se encontra. Agora, quem vai primeiro? — perguntou-se o professor, o olhar voltado apenas para os nobres. — Malik, se tiver puxado a seu pai, vai nos impressionar. Pouse as mãos na pedra base. Vamos ver que calibre de conjuradores temos aqui hoje.

Malik avançou sem hesitação, ajoelhando-se diante do primeiro segmento e pressionando a mão na base. Por um momento, nada aconteceu; em seguida, subitamente, os cristais no primeiro segmento se acenderam com intensidade furiosa, iluminando o aposento com raios caleidoscópicos de luz. Um pulso abafado de som ecoou na câmara, seguido por outro conforme o próximo segmento ganhava vida como uma labareda. O fenômeno se repetiu até que quatorze segmentos brilhassem. Malik manteve a mão ali por mais um minuto até que Rook o ergueu do chão, extinguindo as luzes quando o contato foi quebrado.

— Muito bem, rapaz. A média inicial para um filho de nobres é oito. Logo você será um nível vinte, como seu pai. Próximo!

Isadora jogou a juba de cachinhos e se adiantou, pressionando a mão no realizômetro. Novamente o som abafado ecoou, seguido pelas luzes dispersas. Doze, desta vez.

— O sangue Forsyth é forte. Zacarias ficará orgulhoso — afirmou Rook, ajudando Isadora a se levantar.

Tarquin a seguiu; outro doze.

— Gêmeos geralmente têm o mesmo nível de realização, mas é sempre bom conferir — murmurou, meio para si mesmo, enquanto apertava a mão de Tarquin. O coração de Fletcher parecia uma pedra dentro do peito quando o jovem nobre o empurrou ao passar. Eles eram todos tão poderosos... Lovett era só nível onze!

Penélope era nível sete, mas parecia satisfeita, sorrindo e assentindo ao se levantar. Rufus era nível nove, um resultado que lhe rendeu um tapinha nas costas da parte de Tarquin e um grunhido de aprovação de Rook.

— Agora, os plebeus. Você primeiro, anão. Um nível oito, pelo menos, de acordo com o que ouvi, considerando que você é capaz de evocar um Golem. A média dos plebeus é cinco, é claro, mas você é um caso especial.

— Por que os plebeus têm níveis de realização mais baixos, senhor? — indagou Rory, arrastando os pés.

— Eu digo que é criação deficiente — começou Rook. — Porém, a resposta oficial é que os nobres crescem em meio a demônios e recebem suas próprias criaturas muito antes de entrar para a academia, permitindo assim que aumentem seu nível de realização ao longo dos anos através da prática de feitiçaria básica e infusão. Já vocês começam com o nível com o qual nasceram, considerando que não tiveram tempo para exercitá-lo. É por esse motivo também que vocês plebeus geralmente começam com Carunchos Escaravelhos. Não adianta capturar um demônio que você talvez nem seja capaz de controlar... não que vocês mereçam coisa melhor, em todo caso. Mas parece que alguns de vocês foram particularmente sortudos este ano.

Otelo tinha tocado o realizômetro àquela altura, interrompendo a resposta de Rory com o brilho do aparelho. Os segmentos se acenderam um de cada vez, vibrando com dez palpitações abafadas.

— Dez! Parece que os anões podem ter um dom para a conjuração! Devo informar o rei imediatamente. Muito interessante, de fato... — comentou Rook, indicando com gestos que Sylva deveria tomar o lugar de Otelo. Fletcher percebeu a expressão preocupada do anão. Por que contar ao rei? Será que o resultado de Otelo significaria que os anões eram aliados ainda melhores do que o rei tinha pensado... ou uma ameaça ainda maior? — Os elfos geralmente começam no nível sete, ou ao menos assim costumava ser. Vá em frente, de qualquer maneira. Você já está com seu Canídeo há alguns meses. — Sylva era de fato um sete, porém o oitavo segmento piscou por um breve segundo.

— Ótimo; você já está prestes a subir de nível. Com mais dedicação, logo poderá capturar um Caruncho para somar ao seu Canídeo.

Genevieve estava exatamente no cinco. Serafim surpreendeu a todos com um sete, e Atlas conseguiu um quatro, para seu desgosto.

— Espero que você se saia melhor que eu — resmungou ele quando Rory, completamente pálido, passou apressado.

Desta vez, o realizômetro engasgou, então dois segmentos ganharam vida. Depois de trinta segundos, um terceiro se acendeu com hesitação. Rook agarrou o braço do menino e começou a puxá-lo.

— Não! — berrou Rory. — Me dê mais um tempinho, tem mais!

— Não há mais nada, garoto. Essa é toda a energia demoníaca que você é capaz de absorver. Você é um conjurador de nível três. Fique feliz por não ser menos. — Ele arrancou Rory do pilar e o empurrou de volta ao grupo de plebeus. — Agora, o bastardo. Vejamos o que temos aqui.

Rook colocou Fletcher de joelhos com um empurrão. O rapaz fechou os olhos e pressionou a mão contra o realizômetro. As gemas estavam frias contra sua palma, como gelo polido. Ele sentiu a pressão do mana que era sugado, pulsando em suas veias e saindo pelos seus dedos. Em seguida, algo mais foi empurrado de volta para dentro dele. Não era mana, pois era como um fogo que lhe fervia o sangue e formigava na pele.

Fletcher não queria olhar para cima, mas a vibração abafada lhe informava exatamente quantos segmentos se acendiam. Cinco até então. Depois seis. No sétimo, ele sentiu o fluxo enfraquecer, mas ainda invadi-lo. Oito... o jorro se reduziu a um escorrer. Finalmente, quando o menino pensava que não restava nada mais, um nono zumbido ecoou pelo aposento. Seu alívio foi imenso, mas ele sentiu pena de Rory ao mesmo tempo. James Baker tinha sido um conjurador de nível três.

— Ora, ora, que surpresa. Quem poderia imaginar? Mas não importa. Fletcher só ficará aqui pelo tempo que eu levar para conseguir provas de que Arcturo lhe enviou um pergaminho de conjuração. Filhos bastardos não têm permissão de frequentar a Cidadela desde o decreto do velho rei Alfric, a pedido de lady Faversham. Assim como nenhum dos bastardos antigos tem permissão para buscar novos. Isso inclui Arcturo. — As palavras de Rook provocaram espanto nos plebeus. O segredo do capitão fora revelado. — Sem dúvida vocês terão um segundo professor novo, depois que eu tiver me livrado dele — comentou Rook com um sorriso cruel.

— Pela última vez, ele não me mandou nenhum pergaminho. Se quer saber, foi um pergaminho de xamã orc que eu ganhei de um mercador ambulante — retrucou Fletcher entre dentes cerrados.

O Inquisidor lhe encarou por um instante, em seguida soltou um cilindro de couro do cinto. Tirou um rolo marrom de dentro e o abriu no chão de pedra. Era um couro de conjuração.

— Mostre-me — comandou, apontando para o couro.

Ignácio se materializou assim que Fletcher o libertou, como se estivesse ansioso para sair. O diabrete fez menção de morder a mão de Rook, fazendo o homem recuar com uma careta.

— Ora, vejam, se não é uma descoberta — murmurou o Inquisidor, esfregando o queixo sombriamente com os dedos longos e finos. — Muito bem, vamos descobrir qual é o nível de realização dele. O major Goodwin vai querer saber. Nunca testamos uma Salamandra antes.

Fletcher ergueu Ignácio nos braços e tocou a cauda do diabrete no realizômetro. O aparelho ganhou vida. Os primeiros quatro segmentos se iluminaram em rápida sucessão. Mas então, para a surpresa de Fletcher, o quinto estágio acendeu tremeluzente, quase hesitante. Tarquin irrompeu em gargalhadas.

— Hah! Salamandras mal chegam ao nível cinco. E você pensou que poderia derrotar uma Hidra de nível oito e um Felídeo de nível sete só com a ajuda de um Golem! É uma diferença de dois níveis, seu bastardo pobretão idiota.

— Pelo que me lembro, você tinha dito que nossos demônios só estavam lá para espantar o Picanço — retrucou Fletcher, esforçando-se para manter a raiva sob controle. Ninguém, nem mesmo Didric, jamais falara assim com ele. — Você gostaria de mudar sua versão da história?

Tarquin gaguejou, mas foi interrompido por Rook.

— Silêncio! Vamos voltar à câmara de conjuração imediatamente. A aula ainda não acabou.

A jornada de volta à câmara foi ainda mais tensa que a vinda. Otelo estava perdido em pensamentos, enquanto o rosto de Rory era um retrato da infelicidade absoluta conforme ele marchava penosamente no fim da fila. Genevieve se esforçou para consolá-lo, mas o garoto simplesmente encarava o vazio à sua frente, como se não pudesse ouvir o que lhe era dito. O menino falador e brincalhão tinha desaparecido.

Quando eles chegaram, Rook já tinha instruído alguns criados a trazerem uma coluna pesada, que eles tiveram dificuldade em erguer ereta. Era parecida com o realizômetro, só que, em vez das várias gemas, cada segmento era feito de uma única gema vermelha do tamanho do punho de um homem. Rook a tocou casualmente, acendendo uma das pedras com cada toque do dedo.

— Sua professora preferia fazer as coisas à moda antiga, energizando o portal pessoalmente. Mas eu avalio os riscos de se entrar no éter de forma diferente. Esta é uma pedra de recarga. Ela pode ser preenchida com mana para ser usada posteriormente. É uma das ferramentas que usamos para alimentar os enormes escudos sobre as linhas de frente, carregando-a durante o dia para que não seja necessário energizá-los a noite toda. Mas nós vamos empregá-la para outro propósito. Juntos, vamos mantê-la numa carga total constante e atá-la aos portais que usaremos para entrar no éter. Assim, se alguém vacilar e se desconcentrar, o portal não se fechará prematuramente. Afinal, não podemos arcar com a perda de uma Hidra, podemos? Elas não existem mais na nossa região do éter.

Tarquin deu um sorrisinho e cutucou Isadora. Serafim levantou a mão.

— Por que elas estão extintas nesta parte do éter? Certamente nós não capturamos todas elas?

Rook suspirou dramaticamente e assentiu, como se tivesse decidido generosamente responder a uma pergunta idiota.

— Está vendo estas chaves na beira do pentagrama? São coordenadas aproximadas para o mesmo setor de terreno no éter. Todos os conjuradores nos últimos dois mil anos caçaram na mesma área, capturando incontáveis demônios. Obviamente, nesse meio-tempo, entramos em guerra contra os orcs. Depois aconteceram as rebeliões enânicas. Muitos dos nossos demônios morreram em batalha, e fomos precisando de mais para substituí-los. Logo os demônios selvagens aprenderam a ficar longe da nossa parte do éter, ou talvez tenhamos esgotado todos os mais raros. O que quer que tenha acontecido, só restam algumas poucas espécies. De vez em quando, um demônio raro, como um Grifo, perambula pela nossa área. Geralmente, está ferido ou doente. Outras vezes, criaturas migram através da nossa região, como os Picanços.

— Então é por isso que precisamos das chaves dos orcs — suspirou Genevieve, quando a ficha caiu.

— Não precisamos de chave de orc nenhuma! — vociferou Rook. — Os demônios fracos e comuns são para os plebeus. Os nobres herdam os demônios mais raros e antigos de seus pais. Assim, todos ficam em seu lugar de direito. Os orcs não mandam nada além demônios de nível baixo para nos enfrentar, de qualquer maneira, o que só prova que as coordenadas deles não são nada melhores que as nossas. É um desperdício de tempo e recursos tentar descobrir as chaves deles.

Genevieve mordeu o lábio e deu um passo atrás, intimidada pela língua afiada. Fletcher não entendeu por que Rook se opunha tão fortemente à busca pelas chaves. Não era claro que elas poderiam beneficiar Hominum? A única coisa que parecia interessar o Inquisidor, entretanto, era o desequilíbrio mesquinho de poder e status entre adeptos plebeus e nobres.

— Agora, a pedra de recarga só terá energia suficiente para funcionar com cinco estudantes por semana. Assim sendo, até que o torneio acabe, os nobres serão os únicos com permissão para entrar no éter. Depois disso, vamos considerar a possibilidade de permitir que vocês plebeus a usem.

Enquanto Rory soltava um soluço de desespero e os outros começavam a protestar em voz alta, Fletcher só podia pensar numa coisa.

Queria que a capitã Lovett estivesse aqui.

39

Fletcher sibilou de frustração conforme o símbolo que ele tinha entalhado tremeluzia no ar e então sumia.

— De novo, Fletcher. Concentre-se! — rosnou Arcturo. — Lembre-se dos passos.

O aprendiz ergueu o dedo luminoso e desenhou o glifo do feitiço de escudo novamente. O símbolo flutuou no ar diante da sua mão, enquanto ele o alimentava com um fluxo lento de mana.

— Ótimo. Agora fixe! — comandou Arcturo.

Fletcher se focou no glifo, segurando o dedo no centro exato. Manteve-o ali até que a luz pulsou brevemente, e ele sentiu que o símbolo estava travado naquela configuração. Fletcher moveu a mão e observou o glifo seguir seu dedo, como se estivesse afixado a uma moldura invisível. O suor escorria pelas costas do rapaz como um inseto rastejante, mas ele o ignorou. Precisava dar tudo de si para manter a concentração.

— Empurre o mana além com cuidado! Você precisa alimentar o glifo ao mesmo tempo.

Aquela era a parte mais difícil. Parecia que a sua mente estava prestes a se dividir em duas enquanto ele tentava equilibrar fluxos simultâneos de mana tanto através do glifo quanto para o próprio.

O símbolo estremeceu de novo, mas Fletcher cerrou os dentes e forçou um estreito filamento de substância opaca através dele até o outro lado.

— Isso! Você conseguiu. Agora, aproveitando o embalo, tente moldá-lo — incitou Arcturo.

Não havia muita energia de escudo com a qual trabalhar, mas Fletcher não queria empurrar mais mana, para não correr o risco de desestabilizar a conexão. Então, assim como tinha feito com o fogo-fátuo na primeira lição, ele o enrolou numa bola.

— Muito bem! Só que isso não é um fogo-fátuo. No caso dos escudos, você precisa esticá-los. Vá em frente, você provavelmente não terá outra chance de tentar na aula de hoje.

Mas Fletcher não conseguia mais manter o glifo estável. Ele chamejou rapidamente e se dissolveu no nada. Momentos depois, o escudo-bola fez o mesmo.

— Certo. Tentaremos de novo na aula que vem. Vá descansar, Fletcher — murmurou Arcturo, a voz marcada pela decepção.

Fletcher cerrou as mãos, furioso consigo mesmo. Por todos os lados do átrio, os outros estudantes exibiam um sucesso significantemente maior. Os nobres eram os melhores, é claro, e praticavam variar a espessura e o formato de seus escudos, visto que já haviam sido treinados em casa. Malik era particularmente talentoso, produzindo um escudo curvo tão espesso que era difícil de ver através dele.

A maioria dos amigos de Fletcher já era capaz de criar um escudo em todas as tentativas, exceto por Rory e Atlas, que só conseguiam metade das vezes. Já ele só obtivera um único sucesso nas últimas três horas.

O rapaz se sentou num banco do lado mais distante do átrio e assistiu, deprimido. Desde a primeira aula com Rook tantas semanas antes, as coisas estavam indo de mal a pior.

Primeiro foram as pedras de visão. Rook tinha passado pela fila de plebeus, permitindo que escolhessem pedras de uma caixa de sobras. Fletcher fora deixado por último de propósito, e só lhe restou um fragmento arroxeado do tamanho e formato de um xelim de prata. Para ver qualquer coisa, ele era forçado a levá-lo até o olho e espiar como um bisbilhoteiro por um buraco de fechadura. Além disso, os plebeus foram forçados a praticar com os cristais na câmara de conjuração, enquanto os nobres mandavam seus demônios para explorar as partes seguras do éter.

Além disso, é claro, houve a aula seguinte com Arcturo. O capitão não estava bravo com Fletcher, mas deu ao rapaz muito com que se preocupar.

— Jamais gostei de Inquisidores, e Rook é o pior deles. Três instituições foram criadas pelo velho rei Alfric: a Inquisição, os Pinkertons e os Juízes Magistrados; todas podres até a raiz. Rei Harold as herdou quando seu pai abdicou do trono, mas há rumores de que Sua Majestade não gosta do jeito como elas fazem as coisas. Se Rook tentar criar problemas, o rei Harold não dará atenção. Estou mais preocupado com a possibilidade do velho Alfric se envolver, mas ele raramente deixa o palácio, então, com sorte, não ficará sabendo de nada. Não se preocupe, Fletcher. Você não fez nada de errado. Só espero que Rook não mande Inquisidores a seu antigo lar para revirar o lugar do avesso.

Essas palavras tinham assombrado Fletcher por várias semanas e ele mudou de ideia quanto a mandar cartas a Berdon, pois elas poderiam ser rastreadas de volta até ele, ou até o pai. Se Rook descobrisse o seu crime... Fletcher não queria nem pensar no que poderia acontecer.

É claro que essa não fora a única coisa a desanimar Fletcher. Goodwin os tinha carregado com toneladas de deveres de casa, exigindo redações infinitas sobre demonologia e lhes devastando com críticas caso errassem o menor dos detalhes.

Em compensação, Fletcher conquistou elogios relutantes de Goodwin na segunda aula de demonologia; seu estudo das raças de Canídeos e seus primos foi recompensado. Fletcher tinha identificado corretamente e discursado com eloquência sobre os demônios de Penélope e Malik. Penélope tinha um Vulpídeo, um demônio-raposa de três caudas, um pouco menor que um Canídeo comum, porém muito mais ágil. Seu focinho era elegante e pontudo, e a pelagem era de um vermelho suave que reluzia como cobre polido.

O Anubídeo de Malik era um dos primos mais raros dos Canídeos. Ele se acocorava sobre duas patas, semelhante a um Felídeo, com a cabeça de um chacal e pelagem lisa e negra. Era um parente próximo do demônio escolhido do major Goodwin, o Lupídeo, uma criatura semelhante com denso pelo cinzento e cabeça de lobo. O Anubídeo era um demônio popular entre os magos de batalha, oriundos do deserto de Akhad, apesar da espécie ter sido caçada até se tornar praticamente extinta na parte de Hominum do éter.

O demônio de Rufus era outro Lutra, para a decepção de Atlas. Extraordinariamente, o demônio do jovem nobre lhe fora presenteado da mesma forma que as criaturas dos plebeus, por meio da doação forçada de um pergaminho de conjuração. Isso ocorrera porque a mãe dele tinha morrido quando ele era pequeno, e seu pai não era um invocador.

A única coisa em que Fletcher acreditava ter talento natural era na esgrima. Sir Caulder o convidara para aulas extras, com técnicas específicas para o khopesh. Seu maior defeito era o controle da agressão. De acordo com Sir Caulder, a paciência era uma das virtudes mais importantes do espadachim.

— Muito bem, pessoal, todos juntos aqui, por favor — gritou Arcturo, tirando Fletcher de seu devaneio.

O grupo se reuniu ao redor do professor, os rostos brilhando com a euforia de finalmente aprender uma das lições mais práticas da feitiçaria. As últimas semanas tinham sido basicamente voltadas para a prática de fogo-fátuo, canalizando mana e controlando movimento, tamanho, forma e brilho. Arcturo argumentara que as técnicas aprendidas com fogos-fátuos os preparariam bem para o entalhe de glifos.

— Pois bem, muitos de vocês estão enfrentando dificuldades em completar um feitiço em todas as tentativas. Um número ainda maior tem problemas em fazê-lo com rapidez suficiente. Vou deixar uma coisa muito clara. Tanto velocidade quanto consistência são essenciais para um mago de batalha bem-sucedido — afirmou Arcturo numa voz grave, olhando cada um deles nos olhos. — Agora, quem pode me dizer quais são os quatro feitiços fundamentais de um mago de batalha?

Penelope levantou a mão.

— Os feitiços de escudo, de fogo e de relâmpago.

— Muito bem, mas esses são só três. Quem pode me dizer o quarto?

— Telecinese — sugeriu Serafim.

— Isso mesmo, a habilidade de mover objetos. Observem bem. — Arcturo sorriu.

O professor ergueu a mão e entalhou uma espiral no ar, como se estivesse agitando uma xícara de café. Subitamente, ele chicoteou a mão para fora e o chapéu que ele usava saltou para as vigas do teto, em seguida descendo com lentidão e pousando em sua cabeça novamente. Fletcher percebeu uma perturbação no ar abaixo do chapéu, como uma onda de calor num dia ensolarado.

— A arte de mover objetos é traiçoeira, pois, ao contrário dos feitiços de escudo, fogo ou relâmpago, a telecinese é praticamente invisível ao olho nu. É muito mais difícil laçar alguma coisa e manipulá-la quando não se pode ver a corda que você usa, por assim dizer. A maioria dos magos de batalha simplesmente lança um impacto súbito, jogando o oponente para longe, mas gastando muito mana.

Arcturo, parecendo um tanto culpado, olhou de relance para a pilha de rolos de pergaminho que Penélope tinha trazido consigo. Estavam cheios de outros símbolos que o capitão os instruíra a aprender.

— Obviamente, existem milhares de outros feitiços. O feitiço de cura, por exemplo; difícil, mas útil. Ele age lentamente, portanto não é muito prático no calor da batalha. — Arcturo entalhou o símbolo do coração no ar para demonstrar. — Há alguns símbolos que lhes serão necessários no próximo ano, mas que vocês não conseguirão executar agora, como o feitiço de barreira. Vocês verão este em ação durante o torneio. De qualquer maneira, concentrem-se nos quatro fundamentais e não se darão muito mal no desafio. Mas precisarão dos outros na prova escrita; portanto, aprendam todos! Turma dispensada!

Com essas palavras, Arcturo deu meia-volta e se dirigiu à porta. Os outros começaram um bate-papo animado, mas Fletcher não estava a fim de conversar. Em vez disso, foi atrás do professor e puxou de leve sua manga.

— Senhor, se importaria se eu perguntasse se a capitã Lovett está bem?

Arcturo se virou e olhou nos olhos de Fletcher, com o cenho franzido de preocupação.

— Ela está em choque etéreo. Pode ser que jamais se recupere, ou que se recupere amanhã. Tento ler para ela sempre que posso — respondeu Arcturo, tocando o livro que levava sob o braço. — Felizmente para a capitã, um dos demônios dela, Valens, não estava infundido quando o acidente aconteceu. Ela pode ser capaz de ver através dos olhos dele usando apenas a própria mente. Só os conjuradores extremamente talentosos conseguiram aprender essa habilidade, mas Lovett é uma das mais talentosas que eu já tive a honra de conhecer. Se existe alguém capaz de fazê-lo, é ela.

O professor deu um aperto encorajador no ombro de Fletcher e se obrigou a sorrir.

— Agora vá descansar; você trabalhou duro hoje.

Fletcher assentiu e se afastou, subindo lentamente as escadas da ala oeste. Desejava a solidão do próprio quarto e a companhia de Ignácio, que só podia ser conjurado durante algumas das aulas.

Com a capitã Lovett inconsciente, Fletcher se sentia mais solitário do que nunca. Por mais que seus amigos lhe apoiassem e fossem boa companhia, todos tinham seus próprios problemas com que lidar. Até mesmo Arcturo andava reservado recentemente, mas, se era por conta da presença de Rook, de um desapontamento com a performance de Fletcher, ou por causa da condição de Lovett, o rapaz não saberia dizer. A professora havia sido bela e destemida, completamente indiferente às distinções de raça e classe social de seus estudantes. Fletcher sabia que poderia procurá-la se tivesse algum problema. Agora... era como se ela houvesse partido.

Com a mente prejudicada pelo cansaço, Fletcher se dirigiu ao andar errado, onde os nobres mantinham seus aposentos privados. Enquanto resmungava e se virava de volta às escadas, algo lhe chamou a atenção. Era uma tapeçaria, ilustrada com pessoas de armadura em meio a uma batalha. Fletcher foi até lá e admirou o trabalho intrincado que a tinha trazido à vida.

Os orcs investiam sobre uma ponte, cavalgando seus rinocerontes de guerra a toda velocidade contra um pequeno grupo de homens armados com piques. À frente deles se erguia uma figura dominadora, o braço estendido com o símbolo em espiral entalhado diante de si. Ao seu lado, um Felídeo leonino exibia as presas e parecia rugir contra as hordas atacantes.

Fletcher se inclinou para a frente e leu a placa abaixo da obra: *O Herói da Ponte Watford.*

— Incrível. Cipião rechaçou uma investida de rinocerontes órquicos — murmurou ele.

De repente, ouviu o som de passos. Ao perceber que estava no andar dos nobres, Fletcher disparou para dentro de um cômodo e se escondeu nas sombras. Ele não queria topar com Tarquin novamente, não em seu humor atual.

— Você viu a cara daquele palhaço quando o feitiço dele falhou? Eu poderia ter rido até chorar. O bastardo achava que era tão especial. Agora, olhe só para ele — declarou Tarquin, com pachorra. A risadinha resultante revelou que ele estava com Isadora.

— Você é engraçado, Tarquin querido. — Riu a irmã. — Mas nós não tivemos tempo de conversar hoje, não com todas aquelas aulas inúteis. Conte-me, o que papai disse em sua carta?

— Sabe que ele não pode nos dizer muito, não em algo tão comprometedor quanto uma carta. Mas eu consigo ler nas entrelinhas. Vai acontecer esta noite. Amanhã pela manhã seremos os maiores fabricantes de armas em Hominum. Então, tudo que teremos de fazer será nos livrar do pai de Serafim e assumir o negócio de munições dele. Depois disso, tudo será nosso!

— Ótimo. Nossa herança estará assegurada novamente. Mas ele lhe disse se... — A voz de Isadora desvaneceu até sumir quando eles entraram em um dos quartos e fecharam a porta. Fletcher percebeu que estava contendo a respiração, e a soltou num longo suspiro. O que quer que ele tivesse escutado naquela noite, não eram boas notícias de forma alguma.

Fletcher estava prestes a sair do esconderijo quando ouviu mais passos. Alguém se aproximou devagar até parar diante do quarto em que Tarquin e Isadora tinham entrado, em seguida soltou um longo suspiro.

— Vamos lá, Sylva, você consegue — disse a voz musical da elfa.

Fletcher ficou boquiaberto de surpresa. Por que Sylva teria vindo falar com os Forsyth tão tarde da noite?

— Consegue o quê? — indagou Fletcher, saindo das sombras.

Sylva se espantou e levou as mãos à boca.

— Fletcher! Achei que você estaria na cama.

— Consegue o quê? — repetiu o menino, franzindo o cenho.

— Eu estou aqui para... fazer as pazes com os Forsyth — murmurou ela, evitando os olhos de Fletcher.

— Por quê? Por que diabos você decidiria isso? Eles a abandonaram quando você mais precisava de ajuda! — exclamou Fletcher.

— Eu me esqueci do motivo da minha presença aqui, Fletcher. Sou uma elfa, a primeira conjuradora do meu povo em centenas de anos. Não só isso, mas uma embaixadora também. Você e Otelo foram bons para mim, e não lhes desejo mal algum. Mas não posso alienar a nobreza, não quando as relações entre nossos países estão em jogo. Zacarias Forsyth é um dos conselheiros mais antigos e mais próximos do rei Harold, e será o rei quem negociará uma aliança entre nossos povos. Minha amizade com os filhos de Zacarias poderá influenciá-lo em favor da nossa causa. — Sylva falava com firmeza, como se já tivesse ensaiado o discurso antes.

— Mas, Sylva, eles nem gostam de você. Só querem sua amizade para vantagem própria! — insistiu Fletcher.

— Eu também só quero a deles pelo mesmo motivo. Lamento, Fletcher, mas já tomei minha decisão. Isso não muda nada entre nós, mas é assim que as coisas têm que ser — afirmou ela.

— Ah, mas muda sim! Você acha que vou confiar em você enquanto for amiga daquelas duas víboras? — perguntou Fletcher, sem pensar, passando pela elfa.

— Fletcher, por favor! — implorou Sylva.

Mas era tarde demais. O rapaz foi embora pisando duro, a angústia substituída por uma fúria que fervia em seu interior.

Maldita seja a elfa e suas manobras políticas. Malditos sejam os nobres também! Tudo estava desmoronando: suas amizades, seus estudos.

Fletcher não podia nem entrar em contato com Berdon enquanto estivesse sob o olhar vigilante de Rook.

No alto da escadaria, Rory, Serafim e Genevieve batiam papo, animados com os próprios sucessos. Fletcher afundou numa poltrona atrás deles, esperando não ser notado. Não estava nem um pouco a fim de conversa.

— Acho que talvez meu nível de realização esteja crescendo! — declarou Rory, cheio de alegria. — Eu fui muito bem! Talvez Malaqui também esteja subindo de nível!

— Acho que você não entendeu como os níveis de realização funcionam, Rory — afirmou Serafim, gentilmente. — Sua habilidade de executar feitiços não tem nada a ver com o seu nível. Realização só diz respeito a quanta energia demoníaca você é capaz de absorver. E Malaqui nunca vai subir de nível. Cada demônio permanece no mesmo nivelamento pelo resto da vida. Ainda que o seu demônio fique maior e mais forte, isso nunca mudará.

— Ah... — murmurou Rory. — Mas por que Tarquin estava se gabando com Fletcher sobre como Ignácio era de um nível mais baixo que Trébio, se isso não tem nada a ver com poder e força?

— Porque é normalmente uma boa estimativa. Um demônio de nível sete geralmente vai ser mais forte que um nível seis, numa regra empírica. Não é uma lei imutável. Por exemplo, um Felídeo vai derrotar um Canídeo numa luta nove em cada dez vezes, mesmo que ambos sejam nível sete. Ou, por exemplo, considere o Golem de Otelo. Quando ele estiver completamente crescido, será várias vezes mais poderoso que um Canídeo, mesmo que seja nível oito enquanto o Canídeo é sete.

— Certo... deixa para lá, então. — Rory estava com uma expressão chateada de novo.

— Não se preocupe, tenho certeza de que você subirá de nível — disse Serafim, notando a mudança de humor em Rory. — O major Goodwin me disse que é muito raro que um conjurador permaneça no mesmo nível sua vida inteira. Só aqueles que nunca capturam outros demônios ou que são muito azarados em seu crescimento natural de realização ficam estagnados.

— E como esperam que eu capture outros demônios se Rook não nos deixa caçar? — bradou Rory, levantando-se num salto.

— Rory, calma, é só por um ano! — tentou argumentar Genevieve, mas o garoto a ignorou e foi para o quarto, aborrecido. A menina lançou um olhar exasperado a Serafim e então seguiu Rory até o alojamento dos meninos.

Serafim mordeu o lábio e suspirou.

— Falei bobagem de novo. Estava só tentando controlar as expectativas dele, nada mais — murmurou ele.

A sala ficou em silêncio, e Serafim passou a escrever anotações para a próxima redação de demonologia. No fim, ele se cansou e apagou o fogo-fátuo, lançando o aposento nas sombras. Levantou-se e fez menção de ir para o quarto.

— Espere — disse Fletcher, segurando-o pela mão. — Preciso lhe perguntar uma coisa.

— Claro, o que foi? — indagou Serafim com um bocejo.

— O que seu pai faz? Estou perguntando porque escutei Tarquin mencionar uma coisa... sobre derrubar o seu pai. Tem alguma coisa a ver com os negócios dele — murmurou Fletcher.

Serafim ficou paralisado. Fletcher percebeu que algum tipo de conflito interno estava ocorrendo. No final das contas, o rapaz relaxou e se sentou ao lado dele.

— Considerando que sei seus segredos, é apenas justo que lhe conte os meus. Só me prometa que não vai dizer uma única palavra do que for dito para mais ninguém.

Fletcher concordou com um aceno de cabeça, e Serafim continuou:

— Sou nascido e criado na Antioquia, a mesma cidade de Malik e sua família, os Saladin. A família dele não possui vastas propriedades rurais e florestas como os outros nobres, porém são donos de muitos negócios e imóveis na cidade. Isso ocorre porque Antioquia é cercada pelo deserto, onde nada cresce e há pouca água.

— Então os Saladin estão envolvidos? — perguntou Fletcher.

— Não exatamente. Meu pai correu um risco. Ele comprou áreas enormes do deserto. Era tudo terra barata, mas virtualmente inútil. Eu me lembro dos meus pais discutindo a noite inteira quando ele gastou todas as nossas economias nisso. Então certo dia, um anão veio nos visitar. Ele nos disse que os anões não têm o direito de possuir terras que não sejam aquelas onde foram alocados em Corcillum, mas que ele e seu povo precisavam daquilo. Os nobres não queriam saber de fazer negócios com os anões, mas, talvez, nós nos interessássemos.

— Eu sabia que os anões tinham alguma coisa a ver com isso! — exclamou Fletcher, percebendo em seguida que falava alto demais e levava um dedo aos lábios.

— Na verdade os anões precisavam de metais e de enxofre em grandes quantidades. Eles fizeram levantamentos geológicos nas nossas terras e encontraram veios sob a areia, bem fundos. Sem o conhecimento técnico deles, nós não conseguiríamos extraí-los e, por outro lado, sem a nossa terra, eles também não. Então fechamos um acordo: eles nos ajudariam a instalar as minas e nos emprestariam o dinheiro necessário para contratar homens e comprar o equipamento. Em troca, seríamos sócios exclusivamente dos anões e não venderíamos a mais ninguém. Eles fariam o processamento da matéria-prima e dividiríamos os lucros de forma justa.

— Mas por que enxofre? — indagou Fletcher. Tudo começava a fazer sentido.

— Ele é usado na produção de pólvora. A melhor parte é que, aparentemente, só o deserto de Akhad possui depósitos de pólvora em quantidades significativas, e nós somos donos de todas as terras que ficam suficientemente próximas da civilização para que a mineração seja viável. Cada bala de chumbo disparada e cada barril de pólvora usado são produzidos numa mina ou fábrica Pasha. Esse é meu sobrenome, aliás: Pasha.

— E por que os Forsyth se importariam com isso? — inquiriu Fletcher.

— Você não sabe nada sobre essas coisas? O maior negócio deles é a produção de armas. São o principal fornecedor de espadas, armaduras, elmos, até mesmo uniformes. Quando os anões desenvolveram os mosquetes... os negócios dos Forsyth começaram a minguar. O armamento enânico está se tornando gradualmente mais popular, e soldados que lutam com mosquetes não precisam mais vestir armadura, já que podem combater a distância. Não acho que os Forsyth saibam como nos derrubar ainda, mas não ficaria surpreso se estivessem planejando isso.

— Eles mencionaram algo sobre um evento importante hoje à noite, mas falaram em lidar com seu pai em seguida — avisou Fletcher, tentando se lembrar das palavras exatas de Tarquin.

— É tarde demais para fazer alguma coisa a respeito, mas meu pai está em segurança. Eu não me preocuparia muito. Tinha esperanças de que Tarquin e Isadora não soubessem da minha identidade, mas suspeito de como eles descobriram. — Serafim sorria enquanto falava, como se estivesse esperando alguma desculpa para revelar seu segredo. — Primeiro perdemos uma família nobre, os Raleigh, depois os Queensouth e os Forsyth se uniram numa só casa. O rei Harold subitamente perdeu duas de suas famílias nobres mais antigas. Ele queria criar novas casas aristocráticas, usando os poucos segundos e terceiros filhos nobres que também nasceram adeptos e lhes dando seus próprios títulos. Mas os nobres odiaram a ideia; em geral casam esses filhos com os primogênitos de outras casas. Então o rei procurou outra solução. Meu pai tem um bom relacionamento com os anões, é dono de muita terra e agora está quase tão rico quanto um aristocrata por si só. Entretanto, isso não basta. Para se tornar um nobre, você precisa ser um adepto. Até que, certo dia, os Inquisidores apareceram para me testar...

— E descobriram que você é um adepto — concluiu Fletcher, finalmente compreendendo a situação. — Você pode começar uma nova linhagem aristocrática, já que seus filhos primogênitos serão adeptos também.

— Exatamente. O rei fará o anúncio publicamente no próximo ano, mas os nobres já ficaram sabendo. Não acho que eu seja muito popular junto aos gêmeos agora, ou mesmo com Malik.

Fletcher ficou sentado em silêncio, tentando processar tudo que tinha acabado de ouvir.

— Boa noite, Fletcher — disse Serafim, saindo da sala pé ante pé. — Lembre-se... é o nosso segredinho.

40

Os tambores de guerra rufavam com um fervor insano, martelando o ar noturno com intensidade pulsante. Fileiras e mais fileiras de orcs batiam palmas e pisoteavam no ritmo, pontuando o fim de cada ciclo com uma ululação gutural.

A Salamandra se enrolou no pescoço de um xamã orc, observando os procedimentos. A plataforma elevada onde eles se encontravam era o epicentro ao redor do qual todos os orcs se reuniam, iluminada por enormes fogueiras vorazes em cada quina. Escravos gremlins corriam de um lado para o outro, arrastando madeira da selva para manter as chamas bem altas.

Subitamente, os tambores cessaram. O diabrete se espantou com o silêncio abrupto e bocejou ruidosamente. O xamã o acalmou e lhe colocou uma isca de carne na boca, acariciando a cabeça da Salamandra afetuosamente.

Um grunhido cortou o silêncio atrás deles. Um elfo estava atado a um travessão, mãos e pés cruelmente amarrados à madeira. Seu rosto estava inchado e coberto de sangue seco, mas o pior ferimento era o grande quadrado em carne viva nas costas, de onde um pedaço de pele fora removido. Atrás dele, outro orc estava raspando a pele com uma rocha serrilhada, removendo qualquer traço residual de gordura, carne ou tendão.

O elfo grasnou desesperado, mas sua garganta estava seca demais para formar quaisquer palavras com sentido. O xamã orc lhe acertou um pontapé, chutando-o no estômago. O elfo sufocou e ficou pendurado contra as amarras, ofegando como um peixe fora d'água.

Um burburinho se iniciou na massa de orcs abaixo. As multidões abriram caminho, revelando uma procissão que adentrava o acampamento. Havia dez orcs; espécimes grandes, musculosos, cuja pele cinzenta estava pintada com ocres vermelhos e amarelos. Seu armamento era tão primitivo quanto atemorizante; pesadas clavas de guerra cravejadas de pedras pontudas.

Porém, eles não estavam sozinhos. Outro orc os acompanhava, e fazia com que parecessem minúsculos. Sua pele era de um branco pálido, e seus olhos rubros ardiam sob a luz das chamas. Ele caminhava com confiança genuína, aceitando os olhares de reverência dos orcs como um justo tributo.

Conforme o grupo se aproximava da plataforma, o elfo começou a gritar, lutando contra as amarras. Desta vez, o xamã não fez nenhuma menção de silenciá-lo. Em vez disso, simplesmente se ajoelhou, curvando a cabeça profundamente enquanto o orc albino subia na plataforma, deixando os guarda-costas para trás.

O orc branco ergueu o xamã, colocou-o de pé e o abraçou. Ao fazê-lo, a multidão rugiu seu apoio, batendo os pés até a plataforma tremer. Mesmo com todo aquele barulho, os gritos desesperados do elfo ainda podiam ser ouvidos enquanto ele puxava as tiras de couro que o atavam no lugar.

As exclamações de apoio morreram quando o orc albino se aproximou do elfo cativo. Ergueu o rosto do prisioneiro e o encarou, segurando a cabeça com tanta facilidade quanto se fosse uma laranja. Finalmente, o soltou com um grunhido desinteressado.

O elfo estava quieto agora, como se resignado com seu destino. A multidão observava com ansiedade enquanto o orc branco recebia o pedaço de pele, agora esticado numa prancheta de madeira. Ele ergueu o objeto à luz, exibindo assim o pentagrama que trazia tatuado na mão, a tinta negra contrastando drasticamente com a pele pálida. Os dedos também eram tatuados, a ponta de cada um marcada com um símbolo diferente.

O diabrete foi baixado ao chão pelo mestre, que se afastou e se curvou novamente. O orc albino estendeu a mão, virando a palma tatuada para o céu. Enfim, com uma voz grave e retumbante, o orc começou a ler a pele.

— *Di rah go mai lo fa lo go rah lo...*

O pentagrama na palma do orc começou a brilhar num roxo incandescente e cegante. Filamentos de luz branca se materializaram, um cordão umbilical retorcido entre o xamã e a Salamandra. O laço invisível que unia os dois se desenrolou, então se rompeu com um estalo audível.

— *Fai lo so nei di roh...*

Porém, aquelas foram as últimas palavras do orc branco.

Uma flecha élfica silvou pelo ar e se cravou em sua garganta, espirrando sangue quente pela plataforma. Mais projéteis choveram nas fileiras; longas hastes pesadas, ornadas com penas de ganso. O orc xamã rugiu, mas, sem seu demônio, estava impotente. Em vez de lutar, ele correu para o lado do orc branco caído, tentando estancar o sangue que esguichava do pescoço de seu líder.

Outra saraivada de flechas foi disparada, lançando os orcs no caos, correndo sem propósito, brandindo clavas de guerra e feixes de dardos. Então, com um toar metálico, o som de trompetes soou da floresta e uma grande multidão investiu vinda das árvores, urrando seus gritos de batalha. Mas não foram os elfos que vieram marchando das trevas... eram homens.

Homens vestindo pesadas armaduras de placas, armados com espadas largas e escudos, lançando-se destemidamente ao coração do acampamento. Eles não ofereceram misericórdia, cortando e estocando os orcs num tornado de aço. O acampamento foi transformado num abatedouro, o solo recoberto por uma espessa camada de entranhas, corpos e sangue. Atrás dos guerreiros, ondas e mais ondas de flechas voavam acima, bombardeando os orcs com precisão letal.

Os orcs não eram covardes. Eles investiram contra os atacantes, esmagando elmos e peitorais com golpes de clava como se fossem feitos de alumínio. Era um corpo a corpo desesperado e cruel. Não havia habilidade ou tática ali; a morte era decidida pela sorte, força e números.

Orcs rugiram em desafio conforme as lâminas dos homens subiam e desciam. A cada golpe de suas clavas, lançavam homens pelos ares, esmigalhando-lhes os ossos e os deixando aleijados onde caíam. Os orcs continuaram lutando sob a tempestade de flechas, arrancando as hastes dos próprios corpos e as atirando de volta nos rostos dos inimigos, o desafio em seus olhos.

A guarda pessoal do orc branco talhou uma larga trilha de destruição, lançando dezenas de oponentes às suas mortes. Sua força era inigualável conforme eles se esquivavam e giravam à luz do fogo, usando as clavas tachadas com efeito letal. Os outros orcs se organizaram na retaguarda, gritando ordens enquanto levavam a luta de volta ao inimigo. De alguma forma, os orcs agora estavam em vantagem.

Algo se agitou na selva, uma massa escura que se mantivera fora de vista. O que antes parecia ser um monte de galhos de árvore se tornou chifres que sacudiam e empurravam ao investir contra a clareira. Eram os elfos, montados em alces imensos, feras de peito largo com pernas fortes e galhadas afiadas. Eles não vestiam armadura, mas brandiam os arcos que tinham enegrecido o céu com flechas havia pouco. O elfo que liderava a carga erguia uma grande flâmula que esvoaçava *às suas costas*, feita de pano verde com fios dourados. A flecha partida ilustrada no estandarte ondulava conforme os alces pisoteavam os corpos despedaçados no solo.

Eles atingiram os orcs como um aríete, empalando as primeiras fileiras com os chifres e os atirando para trás. Flechas silvaram, cravando-se em crânios e olhos, disparadas agilmente pelos elfos de suas montarias. Os homens comemoraram e os seguiram, executando os orcs que tinham sido atropelados pela investida.

A situação começou a se reverter de novo, mas a batalha estava longe de terminar. Os orcs cercaram a plataforma, um último núcleo de resistência que não se renderia. Eles lançaram seus dardos contra os inimigos, grandes hastes de madeira com pontas afiadas que massacravam alce e elfo igualmente.

Os homens ergueram seus escudos, uma fileira ajoelhada e a outra de pé para criar uma parede entrelaçada com duas linhas de altura. Os elfos mandaram seus alces de volta às árvores e dispararam flechas de trás da linha da floresta, arqueando os disparos sobre a proteção para castigar habilmente os inimigos. Era uma luta mortal de atrito conforme os projéteis dos dois lados cobravam seu preço. Mas só poderia haver um resultado.

Foram necessárias dúzias de flechas para extinguir cada orc, mas eles não escaparam. Caíram, um por um, estrebuchando e sangrando na terra. Por fim, a guarda do orc branco empreendeu um ato final irremediável, investindo contra os inimigos. Eles mal deram dez passos.

Na plataforma, o orc xamã tocava a Salamandra perdida, desesperado pelo mana que poderia lhe dar uma chance de sobrevivência. Percebendo a inutilidade do gesto, ele sacou a faca e se arrastou até o elfo cativo, talvez na esperança de obter um refém.

Ao erguer a faca ao pescoço do elfo, os arcos foram erguidos novamente. As flechas silvaram uma última vez.

Fletcher acordou num susto, com o corpo encharcado de suor frio.

— O que diabos foi isso?

41

O que Fletcher tinha acabado de ver... não fora um sonho, disso ele tinha certeza. Sentira o cheiro de sangue, ouvira os gritos. As imagens eram as memórias de Ignácio, um dos flashbacks de infusão sobre os quais Lovett tinha lhe avisado.

— Estou com um pouco de ciúmes — murmurou Fletcher ao diabrete. — Eu tinha quase me esquecido de que você um dia foi de um orc.

O demoniozinho rosnou suavemente e se enterrou ainda mais nos cobertores. O quarto estava gélido; Fletcher ainda não tinha encontrado um preenchimento adequado para a seteira da parede.

Com um clarão de repulsa, Fletcher percebeu que o pergaminho de conjuração que deixara com a dama Fairhaven tinha sido feito do elfo da memória. De alguma forma, ver a vítima tinha tornado a relíquia duplamente perturbadora.

Ele repassou a cena que acabara de presenciar. O que os elfos estavam fazendo no território dos orcs? Seria o orc branco que ele tinha visto o mesmo que liderava as tribos agora? Não poderia ser. James Baker havia escrito que o pergaminho fora encontrado em meio a ossos de muito tempo atrás. A batalha deve ter acontecido centenas de anos antes, talvez na Segunda Guerra Órquica; não havia mosquetes naquela época, afinal. Mas isso não explicava o que os elfos faziam ali, nem a presença do orc branco.

— Você provavelmente é centenas de anos mais velho que eu, é só o que sei — murmurou Fletcher, esquentando as mãos na barriga de Ignácio.

O rapaz se deitou de volta na cama, mas o sono não chegava. Ele ficou analisando os fatos mentalmente, repetidas vezes. Haveria alguma pista? Não tinha nenhum outro demônio presente além de Ignácio... será que isso significava alguma coisa? Certamente um exército humano teria empregado magos de batalha, especialmente num ataque tão crucial quanto aquele.

De repente ele teve a ideia. O estandarte que os elfos tinham usado: a flecha partida! Aquilo certamente revelaria a qual clã aqueles elfos tinham pertencido. Sylva saberia qual era; ninguém mais ali sabia tanto sobre a história dos povos élficos.

Fletcher se entristeceu ao lembrar a discussão que eles tiveram. Talvez ele tivesse sido muito duro com a amiga. Era fácil esquecer a posição em que ela estava e as responsabilidades dela para com seu povo. Droga, se a amizade dela significasse um fim à guerra na frente élfica, o que importava se ela fosse amistosa com os Forsyth? No mínimo, isso atrapalharia os planos de Didric. Não haveria necessidade de enviar todos os prisioneiros para serem treinados no norte se a frente élfica não existisse mais.

O rapaz se levantou e se vestiu. Enrolando a Salamandra ainda adormecida no pescoço como um cachecol, Fletcher caminhou silenciosamente até o alojamento das meninas.

— Desta vez, eu certamente vou bater à porta — murmurou Fletcher consigo mesmo, sem querer outro encontro com Sariel.

Sylva atendeu imediatamente. O quarto dela era parecido com o de Fletcher, só que com o dobro do tamanho e equipado com um baú extra ao pé da cama. Sariel estava enrodilhada num tapete de pele de carneiro no centro do quarto, observando o rapaz cautelosamente. Sylva exibia a mesma expressão que seu demônio, e ele notou que ela ainda vestia o uniforme. Provavelmente tinha acabado de voltar de seu encontro com os Forsyth. Ele engoliu o aborrecimento gerado com tal pensamento e falou calmamente:

— Posso entrar?

— É claro. Só que, se você veio aqui para me fazer mudar de ideia, pode voltar para a cama. Tarquin e Isadora estavam dispostos a pôr nossas desavenças de lado, e espero que você seja capaz de fazer o mesmo comigo!

— Não vim aqui por causa disso — respondeu Fletcher, ignorando o próprio desejo de contradizê-la. — Tive um flashback, como Lovett tinha avisado. Preciso lhe perguntar sobre a última vez em que elfos e humanos lutaram juntos.

Sylva ouviu com atenção absoluta enquanto o rapaz contava sobre seu sonho. Ele tentou relatá-lo nos menores detalhes possíveis, na esperança de se lembrar de alguma outra pista.

— Fletcher... você tem certeza de que não era um sonho? — indagou a elfa quando ele terminou. — É só que... o que você me disse é impossível.

— Mas por quê? — perguntou Fletcher. — Estou lhe dizendo, era tudo real!

— Se o que você diz é verdade... Ignácio tem mais de dois mil anos de idade! — exclamou Sylva. Ela se apressou até o baú ao pé da cama e remexeu dentro dele. — Sei que está aqui em algum lugar — murmurou ela, empilhando livros empoeirados ao seu lado no chão de pedra. — Aqui! — anunciou, erguendo um tomo pesado até a cama.

Fletcher se sentou ao lado dela e a elfa folheou o livro até parar numa página ilustrada. A cena exibida deixou Fletcher estonteado: elfos cavalgando alces, investindo contra uma horda de orcs. A flâmula da flecha partida esvoaçava atrás deles. Homens a pé atacavam pelo outro lado, trajando a mesma armadura da visão de Fletcher. Até mesmo a guarda de honra do orc branco estava presente, com a inconfundível pintura de guerra vermelha e amarela.

— Você se lembra daquilo que lhe contei naquela noite nos milharais? Sobre como os elfos ensinaram o primeiro rei de Hominum a conjurar em troca de uma aliança contra os orcs? Essa foi a batalha final que eles empreenderam, a Batalha de Corcillum, assim chamada pela proximidade com a cidade enânica. O homônimo do seu demônio, Ignácio, teria liderado a investida naquela batalha. Aparentemente, não aconteceu muito longe daqui, mas o local exato da peleja foi perdido no tempo. O fato de que você pôde vê-la... é incrível! — Ela acariciou a página, traçando o contorno dos chifres de um alce.

— Mas eu não entendo. Por que havia um orc branco... e por que Ignácio era o único demônio lá?

— Só os chefes dos clãs élficos eram conjuradores, e o motivo principal de eles terem feito o acordo com o seu primeiro rei foi para que não tivessem de se arriscar em batalha. Os elfos não precisariam lutar de forma alguma depois do acordo, mas participaram da Batalha de Corcillum porque o filho de um dos chefes de clã fora sequestrado, então eles mandaram seus próprios soldados para ajudar. Também não tinham ensinado a arte da conjuração ao rei Corwin a essa altura, pois as condições do acordo determinavam claramente que os orcs precisavam ser completamente derrotados antes. Quanto ao orc branco, eu não faço ideia. Só sei que, depois da Batalha de Corcillum, os orcs recuaram para as selvas. Foi a vitória decisiva que marcou o início de uma era de paz que durou até a Segunda Guerra Órquica, trezentos anos atrás.

Fletcher estava feliz por ter ido falar com Sylva. Ela parecia ter aprendido tudo sobre relações humano-élficas na sua preparação para a vinda à Cidadela.

— Acho que precisamos ir à biblioteca pesquisar se já houve relatos de outro orc albino — comentou Fletcher. — Aparentemente, depois que este último foi morto, os orcs se desorganizaram de forma total. Talvez os orcs brancos não sejam apenas os líderes; pode haver algo mais por trás disso!

— Tem razão. Ignácio estava prestes a ser presenteado a ele, e parecia ser uma cerimônia importante. Temos de pesquisar tudo sobre os orcs e seus líderes antigos, talvez a gente descubra alguma coisa. — Sylva se levantou e foi até a porta.

— Aonde você vai? — indagou Fletcher enquanto Sariel saltava atrás da dona, quase o derrubando.

— À biblioteca, é claro. E digo mais: o quanto antes!

Fletcher não teve escolha além de segui-la.

Vocans era fria e úmida à noite, mas fogos-fátuos iluminavam o caminho suficientemente bem. O uso de feitiços não dava mais a Fletcher a alegria de outrora, pois ainda se aborrecia com seu desempenho recente nas aulas de Arcturo.

Ele tentou se manter positivo e se concentrar na tarefa do momento. Pelo menos teria a chance de se redimir, oferecendo informações úteis sobre os orcs.

Se ao menos ele tivesse acesso ao livro do conjurador... Fletcher adoraria ter a oportunidade de ler mais sobre o local onde o pergaminho de Ignácio fora encontrado.

Enquanto eles desciam a escadaria em espiral, Fletcher notou o brilho de outro fogo-fátuo atrás deles.

— Esconda-se! Pode ser Rook! — sibilou ele.

Eles apagaram as próprias luzes e se ocultaram num dos corredores do andar superior. Contendo a respiração, os dois se pressionaram contra uma porta. Sariel ganiu com a escuridão súbita, mas se calou com um toque de Sylva em seu focinho.

Passos apressados logo se seguiram, acompanhados de respiração ofegante. Quem quer que fosse, estava com pressa. Depois do que pareceu uma eternidade, os passos se foram, e os dois ficaram novamente envolvidos pelas trevas.

— Venha, vamos em frente — murmurou Fletcher quando teve certeza de que não poderia ser ouvido.

— Quem estaria vagueando pelos corredores a uma hora destas? — indagou Sylva.

— Acho que faço uma ideia — respondeu Fletcher, descendo as escadas à frente dela novamente, tomando cuidado para não tropeçar no escuro.

— Como assim? — perguntou Sylva.

— Na minha primeira noite aqui, vi alguém saindo da nossa sala comum e depois da Cidadela. Parecia estar com pressa, e não queria ser visto — explicou Fletcher, virando no corredor da biblioteca.

— Isso é tão suspeito, Fletcher. Por que você não contou a ninguém? — inquiriu Sylva, com desaprovação clara na voz.

— Porque não achei nada de mais. Poderia ser só alguém atrás de um pouco de ar fresco. Foi por isso que *eu* saí naquela noite. Agora, aconteceu de novo, porém... talvez eu devesse ter dito alguma coisa.

Fletcher empurrou a porta da biblioteca. Ela balançou nas dobradiças, mas permaneceu firmemente fechada.

— Bem, parece que desperdiçamos uma viagem aos andares de baixo. A dama Fairhaven deve ter trancado a porta depois que o último estudante foi embora dormir... O que deveríamos fazer também — concluiu o rapaz, chutando a porta de frustração. — A biblioteca pode esperar até depois da aula de Rook.

— Eu não vou dormir! Tem alguém se esgueirando pela escola à noite. Eu vou descobrir quem é. Se eu puder trazer um traidor à justiça, então todo mundo vai saber que os elfos são confiáveis.

Com isso, ela saiu pelo corredor e desceu a escadaria aos saltos.

— Sylva, não é seguro para você lá fora! Aqueles homens que lhe atacaram em Corcillum podem estar vigiando o castelo!

Mas era tarde demais. A elfa tinha partido.

Fletcher praguejou ao tropeçar na escuridão.

— Sylva! — sibilou ele, tentando chamar atenção e ser silencioso ao mesmo tempo. Ele já seguia o rastro dela havia uma hora, apesar da fina lasca de lua no céu noturno mal lhe permitir que enxergasse a trilha da elfa. Havia um pouco de grama amassada aqui, um graveto quebrado ali. Num dado ponto ele achou que a tinha perdido, mas o solo tinha sido amolecido pela chuva recente, permitindo que o rapaz detectasse as leves depressões de pegadas, que lentamente se enchiam de água. Se não fosse um caçador experiente, Fletcher a teria perdido.

Ele poderia se arrepender de não tê-la seguido imediatamente após sua partida. Em vez disso, decidiu correr de volta escada acima e buscar o khopesh, para o caso de eles se meterem em encrencas. Quem poderia ter imaginado que Sylva correria tão rápido?

Fletcher alcançou a beirada de um bosque, com árvores altas se erguendo sobre colinas escarpadas a uns oitocentos metros de Vocans.

— Sylva, eu vou matar você!

— Pouco provável — sussurrou uma voz de trás dele. Fletcher sentiu aço frio sendo pressionado contra suas costas e ficou paralisado. — Estou perfeitamente ciente dos perigos que corro por conta de quem eu sou. Mas me recuso a viver com medo, ou mudar meu comportamento em consideração aos meus inimigos.

Sylva passou para diante de Fletcher e exibiu um longo e estreito punhal, não muito diferente daquele que ele tinha feito na forja de Uhtred.

— Eu vim preparada, é claro — explicou ela, sorrindo. — Mas Sariel é equivalente a uma guarda pessoal de dez homens e dois rastreadores de quebra.

Enquanto Fletcher sentia uma pontada em seu orgulho próprio por ter sido pego de surpresa, Sariel saiu de detrás de um afloramento rochoso adiante, farejando o solo.

— Sylva, vamos embora. Isto não é problema nosso! Poderia ser Genevieve visitando a família, nós sabemos que ela vive aqui perto — argumentou Fletcher, ansioso para voltar à Cidadela. Estava congelando ali fora, mesmo com a jaqueta.

— Não quando estamos tão perto — retrucou Sylva, teimosa. — Eles estão logo à frente, vamos!

Ela saiu correndo antes que Fletcher pudesse detê-la. Resmungando de exasperação, ele a seguiu.

O fogo-fátuo surgiu à vista quase imediatamente. A orbe de luz flutuava sobre um pequeno penhasco rochoso, que Sylva subiu abaixada antes de espiar. Seus olhos se arregalaram e ela chamou Fletcher com um gesto.

O menino olhou para o chão lamacento. O que Sylvia poderia ter visto lá embaixo para deixá-la nesse estado? A curiosidade enfim falou mais alto e ele se deitou na terra e se arrastou pelo aclive até estar ao lado da elfa. As frentes do uniforme e da jaqueta logo ficaram ensopadas com lama fria, que não era nada comparada ao arrepio que lhe desceu pela espinha quando Fletcher viu quem estava lá embaixo.

Otelo e Salomão estavam parados diante de uma caverna. Havia dois guardas vigiando a entrada sobre javalis, a montaria tradicional do povo anão. Os animais tinham pelos ásperos cor de ferrugem, com presas enormes que se projetavam perigosamente dos focinhos. Não eram nada parecidos com os porcos selvagens que Fletcher tinha caçado em Pelego; aqueles eram atacantes musculosos, com olhos vermelhos e sinistros que pareciam cheios de raiva e malícia.

Os anões vestiam armadura, usavam elmos de chifres e machados de batalha de duas mãos nos punhos. Portavam uma bandoleira de machados de arremesso pendurada na sela, projéteis mortais com uma lâmina adicional no topo e um cabo afiado.

De repente ouviram uma voz clara e trovejante anunciar:

— Otelo Thorsager se apresentando para o conselho de guerra. Estou sendo esperado.

42

Os anões montados seguiram Otelo caverna adentro, o baque dos cascos dos javalis ecoando até desaparecer no subterrâneo.

— Eles estavam esperando por Otelo. Ainda acha que não é problema nosso? — sussurrou Sylva.

— Bem, não exatamente. Esse conselho de guerra poderia ser sobre qualquer coisa. Afinal, eles acabaram de entrar para o exército. — A voz de Fletcher soava grave e aborrecida. Ele estava decepcionado com Otelo. O anão conhecia todos os seus segredos, até os mínimos detalhes. Como pôde seu melhor amigo esconder isso dele?

— Os anões podem estar tramando uma rebelião — retrucou Sylva. — Pense bem. O rei Alfric criou as leis mais severas contra os anões em toda a história, mesmo que seu filho, Harold, tenha começado a aboli-las. Eles já se revoltaram contra Hominum por muito menos no passado, sem falar no fato de que agora têm o monopólio da produção de mosquetes.

— Não posso acreditar nisso. Otelo está tão determinado a promover a paz entre nossos povos, ele jamais arriscaria tudo isso! — sibilou Fletcher, furioso com a insinuação da elfa.

— Você está disposto a arriscar uma guerra civil com base nisso? — perguntou Sylva. Fletcher fez uma pausa, em seguida socou a terra molhada.

— Tudo bem. Mas não tem como segui-lo. Ele tem uma escolta armada. Avisar os Pinkertons também não é uma boa ideia; eles invadiriam a caverna e começariam a guerra civil esta noite — ponderou Fletcher, explorando as opções. — O que você sugere?

— Nós somos conjuradores, Fletcher, vamos mandar Ignácio se esgueirar pelos guardas e espiar o que está acontecendo. Você terá que me contar o que estão dizendo. Eu não poderei escutar.

— Por que não enviar Sariel? — discutiu Fletcher.

— Porque ela mal cabe naquela caverna e jamais passaria despercebida pelos guardas. Além disso, precisamos de alguém para nos proteger aqui. — Sylva soava exasperada.

— Você só está fazendo isto para descobrir se há alguma tramoia e usar essa informação para conquistar a boa vontade do rei — acusou Fletcher.

— Não é a única razão, Fletcher. Se uma guerra civil irromper no meio da guerra atual contra os orcs, quem sabe o que pode acontecer? Nós dois sabemos que precisamos ver o que está acontecendo nesse conselho de guerra. Agora pare de perder tempo e use minha pedra de visão com Ignácio. Se usarmos sua lasca, não vamos ver nada que preste.

Sylva removeu um fragmento de cristal do bolso do uniforme. Era oval e cerca de quatro vezes maior que a pedrinha do tamanho de uma moeda que Fletcher recebera.

— Rápido, provavelmente já perdemos o começo da reunião — urgiu ela.

Fletcher tocou a pedra de visão na cabeça de Ignácio, acordando o diabrete de seu sono profundo.

— Vamos lá, parceiro. Hora de colocar todo aquele treino em prática. Pelo menos alguma coisa boa vai sair do fato de Rook não deixar que fizéssemos nada além de treinar visualização.

Ignácio bocejou em protesto, mas acordou imediatamente ao sentir o humor de Fletcher. O demônio saltou-lhe do ombro e correu até a beirada do penhasco. Cravando as garras na rocha, Ignácio se arrastou verticalmente até a boca da caverna. Então, como se fosse a coisa mais fácil do mundo, o diabrete continuou correndo de cabeça para baixo no teto da caverna, aventurando-se nas profundezas da terra.

— Uau, não sabia que ele podia fazer isso — sussurrou Sylva, virando a pedra de visão de cabeça para baixo nas mãos de Fletcher a fim de que a imagem invertida fizesse mais sentido.

— Nem eu. Ignácio ainda consegue me surpreender — respondeu Fletcher, cheio de orgulho.

Controlar Ignácio era fácil. A conexão mental deles tinha sido afiada pelas muitas horas de treino nas aulas de Rook, e precisava pouco mais do que uma sugestão de pensamento para ajustar a trajetória do demônio explorador para um lado ou outro. A caverna era escura, mas a visão noturna do diabrete era muito melhor que a de um humano. Dava para discernir a longa e sinuosa passagem com facilidade.

Passados apenas alguns minutos, o túnel se alargou e o brilho tremeluzente de tochas surgiu adiante. Fletcher incitou Ignácio a reduzir a velocidade, pois conseguia ouvir o clique das garras do demônio através da conexão. Seria melhor não dar aos guardas um motivo para olhar para cima.

Os dois anões montados que escoltaram Otelo esperavam na boca do túnel acompanhados de mais de duas dúzias deles. Estavam enfileirados, vigiando o túnel adiante como falcões. Felizmente para Ignácio, a luz das tochas não alcançava o teto da caverna. Ele seguiu rastejando na penumbra, passando despercebido pelos guardas atentos.

O teto do túnel subia cada vez mais. Agora Ignácio estava a quase 25 metros de altura. Qualquer passo em falso poderia lançá-lo à morte, mas o demônio continuou escalando, escolhendo uma trilha por entre as estalactites de gelo. Finalmente, o túnel se abriu numa caverna com forma de domo, iluminada por centenas de tochas.

A caverna era o nexo central de uma rede de túneis similares, como o eixo e os raios de uma roda. O luzir de tochas no fim de cada túnel indicava que eles também estavam guardados por anões montados.

— Qualquer que seja o assunto desta reunião, eles não estão dando a menor chance ao azar, né? — sussurrou Sylva.

Fletcher indicou que a elfa se calasse, pois Ignácio estava olhando para baixo. Dezenas de anões estavam reunidos ali, sentados em bancos feitos de pedra lavrada grosseiramente. No meio, havia uma plataforma rochosa elevada, ocupada por um anão. Fletcher mal podia ouvir sua voz trovejante.

— Precisamos chegar mais perto. Não consigo ouvir o que ele está dizendo — murmurou Fletcher, orientando Ignácio a olhar em volta pela caverna. As paredes eram iluminadas pela luz irregular das tochas, e não havia como o demônio descer por elas sem ser visto.

— Mande Ignácio descer por aquilo ali — sugeriu Sylva, apontando para a grande estalactite que descia um terço da distância até o piso da caverna.

Fletcher ordenou que o demônio usasse a rocha pontuda para descer, urgindo-o a ser cauteloso. Em seguida, fechou os olhos e começou a sussurrar as palavras que estava ouvindo.

— ...Eu lhes digo novamente, este é o momento perfeito para rebelião! Não houve uma situação melhor em dois mil anos. O exército de Hominum está atolado entre duas guerras, os elfos ao norte e os orcs ao sul. Eles não podem enfrentar uma terceira. De um ponto de vista tático, estamos bem posicionados para invadir o palácio e manter o rei e seu pai como reféns.

O orador era um anão grande e corpulento com uma atitude autoritária. Ele encarou, por sobre o nariz, os ouvintes sentados, e enfim desceu os degraus da plataforma. Outro anão esperava abaixo, este mais velho, com mechas grisalhas na barba. Ele apertou a mão do mais jovem e assumiu seu lugar no púlpito.

— Obrigado, Ulfr, pelas palavras instigantes. Você fala a verdade, mas temos ainda mais uma carta em nossas mangas. Como todos vocês sabem, somos os únicos fabricantes de armas de fogo. Neste momento, nove em cada dez soldados no exército de Hominum foram treinados apenas na arte de carregar e disparar um mosquete, sem armadura alguma, e nada além de uma baioneta para combate corpo a corpo. Se cortássemos o fornecimento de armas, eles se tornariam nada além de uma milícia mal equipada e sem treinamento. Outra vantagem que não pode ser ignorada...

As palavras dele provocaram brados de vivas dos anões, e logo eles começaram a entoar seu nome.

— Hakon! Hakon!

Porém, muitos permaneceram calados, encarando-o com braços cruzados. Claramente, a multidão estava dividida.

— Uma vantagem adicional, talvez a maior de todas, é a munição. As minas de Pasha são controladas pelos nossos aliados e empregam mineiros anões. É nosso povo que produz a pólvora e as balas de chumbo. Sem esses dois recursos, os mosquetes que Hominum já tem se tornarão inúteis. Uma vez que eles esgotarem seus estoques de munição... nós venceremos esta guerra!

Mais vivas se seguiram, mas desta vez houve vaias também. Um anão saltou de seu assento e correu até o palco. Ele apertou a mão de Hakon e sussurrou em seu ouvido.

— É Otelo! — exclamou Sylva.

Fletcher balançou a cabeça.

— Não é, não. Eu sei por causa da forma como o cabelo foi trançado. Otelo tem um gêmeo. Seu nome é Átila e ele odeia a humanidade com fervor.

— Traidores e covardes! — urrou Átila quando Fletcher sintonizou de novo. — Vocês são anões de verdade... ou meio-homens?

Vários deles, furiosos, levantaram-se num salto, gritando tão alto que Fletcher quase podia ouvir os ecos da caverna abaixo de onde ele e Sylva estavam sentados.

— Nenhum de vocês sentiu o peso dos cassetetes dos Pinkertons? Quantos aqui não tiveram seu dinheiro, conquistado com trabalho e suor, extorquido de suas mãos? Quem aqui não teve um filho ou irmão jogado na cadeia por um juiz com ódio dos anões? Vocês gostam de terem de rastejar diante do rei para conseguir a permissão de ter mais de um filho?

Os berros quase dobraram em volume conforme os anões se levantavam e gritavam de raiva.

Subitamente, um rugido gutural trovejou pela caverna, silenciando o alvoroço.

— Basta! — gritou uma voz familiar. Otelo abriu caminho em meio à multidão e subiu as escadas dois degraus de cada vez. Salomão, a origem do rugido, o seguiu.

— Sou Otelo Thorsager, primeiro oficial anão em Hominum, e o primeiro conjurador do nosso povo. Reivindico o direito de falar.

— Vamos logo com isso, então, adorador de humanos — bradou Átila.

— Não podemos guerrear contra Hominum — afirmou Otelo numa voz alta e clara. — Rei Harold está nos oferecendo uma chance de igualdade, vocês não percebem? Se iniciarmos uma guerra, perderemos, sem sombra de dúvida. O exército de Hominum sozinho já supera a população enânica em dez para um. A maioria dos anões em idade de lutar está a caminho do treinamento na frente élfica, cercados por soldados veteranos e tão longe de Corcillum quanto é possível. Vocês acham que podem invadir o palácio com a centena de anões que sobrou?

— Se for necessário! — gritou Hakon, gerando gritos de concordância dos seus partidários.

— E o que vai acontecer em seguida? As notícias do nosso ataque chegarão aos generais no norte em questão de dias, transportadas por demônios voadores. Esses generais vão massacrar nossos jovens guerreiros sem hesitação. Mesmo se planejássemos com eles, e daí? Como mil anões inexperientes poderiam tomar toda a frente élfica? Mesmo sem mosquetes, os magos de batalha poderão despedaçar nossos guerreiros em minutos. O próprio rei é um dos evocadores mais poderosos a pisar nesta terra, e vocês supõem que poderíamos fazer dele um refém? Não teríamos a menor chance!

— E daí? Prefiro morrer lutando contra eles a fazê-lo ao lado deles. Aposto que pensam que você é uma piada, passeando por aí com esse seu demoniozinho — acusou Átila.

— Era isso que eu também pensava, quando cheguei a Vocans. Mas estava enganado. Há boas pessoas por lá. Diabos, no primeiro dia em que pisei na academia, um deles me mostrou um cartão dos Bigornas!

— Os Bigornas? Eles não passam de humanos que sentem pena de nós, nada mais. Não é nada além de um hobby para eles. Os anciãos nem confiam nesse grupo o suficiente para chamá-los para esta reunião — retrucou Átila.

— E eu também não chamaria, já que o assunto discutido aqui é guerra franca contra o povo deles. Estamos conquistando aliados lentamente; primeiro os Pashas, e agora os Bigornas, que estão iniciando um movimento para nos apoiar. Até mesmo o rei afirmou que está disposto a rever as leis e refrear os Pinkertons, uma vez que provarmos que somos de confiança. Mas o que fazemos? Exatamente o contrário; discutimos uma rebelião. — Otelo, furioso, cuspiu nas botas do gêmeo.

— Você não é um anão de verdade! Não merece o signo enânico estampado nas suas costas. Tenho vergonha de chamar você de irmão! — gritou Átila.

Ele arrancou a camisa de Otelo para revelar a tatuagem nas suas costas. Com um rugido, o irmão agarrou Átila pelo pescoço e os dois giraram pelo palco, um tentando estrangular o outro. Salomão avançou para ajudar, mas logo parou, como se o evocador tivesse mandado o demônio se deter.

Uhtred irrompeu na plataforma, separando os dois gêmeos à força. Atrás dele, uma procissão de anões de cabelos brancos subiu no palco. Eram idosos e veneráveis, com longas barbas prateadas enfiadas nos cintos.

— Eles devem ser o Conselho Enânico — sussurrou Sylva para Fletcher. O menino concordou com a cabeça e urgiu Ignácio para escutar mais atentamente, pois aqueles anões não pareciam ser do tipo que gritava e berrava.

O salão caiu num silêncio profundo e respeitoso. Até Átila se acalmou, baixando a cabeça em reverência. O mais velho dos anciãos deu um passo à frente e abriu bem os braços.

— Todos aqui desejam liberdade para nossos filhos, não é? Se não formos capazes de enfrentar as adversidades unidos, então já estamos derrotados.

Os anões começaram a se sentar, muitos olhando para os pés, envergonhados.

— Já ouvimos tudo que precisávamos ouvir. Há muitas cabeças quentes aqui esta noite, mas a decisão que estamos prestes a tomar será levada muito a sério. Eu lhes pergunto o seguinte: que bem nos fará morrer corajosamente na busca pela liberdade? Quatorze vezes os anões se rebelaram, e quatorze vezes fomos levados à beira da extinção. Vocês, jovens anões, não se lembram do massacre que sofremos na última revolta. Todas as vezes em que perdemos, mais liberdades nos são tomadas, mais sangue enânico é derramado.

Vários anões acenaram com a cabeça, indicando concordância.

— Vejo dois caminhos à nossa frente. Um já foi bem trilhado, porém, toda vez que o seguimos, acabamos de volta onde começamos, derrotados e ensanguentados. Só que há um segundo caminho. Não sei aonde leva, ou quais são os perigos que nos aguardam nessa trilha, mas sei no fundo do meu coração que é melhor seguir o destino incerto do que aquele da gloriosa porém garantida derrota. Não haverá guerra, meus amigos. Vamos honrar nosso acordo com o rei.

Fletcher foi tomado pelo alívio. Otelo tinha se esgueirado para argumentar contra a rebelião, não para apoiá-la. Além disso, ele tinha conseguido conquistar a opinião dos anciãos. Não queria pensar no que seu amigo teria feito se a decisão tivesse seguido na outra direção, mas não valia a pena pensar nisso. Tudo ia ficar bem.

— Fletcher, o que foi aquilo? — indagou Sylva, puxando o braço do rapaz.

Havia tochas adiante, movendo-se velozmente por entre as árvores. Os dois se abaixaram atrás do penhasco e observaram, com o coração na boca.

Viram dez homens, cada um armado com um mosquete e uma espada. O líder resfolegava com o esforço; mesmo nas trevas, Fletcher percebeu que se tratava de um homem extraordinariamente gordo.

— Você tem certeza de que é esta caverna? — indagou um deles, erguendo uma tocha para iluminar a área. Fletcher gelou quando a luz revelou os rostos dos recém-chegados.

— Certeza absoluta — afirmou Grindle.

43

— Aqueles são os homens que me sequestraram — sibilou Sylva, apontando para os soldados de armadura.

— Eu sei; reconheceria o gordo careca em qualquer lugar — respondeu Fletcher, agarrando o cabo do khopesh. — Ele se chama Grindle, e era ele quem iria te executar. Achei que você o tivesse matado. Ele deve ter um crânio bem duro.

— Há muitos deles — murmurou Sylva, mas Fletcher percebeu que ela se enrijecia, como se estivesse se preparando para saltar à batalha. Atrás deles, o rapaz ouviu um rosnado grave; Sariel tinha sentido a agitação da elfa.

— Tente ficar calma. Precisamos descobrir por que eles estão aqui. — Fletcher sufocou a raiva e se inclinou sobre o parapeito sombreado para ouvir.

— Não entendo por que a gente simplesmente não espera aqui para emboscar os anões quando eles saírem — reclamava um dos homens.

— Porque esta é só uma de cinco saídas — respondeu Grindle, sentando-se numa rocha. — Sem falar que três delas levam de volta aos túneis sob o Bairro Anão.

Quando os outros homens se reuniram em volta do líder, a luz de suas tochas iluminou o ombro enfaixado de Grindle, ainda ferido pela bola de fogo de Ignácio.

— Eu deveria ter garantido que ele estava morto — sussurrou Sylva por entre dentes cerrados. Fletcher pousou a mão no ombro dela para tranquilizá-la. Se aquilo acabasse em luta, ele não se sentia confiante quanto às chances de ambos.

Havia dez homens, cada um trajando armadura de couro rígido. As vestes lhes permitiriam movimentos rápidos sem deixar de oferecer proteção contra golpes leves de espada.

Fletcher espiou seus mosquetes. Seu frágil feitiço de escudo não o ajudaria naquela noite.

— O que a gente tá esperando, então? — inquiriu outro homem, fitando as profundezas sombrias da caverna.

— Vocês não prestaram atenção nenhuma nas instruções? — resmungou Grindle, erguendo a mão e agarrando a couraça do sujeito que perguntou. Ele puxou o cara até o próprio nível. — Há centenas de soldados do lorde Forsyth se reunindo nas outras saídas acessíveis — disse num cuspe, cobrindo o outro sujeito com saliva. — Nós entramos quando eles entrarem, quando a trombeta soar, mais ou menos daqui uns cinco minutos. Ou você achou que dez homens contra cem anões era o plano desde o começo?

O coração de Fletcher gelou. Era disso que ele tinha ouvido Tarquin e Isadora falar. Não era a família de Serafim que corria perigo; eram os anões!

— Cinco minutos — sussurrou Sylva. — Temos que fazer alguma coisa.

Fletcher avaliou as opções, seus olhos dardejando dos homens à entrada da caverna. Não havia tempo suficiente. Lutar contra Grindle e seus homens levaria tempo demais. Se eles tentassem passar por eles, mal pisariam na caverna antes de levar uma bala de mosquete nas costas. Mesmo que, por algum milagre, eles conseguissem escapar, ainda teriam que convencer os guardas anões do que estava acontecendo.

— Se ao menos Ignácio soubesse falar — murmurou Sylva, observando os anões no cristal de visão. Eles ainda estavam lá, andando de um lado ao outro e conversando sobre a decisão.

— Ele não precisa falar — afirmou Fletcher, numa súbita epifania. Eles precisavam avisar aos anões que estavam sendo atacados. Então, por que não atacá-los?

Ele enviou as ordens para Ignácio e sentiu um clarão de confusão e medo vindos do demônio. Quando suas intenções ficaram claras para o diabrete, o medo foi substituído por determinação férrea.

— Observe — sussurrou ele a Sylva.

Ignácio desceu pela estalactite, enrolando a cauda ao redor da ponta e cravando os espinhos na pedra macia. Ele ficou ali pendurado como um morcego, esticando o pescoço para chegar tão perto quanto possível dos anões.

— Agora, Ignácio — murmurou Fletcher, sentindo sua visão se intensificar conforme o mana se incendiava dentro dele.

Ignácio lançou uma labareda espessa, uma onda turbulenta de chamas que se deteve logo acima dos anciãos abaixo. O fogo chamuscou suas cabeças, preenchendo o salão com o odor acre de cabelos queimados. Então, com um estrídulo de empolgação, Ignácio estava de volta ao teto, rastejando de volta a Fletcher.

— Estamos sendo atacados! — rugiu Hakon, enquanto o pânico dominava o aposento. — Recuem para as cavernas! Protejam os anciãos!

Os cavaleiros de javalis voltaram de seus postos nas saídas, guiando a multidão errática de anões a um túnel que levava para mais fundo na terra.

— Funcionou — sussurrou Sylva. — Fletcher, você é um gênio!

Subitamente, um machado de arremesso veio voando da multidão, cravando-se a centímetros de Ignácio.

— Um demônio de Vocans! Traição! — Era Átila, ainda no pódio com Otelo. — A quem você contou sobre esta reunião?

— A ninguém, eu juro — gritou de volta o irmão, com a expressão tomada pela confusão ao reconhecer Ignácio. — Conheço esse demônio. Seu dono é amigo dos anões!

— Então ele não vai se importar se eu lhe fizer o favor de matar esse bicho! — uivou Átila, pegando outro machado de arremesso do cinto.

Ele saltou do pódio e começou a correr na direção da Salamandra, que ficou paralisada de medo.

— Não, Átila, fique com os outros! — gritou Otelo, indo atrás do gêmeo.

Ignácio guinchou e saiu em disparada túnel acima, escapando por pouco do lançamento seguinte de Átila.

— Detenha-o Fletcher! Você vai levar os dois até Grindle — sussurrou Sylva, puxando o menino pela veste.

Mas era tarde demais. Os dois anões corriam diretamente abaixo de Ignácio agora.

— Prepare-se — respondeu Fletcher. — Vamos ter que lutar.

Sylva assentiu, sacando o punhal de uma bainha na coxa. Sariel sentiu seu humor e se agachou, pronta para saltar contra os homens abaixo. Eles esperaram, prendendo a respiração, enquanto os segundos se passavam.

— Passos! — exclamou Grindle roucamente, apontando para a entrada do túnel. Fletcher ouviu também, ecoando pela caverna conforme Átila e Otelo corriam. — Duas fileiras; a primeira de joelhos, a segunda de pé. Disparar ao meu comando! — ordenou o homem, sacando a espada e erguendo-a sobre a cabeça.

Os passos estavam cada vez mais próximos. Fletcher ouviu a barulheira de outro machado, batendo na rocha ao errar o alvo mais uma vez.

— Eu vou criar um escudo na entrada. Você lança um fogo-fátuo para atrapalhar a mira deles; não sei se o meu escudo vai ser forte o bastante — disse Sylva. Ela já estava desenhando o símbolo do escudo no ar. Momentos depois, ela estava fluindo luz opaca para o chão diante de si, empoçando-a no chão como âmbar líquido.

— Preparar — grunhiu Grindle.

Os homens ergueram os mosquetes, apontando-os para dentro da caverna. Fletcher puxou mana de Ignácio. Era mais difícil com a distância entre eles, mas logo seu corpo vibrava com energia. Em sua visão carregada de mana, a luz das tochas reluzia num alaranjado profundo.

— Apontar — comandou Grindle, baixando a espada 30 centímetros.

Os passos não ecoavam mais, de tão perto que já estavam. A qualquer segundo, os anões apareceriam. Grindle baixou a espada totalmente.

— Fo...

— Agora! — gritou Sylva, lançando abaixo um reluzente escudo, branco e quadrado.

Fletcher disparou um clarão de luz azul nos olhos dos atiradores, cegando-os bem quando os mosquetes estalaram, arrotando fumaça negra que lhes encobriu a visão.

Então Sariel irrompeu por entre as fileiras, espalhando-os como pinos de boliche. Ela saltou no peito do homem mais próximo e começou a destroçar sua garganta.

Fletcher saltou do barranco com um grito, golpeando para baixo com o khopesh. A arma se cravou no estômago de um homem caído, e logo o garoto estava a caminho do próximo oponente atordoado, cortando-lhe o pescoço. Ele ouviu Sylva atrás de si, em seguida o gorgolejar de um homem com a garganta cortada.

Ignácio se deixou cair no ombro de Fletcher e soprou chamas num homem que investia de espada erguida contra seu dono.

— Meus olhos! — berrou o oponente, caindo de joelhos. Sylva passou correndo por ele e cravou o punhal no seu crânio.

Sariel veio correndo de volta, com o pelo do focinho imundo de sangue e pedaços de carne. Sylva a agarrou pelo cangote e a arrastou de volta à entrada da caverna, posicionando-a ao lado de Fletcher. Ainda havia cinco homens, incluindo Grindle. Eles tinham se reagrupado, espalhando-se num leque para manter os inimigos presos na caverna.

Otelo e Átila chegaram, ofegando enquanto tentavam se recuperar. O escudo devia ter funcionado.

— É uma emboscada, Átila; Fletcher e Sylva estão do nosso lado — murmurou Otelo. Salomão trovejou em concordância.

— Prefiro matar cinco homens a um garoto. — Átila pegou a espada de um dos combatentes mortos. — Vou lutar ao seu lado... por enquanto.

Ele entregou a Otelo uma machadinha que trazia no cinto.

— Você sempre foi melhor com isso do que eu. Mostre a esses humanos do que um anão de verdade é capaz.

Então Grindle jogou uma tocha na caverna, iluminando-lhes os rostos. Depois cuspiu de nojo.

— Lixo élfico. Eu deveria ter matado você quando tive a chance. Se lorde Forsyth não tivesse nos obrigado a fazer tudo publicamente, você estaria apodrecendo debaixo da terra agora.

Fletcher congelou à menção do nome Forsyth, percebendo quem tinha estado por trás do rapto de Sylva. Não fora coincidência alguma o fato de que os gêmeos Forsyth a acompanhavam quando ela fora raptada. O menino balançou a cabeça para afastar tais pensamentos, concentrando-se na tarefa imediata.

— Vou estripar você — rosnou Grindle, estocando com a espada na direção da barriga dela. — Sempre me perguntei se os elfos têm as mesmas entranhas que a gente.

— Esse ombro parece dolorido — zombou Fletcher. — Como vai ser hoje? Ao ponto ou bem-passado?

Grindle ignorou o comentário e sorriu.

— Recarreguem seus mosquetes, rapazes. Vai ser como massacrar ratos num barril.

— Alto lá! — exclamou Átila. — O primeiro que estender a mão para pegar o mosquete leva um machado na cara.

O anão pegou o último machado de arremesso no cinto e o girou entre os dedos. Os homens restantes olharam de Grindle para seus mosquetes no chão. Não se moveram.

— Somos sete de nós contra cinco de vocês; e três dos nossos são demônios. Façam um favor a si mesmos e voltem para o buraco de onde vocês se arrastaram.

Grindle deu um sorrisinho zombeteiro e apontou a espada para a caverna atrás deles. Ao longe, Fletcher escutou o soar de um chifre, o sinal para o ataque dos homens de Forsyth.

— Se eu mantiver vocês aqui por tempo suficiente, os reforços vão chegar. Eles vão destroçá-los como cães.

— Isso se... — comentou Fletcher, dando um passo à frente. Mas ele percebeu que o gordo tinha razão. Os gritos distantes dos soldados de Forsyth ecoavam no túnel atrás dele. Quando notarem que Grindle não atacou junto com eles, virão investigar. Fletcher precisava dar o fora dali imediatamente. Uma luta poderia demorar demais.

Fletcher fez surgir uma bola de fogo-fátuo, alimentando-a com mana até ficar do tamanho da cabeça de um homem. Ela vibrava com um pulsar monótono, reluzindo na penumbra da boca da caverna. O rapaz a propeliu na direção de Grindle, que saiu da frente.

— Você já viu como fica uma queimadura de mana, Grindle? Se você achou que o fogo real era ruim... Espere só até sentir sua carne ser arrancada dos ossos quando o mana puro tocar sua pele. Ouvi dizer que a dor é inimaginável — blefou Fletcher. Ele sabia muito bem que fogo-fátuo se dissiparia assim que tocasse qualquer coisa sólida, sem efeito algum. Só que Grindle não sabia disso.

Sylva e Otelo seguiram o exemplo, lançando bolas menores de fogo--fátuo para circundar a cabeça de Grindle. Ele se abaixou, batendo nelas com a espada.

— Corra para casa, Grindle — falou Fletcher, com escárnio. — Você não é capaz de enfrentar a gente. Considere-se sortudo por deixarmos você viver.

Grindle uivou de frustração, gritando para o céu. Finalmente, afastou-se para o lado, indicando para seus homens que imitassem o gesto.

Fletcher fez uma mesura teatral e exagerada, e passou com os outros pelos homens. Ele manteve o fogo-fátuo flutuando sobre a cabeça de Grindle. Era importante manter a aparência de que estava no controle e confiante.

— Muito bem, Fletcher — sussurrou Otelo. — Foi uma ótima atuação.

— Aprendi com o melhor — murmurou de volta o rapaz, lembrando-se do encontro com os Pinkertons.

Eles caminharam o mais rápido possível, cientes do olhar malévolo de Grindle perfurando suas costas.

— O que foi esse estardalhaço todo, Grindle? Os homens disseram que ouviram tiros! — gritou uma voz retumbante da caverna. A entrada luminava-se com tochas conforme incontáveis vultos de armadura saíam de lá.

— Corram! — gritou Fletcher.

Uma bala de mosquete lhe rasgou a manga e se estilhaçou num rochedo adiante. Mais tiros se seguiram, zumbindo acima como vespas furiosas.

Era impossível ver mais do que poucos metros à frente. Tudo que Fletcher ouvia era a respiração ofegante do grupo enquanto eles cambaleavam nas trevas. Fogos-fátuos estavam fora de questão. A escuridão da noite era a única coisa que os protegia das salvas de tiros que estrondavam na distância atrás deles.

Uma bala zuniu perto e então houve um baque quando um corpo caiu diante deles. Fletcher tropeçou num amontoado de braços e pernas, esparramando-se na lama com mais alguém.

— Foi a minha perna — grunhiu Átila. — Fui atingido!

Eles estavam sozinhos. Sylva e Otelo deviam ter se separado na correria louca da fuga.

— Deixe-me aqui. Vou cobrir sua retirada — afirmou Átila, engasgando, empurrando Fletcher para longe.

— Sem chance. Vou tirar você daqui, mesmo que precise carregá-lo — retrucou Fletcher com teimosia, tentando puxar Átila para que se levantasse.

— Eu falei para me deixar aqui! Vou morrer lutando, como um anão de verdade — rosnou Átila, afastando o rapaz.

— É assim que um anão de verdade morre? Alvejado na lama como um vira-lata? Achei que vocês, anões, fossem mais durões que isso — respondeu Fletcher, carregando a voz com desprezo. Este anão parecia ser movido a raiva, e ele iria se aproveitar do fato.

— Seu almofadinha, me deixe morrer em paz! — rugiu Átila, empurrando-o de volta à lama.

— Se você quer morrer, ótimo! Mas não esta noite. Se eles te capturarem, poderão usá-lo como prova de uma reunião secreta aqui. Não faça isso ao seu povo. Não dê essa satisfação aos Forsyth.

Átila rosnou de frustração, mas depois respirou fundo.

— Vamos fazer do seu jeito. Porém, se eles nos alcançarem, não vai haver rendição. Lutaremos até morrer.

— Não aceitaria nada diferente — concordou Fletcher, erguendo o anão.

Era uma caminhada difícil, pois a diferença de altura dos dois não permitia que Fletcher passasse o braço do anão pelos seus ombros. Para piorar a situação, os gritos dos perseguidores estavam ficando cada vez mais altos. Ao contrário de Fletcher e Átila, eles tinham tochas para iluminar o caminho.

Os dois continuaram caminhando pelo que pareceu horas, até Átila finalmente tropeçar e cair.

— Olha, você vai ter que me carregar. Vai ser mais rápido assim — ofegou Átila. O ferimento estava cobrando seu preço, e Fletcher notou que as calças do anão estavam ensopadas de sangue. O menino sabia que o outro tivera de engolir muito orgulho para fazer um pedido desses.

— Vamos lá, pule nas minhas costas — murmurou Fletcher. O rapaz grunhiu enquanto Átila se ajeitava, então seguiu em frente, respirando por entre dentes cerrados. Ignácio chilreou encorajamento para o novo companheiro de carona, lambendo o rosto do anão.

Sem aviso, a área foi iluminada pelo brilho de uma luz azul fraca. Um globo de fogo-fátuo surgiu no céu, dezenas de metros acima. Ele se mantinha no ar como uma segunda lua, girando acima das nuvens.

— Isso é coisa sua? — indagou Átila.

— Não. E não deve ser de Otelo, nem de Sylva. Os soldados de Forsyth devem ter um mago de batalha consigo. Eu não me surpreenderia se fosse o próprio Zacarias; aquele fogo-fátuo é enorme! — respondeu Fletcher.

Ele olhou ao redor e se desesperou. O terreno em volta parecia idêntico, e o menino percebeu que estava completamente perdido. Mas, se ele não chegasse logo a um lugar seguro, Átila não sobreviveria àquela noite.

Os gritos estavam distantes agora, mas os dois não estavam seguros de forma alguma. Se o mago de batalha inimigo tivesse um demônio voador, eles poderiam ser encontrados.

— Parem aí mesmo! — gritou uma voz. Um homem saiu das sombras, apontando um mosquete contra eles. Mais uma vez, Fletcher amaldiçoou sua inabilidade de executar um feitiço de escudo.

— Sem rendição… — murmurou Átila em seu ouvido. Mas sua voz soava pastosa e fraca. Fletcher duvidava que o anão pudesse dar mais que alguns passos antes de desabar.

Ignácio saltou do pescoço de Fletcher e sibilou. O homem simplesmente o ignorou e continuou apontando o mosquete direto para a cara do rapaz.

— Mantenha esse bicho longe de mim ou eu atiro — afirmou ele, movendo o cano de forma ameaçadora.

Fletcher ergueu a mão e acendeu uma bola de fogo-fátuo.

— Posso meter isso no seu crânio mais rápido que qualquer bala. Solte a arma, e não teremos problemas.

— Eu sou um soldado, seu idiota. Sei o que é fogo-fátuo. Largue o anão no chão e... argh! — O homem gritou e bateu no pescoço com a mão livre.

Um Caruncho castanho fosco zumbiu acima do soldado e depois voou num círculo ao redor da cabeça de Fletcher.

— Valens — suspirou Fletcher. De alguma forma, o demônio os tinha encontrado. O homem caiu de lado, com o mosquete ainda erguido. Era como se tivesse sido congelado. — O major Goodwin não estava brincando quanto ao ferrão de um Escaravelho! — exclamou o rapaz, espantado. Valens soltou um zumbido forte e então esvoaçou para a frente e para trás.

Fletcher o observou por um momento, e por fim percebeu que o Caruncho queria que eles o seguissem.

— Só mais um pouco, Átila — murmurou Fletcher. — Vamos conseguir.

44

Átila estava inconsciente quando eles finalmente chegaram à Cidadela, mas ainda respirava. A perna do anão estava enrijecida com sangue coagulado, mas, na escuridão, Fletcher não conseguia ver o tamanho do estrago. Ele enfaixou o ferimento o mais apertado possível com uma tira de pano da camisa de Átila, então seguiu Valens pela ponte levadiça.

— Aonde vamos agora? — perguntou Fletcher num sussurro para o demônio que pairava acima dele.

O Caruncho zumbiu de forma encorajadora e parou na metade da subida da escadaria leste. Fletcher encarou os degraus íngremes com apreensão.

— Eu não sei se consigo! — resmungou ele, erguendo o corpo de Átila. Sentindo o humor de Fletcher, Ignácio saltou para o chão.

— Obrigado, amigo, agora está muito mais leve — murmurou Fletcher sem muita empolgação, afagando o queixo do diabrete.

Valens o guiou escada acima, o vibrar de suas asas orientando Fletcher nas trevas. Ele não arriscou acender um fogo-fátuo. Se Rook o pegasse com Átila, relataria tudo ao rei.

Eles chegaram ao último andar, depois continuaram a subida pela torre nordeste. A essa altura, os joelhos de Fletcher estavam quase desabando, mas ele continuou teimosamente. De alguma forma, Valens tinha um plano.

Finalmente, eles alcançaram um par de pesadas portas de madeira no ponto mais alto da torre, e Fletcher percebeu que tinham chegado à enfermaria. Antes que tivesse uma chance de bater, as portas se abriram e ele topou com uma Sylva frenética.

— Vocês estão bem! Achávamos que tinham morrido! — soluçou Sylva, enterrando o rosto no peito de Fletcher. Otelo o encarava, com o rosto pálido e marcado por lágrimas. O anão correu até o rapaz e tomou Átila nos braços.

Fletcher deu tapinhas amistosos e desajeitados na cabeça de Sylva e olhou em volta. Havia várias fileiras de camas, com armações enferrujadas e cobertas de poeira. Três camas mais novas ficavam perto da porta, e Sariel descansava embaixo delas. Quando Otelo deitou Átila numa delas, Fletcher percebeu que não estavam todas vazias.

Lovett jazia na cama mais próxima. Ela estava tão imóvel que poderia ser um cadáver, não fosse pelo subir e descer quase imperceptível do tórax. Ela vestia uma camisola, com os longos cabelos negros espalhados à sua volta como um halo. Os outros tinham acendido as tochas e velas dos dois lados da cama, o que lançava o salão numa luz tênue, alaranjada.

— Valens trouxe vocês até aqui também? — indagou Fletcher, enquanto o Caruncho pousava no peito da mestra.

— Ele nos encontrou há mais ou menos uma hora, e saiu voando pela janela assim que chegamos aqui — contou Sylva, enxugando uma lágrima do olho. — Ele deve ter sentido que você estava com problemas.

— Não acho que seja apenas a Valens que devemos agradecer — comentou Fletcher, acariciando a carapaça do besouro demônio.

— O que você quer dizer? — indagou Sylva.

— Arcturo me contou que alguns conjuradores conseguem aprender como ver e ouvir pelo demônio, efetivamente usando sua própria mente como uma pedra de visão. Duvido que um Caruncho pudesse ter feito tudo que Valens fez esta noite sem alguém o guiando. Você estava lá com ele, capitã Lovett? — Fletcher fitou o rosto imóvel da professora.

O demônio zumbiu e girou.

— Não é possível! — exclamou Sylva.

— Como ela sabia? — indagou Fletcher, arregalando os olhos de espanto.

— Ela deve ter ficado de olho na gente. Provavelmente desde que Rook apareceu — disse Sylva, ajeitando o cabelo de Lovett no travesseiro. — Tivemos sorte. Estaríamos mortos se não fosse por ela.

— Se vocês já terminaram de se maravilhar, eu preciso de ajuda aqui — resmungou Otelo com a voz entrecortada. Os olhos de Fletcher se arregalaram ao ver a perna de Átila.

Otelo tinha cortado o pano em volta e revelado um buraco irregular que ainda derramava sangue. Fletcher nunca tinha visto um ferimento de bala antes, e o estrago parecia muito pior que o furinho que ele imaginara.

— Tivemos sorte; a bala não acertou nenhuma artéria principal. O osso certamente está quebrado, porém, então não podemos tentar um feitiço de cura. Na última vez em que vi um ferimento assim foi quando um Pinkerton atirou num jovem anão que não tinha pago por proteção — contou Otelo, cortando uma longa tira do lençol com a machadinha. — O melhor que podemos fazer é uma atadura para estancar o sangramento. Levantem a perna dele para mim.

Eles ajudaram Otelo a enfaixar o ferimento, até que a perna de Átila estava embrulhada numa faixa grossa de ataduras brancas. Cuidadosamente, Otelo limpou o sangue coagulado.

— Sei que Átila parece ser tão racista com humanos quanto muitos homens são com os anões, mas ele tem um bom coração. O problema é que tem uma cabeça quente à altura — murmurou ele, colocando um travesseiro sob a cabeça do irmão adormecido.

Os dois ficaram em silêncio enquanto Otelo enxugava a testa do outro. Então Sylva falou:

— Acho que precisamos conversar sobre as coisas que aconteceram esta noite.

— De acordo — disse Fletcher. — Mas temos que buscar Serafim primeiro. Ele merece saber o perigo que sua família pode estar correndo.

— Eu vou — decidiu Otelo. — Preciso buscar um uniforme extra no meu quarto, de qualquer maneira. Vamos precisar de um, se quisermos tirar Átila daqui escondido amanhã.

O anão foi embora, seguido por Salomão, que parecia deprimido. Fletcher sabia que Otelo provavelmente estava com o peso do mundo nas costas.

O rapaz se sentou na lateral da cama de Lovett, gemendo de satisfação perante o alívio em seus pés doloridos. Acariciou a cabeça de Sariel distraidamente, e ela respondeu com um barulho de satisfação. Sorrindo, ele coçou o queixo dela do mesmo jeito que fazia com Ignácio. Ela se esfregou de volta e latiu com prazer.

— Hum, Fletcher — gaguejou Sylva.

Fletcher ergueu o olhar e viu que a elfa estava ruborizada, o rosto e pescoço completamente vermelhos.

— Desculpa... eu não pensei! — exclamou ele, tirando a mão.

Sylva ficou parada no lugar por um instante, então suspirou e sentou na cama ao lado dele.

— Eu nunca te agradeci — murmurou ela, torcendo as mãos.

— Pelo quê? — indagou Fletcher, confuso.

— Por ter me seguido. Se você não tivesse… Grindle poderia ter me capturado de novo.

— Não sei não; acho que ele poderia ter tido uma surpresa e tanto. Você disse que Sariel valia dez homens, e isso resultaria numa luta justa. Se não fosse por você, poderíamos estar no meio de uma guerra civil agora. Você tomou a decisão correta.

Valens zumbiu animado e empurrou a mão de Fletcher.

— Acho que a capitã Lovett quer saber o que está acontecendo. Conte a ela o que houve na praça Valentius, e eu explicarei o que aconteceu hoje à noite.

Contar a história toda levou algum tempo; Otelo e Serafim chegaram bem quando eles terminaram. O recém-chegado ainda estava de pijama, e estreitava os olhos para a luz.

— Otelo me explicou tudo no caminho — declarou ele, fitando os corpos inconscientes de Átila e Lovett. — Eu só tenho uma pergunta. Por que os Forsyth contrataram Grindle para matá-la naquela noite em Corcillum, mas também fizeram amizade com você?

Sylva se levantou e mordeu o lábio.

— Sempre pensei que eles buscavam minha amizade para poderem suprir os elfos no caso de uma aliança se materializar — respondeu ela, andando pelo salão. — Mas o que faz de mim uma inimiga deles? Por que eles me querem morta?

— Acho que a verdadeira pergunta é: por que eles queriam que você fosse executada publicamente? — afirmou Otelo, sem rodeios. — Eles poderiam ter matado você a qualquer momento. Por que fazer um manifesto disso?

— Para incitar uma guerra entre os elfos e Hominum — sugeriu Serafim. — Uma guerra de verdade. Isso aumentaria a demanda por armas, e manteria os negócios deles vivos, mesmo com a concorrência dos anões.

Fletcher sentiu uma onda de repugnância. Começar uma guerra por lucro?

— Então eles querem o melhor dos dois mundos... — murmurou ele. — Se os elfos se aliassem a Hominum, os Forsyth planejavam assegurar um contrato de armamentos por meio da amizade falsa com Sylva. Só que eles preferem uma guerra, porque gera mais lucro. Eles não a abandonaram no mercado, Sylva, e sim a levaram direto aos braços de Grindle!

— Não diga "eu te avisei"... — Sylva encarava os próprios pés.

A enfermaria ficou em silêncio, interrompido apenas pelo zumbido furioso de Valens, esvoaçavando de um lado para o outro.

— Aqueles almofadinhas malévolos! — resmungou Serafim. — Eu sabia que eles estavam armando alguma, mas isso... isso é traição!

— Não podemos provar nada! — praguejou Fletcher, cerrando os punhos. — Na verdade, se contarmos a história toda ao rei, é mais capaz de ele pensar que os anões estavam cometendo traição, com o conselho de guerra e tudo aquilo.

— Não faz diferença — anunciou Sylva. — O plano deles está arruinado. Vou escrever para meu pai agora e contar que os Forsyth não são de confiança. A tramoia para iniciar uma guerra civil com os anões foi detida, e estou em relativa segurança na Cidadela. Não há nada que eles possam fazer para nos prejudicar agora.

— Há, sim — acautelou Serafim. — O torneio. Se um dos Forsyth vencer, ele se tornará um oficial de alta patente e ganhará um assento no conselho do rei. É um voto extra para Zacarias e mais uma voz falando contra minha família, sem falar dos elfos e anões.

Otelo concordou com a cabeça, em seguida coçou a barba, pensativo.

— Não vamos esquecer que as pessoas mais importantes de Hominum estarão assistindo; os nobres e os generais — afirmou o anão, andando de um lado para o outro. — Serão eles quem decidirão se os elfos e anões são aliados valorosos, e depois se reportarão ao rei. Podemos ter certeza de que os Forsyth farão tudo ao seu alcance para nos desacreditar e envergonhar no torneio, também.

— Então nós temos que derrotá-los! — Fletcher se levantou num salto. — Quem disse que não podemos vencer o torneio? Temos um Golem, um Cascanho, um Canídeo e uma Salamandra!

Serafim balançou a cabeça.

— Não somos tão poderosos quanto eles. Até os plebeus do segundo ano levam vantagem sobre nós. Como poderemos vencer?

Fletcher respirou fundo e o fitou, olho no olho.

— Treinando.

45

Uma névoa pesada pairava ao redor da Cidadela, fazendo o horizonte se desvanecer numa brancura sombreada. Isso ofereceu a Fletcher e Átila a cobertura de que precisavam enquanto mancavam pela estrada.

— Espero que Uhtred chegue na hora — comentou Fletcher. — Rook ficará desconfiado se eu não aparecer na aula dele.

— Ele estará lá. Você disse que Valens entregou as instruções de onde me buscar sem problemas — respondeu Átila. Ele estava pálido, mas tinha se recuperado o bastante para andar, mesmo que mancasse nitidamente.

Os dois conseguiram se esgueirar para fora do castelo sem problema praticamente algum. Tarquin fizera um comentário sarcástico quando passou por eles na escada, perguntando se o anão estava mancando porque alguém tinha pisado nele naquela manhã. Felizmente, com o uniforme extra de Otelo e um rápido trançar da barba de Átila, os anões gêmeos eram indistinguíveis.

O coração de Fletcher se acelerou quando uma sombra escureceu a névoa adiante.

— Tudo bem, é meu pai — resmungou Átila.

Um javali emergiu do nevoeiro, puxando uma carroça. O condutor usava capuz, mas o vulto corpulento de Uhtred era inconfundível.

— Suba, rápido. Não é seguro por aqui! — exclamou o anão mais velho, parando a carroça ao lado deles. Fletcher ajudou Átila a se esparramar aos pés do pai.

— Os anões estão em dívida com você. Se precisar de alguma coisa, o que for, é só pedir — ribombou Uhtred, estalando as rédeas do javali e virando a carroça.

— Espere, tenho algo a dizer — anunciou Átila.

Fletcher deu meia-volta, preocupado em se atrasar para a aula que começaria a qualquer minuto.

— Muito obrigado. Eu lhe devo minha vida. Diga a Otelo que... eu estava errado.

Com essas palavras de despedida eles desapareceram na névoa, se afastando até que Fletcher ouvisse apenas o som dos cascos do javali contra a terra.

Fletcher chegou atrasado à aula. Porém, quando ele chegou à câmara de evocação, tanto Rook quanto Arcturo estavam esperando por ele, com o restante dos estudantes parados em silêncio diante dos professores. Fletcher percebeu que Arcturo usava um tapa-olho, e não conseguiu segurar um sorriso. Com o chapéu tricorne, o professor parecia um capitão pirata.

— Tire esse sorrisinho do rosto, moleque. Você acha que o seu tempo é mais valioso que o nosso? — ralhou Rook, indicando com um aceno que ele deveria se juntar aos outros.

— Desculpe, senhor — disse Fletcher, indo até os colegas.

— Eu cuido dele mais tarde, Rook — afirmou Arcturo. — Mas talvez devêssemos continuar com a lição.

— Sim, talvez devêssemos — retrucou Rook secamente, dando um passo à frente. — Com a aproximação do torneio, achamos que chegou a hora de demonstrar como funciona um duelo. Pois bem, Arcturo acredita que aprender a duelar com outro mago de batalha é uma prática inútil...

— Os xamãs orcs raramente duelam. — O capitão interrompe Rook. — É pouco provável que vocês enfrentem um deles corpo a corpo. Eles preferem se esconder nas sombras e mandar os demônios lutar por eles.

— Uma estratégia que lhes serviu bem no passado. Suspeito que nossa taxa de perda de magos seja várias vezes maior que a deles, mas é o fato de lutarmos nas linhas de frente nos pondo em risco que nos está fazendo ganhar esta guerra — retrucou Rook.

— Só que isso não é duelar, Inquisidor. Isso é usar nossas habilidades para proteger e apoiar os soldados — retorquiu Arcturo.

— Porém, usamos as mesmas técnicas, não usamos? — refletiu Rook, esfregando o queixo, fingindo estar pensativo.

Fletcher ficou surpreso que os dois professores discutissem assim na frente dos alunos. Se em algum momento houve dúvida, aquilo acabava de confirmar: aqueles homens se detestavam.

Arcturo suspirou e se virou para os alunos.

— Independentemente de minhas opiniões quanto ao torneio, ele é uma tradição que data desde a fundação da escola de magos de batalha, há dois mil anos. Geralmente vocês passariam por quatro anos de treinamento antes de poderem competir no torneio. No ano anterior, esse período foi reduzido a dois anos. Agora, basta um. Tivemos sorte, pois todos vocês nesta turma aprendem bem rápido. Para a maioria dos calouros, leva dois anos para se aprender a executar um feitiço básico de escudo. Até você, Fletcher, está à frente da média. Há muitos veteranos do segundo ano que não conseguirão fazer um escudo decente.

Fletcher corou ao ser destacado, mas se sentiu melhor. Pelo menos não ficaria em último no torneio.

— Agora, prestem bem atenção — continuou Arcturo, entalhando o símbolo de escudo no ar e o fixando acima do dedo indicador. Ele disparou mana através do glifo e formou um escudo oval grosso e opaco diante de si. — Um escudo é sempre mais forte quando você se prepara para o impacto de seja lá o que for que estiver vindo na sua direção — explicou ele, agachando-se um pouco e cruzando os antebraços em X. — Na defesa contra um feitiço ofensivo, o baque tem um... efeito violento.

— Você está pronto? — indagou Rook preguiçosamente, erguendo um dedo brilhante.

— Est...

Um clarão iluminou a câmara quando Rook chicoteou um feitiço de relâmpago contra Arcturo, crepitando o ar com forquilhas de raios elétricos. Ele atacou tão rápido que Fletcher mal viu o dedo se mexer.

O escudo rachou como gelo num lago, emitindo estalos altos e agudos com cada fratura. O rosto de Arcturo se contorceu com esforço conforme alimentava o escudo com mais mana, filamentos opacos fluindo como seda para cobrir o dano. A força do impacto de Rook o empurrou para trás, fazendo seus pés deslizarem no couro.

Arcturo estendeu um dedo da outra mão e agitou o ar, em seguida descruzando os braços com um rugido e disparando um golpe cinético pelas laterais do escudo.

Rook foi lançado para trás, chocando-se contra a parede e deslizando para o chão.

— É por isso que o feitiço de escudo é a primeira coisa a ser feita quando se entra num duelo. Você até pode colocar seu adversário na defensiva se atacar primeiro. Porém, se você não o derrotar com esse primeiro golpe, ele só precisará usar um feitiço de ataque enquanto você estiver distraído e o duelo estará encerrado. Atacar sem um escudo é uma manobra de tudo ou nada. — Arcturo sorriu e o escudo se dissipou. A luz foi sugada de volta ao seu dedo com um silvar suave.

"É melhor recuperar o mana dos seus escudos sempre que possível, especialmente no caso daqueles com demônios de nível baixo. Vocês vão precisar de todo mana que conseguirem se quiserem perdurar no torneio."

Fletcher ouviu Rory praguejar em voz baixa atrás de si.

— Aquilo foi um golpe baixo! — rosnou Rook, limpando as roupas com as palmas.

— Você passou tempo demais longe das linhas de frente, Rook. — Arcturo riu, retorcendo o bigode. — Até um segundo-tenente sabe que é vital erguer um escudo se o seu primeiro ataque não funcionar. Deixar de fazê-lo é um ato de inteligência bovina, se você me perdoa o trocadilho.

— Vamos ver o que você acha dos bovinos quando meu Minotauro estiver com as garras em volta da garganta do seu Canídeo — retrucou Rook, dando um passo em direção a Arcturo.

Os dois homens se encararam por um tempo, o ódio mútuo inconfundível. Eles lembravam a Fletcher cães de caça rivais, esticando as correias para atacar um ao outro. Se os aprendizes não estivessem na câmara, o rapaz tinha certeza de que um duelo ilegal estaria acontecendo ali e agora.

— Turma dispensada! — ralhou Rook, saindo da sala. — Não é como se algum de vocês pudesse capturar alguma coisa antes do torneio, de qualquer jeito. Inúteis, todos vocês!

Fletcher percebeu o sorriso de Rory. Apesar dos melhores esforços de Rook, os nobres não tinham chegado nem perto de capturar novos demônios. Mesmo com a pedra de carga, a habilidade de visualização deles era fraca demais para controlar seus demônios de forma eficiente. Por outro lado, os plebeus agora conduziam seus demônios com facilidade, fazendo-os correr e saltar pela pista de obstáculos que eles montaram no canto da câmara de conjuração. Fletcher era habilidoso, mas seu minúsculo cristal de visão o atrapalhava. Ele o tirou do bolso e o examinou.

— Vocês escutaram o homem; fora daqui, todos vocês! — resmungou Arcturo. — Menos você, Fletcher. Venha cá.

O rapaz foi até o professor lentamente, esperando uma bronca pelo atraso. Em vez disso, Arcturo pôs a mão em seu ombro.

— Deixe-me ver essa pedra de visão.

Fletcher a entregou sem pronunciar uma palavra.

— Você não vai vencer o torneio com isto. Há desafios, Fletcher, que exigirão muita visualização. Não posso lhe emprestar minha pedra; não tenho permissão para lhe favorecer e, mesmo se eu quisesse, Rook está me vigiando bem de perto. Dê um jeito nisso.

Ele largou o cristal de volta na mão de Fletcher e o olhou no olho.

— Essa é a diferença entre um bom guerreiro e um grande guerreiro. Rook se esforçou muito, mas perdeu aquela batalha. Não se esforce apenas. Seja inteligente.

46

O golpe veio sibilando no ar, evitando a guarda de Fletcher e acertando a clavícula do menino com um esmigalhar doloroso.

— De novo! — grunhiu Sir Caulder, chutando a canela de Fletcher com a perna de pau antes de vibrar-lhe outro golpe na cabeça. Desta vez, o aprendiz aparou o ataque com a espada de madeira, desviando-o para o lado e dando uma joelhada na barriga de Sir Caulder.

O velho desabou, ofegando na areia da arena.

— Fletcher! — gritou Sylva do lado de fora. — Cuidado!

Sir Caulder ergueu a mão e se levantou lentamente.

— Está tudo bem, Sylva — sibilou ele, esfregando o estômago. — Um guerreiro jamais pode hesitar diante de uma abertura. Deus sabe que o inimigo não o fará.

— Você mesma não golpeou o rosto de Sir Caulder não faz nem dez minutos? — provocou Fletcher.

— Aquilo foi diferente... — respondeu ela com um sorriso arrependido.

Um grito veio de trás deles. Fletcher se virou e viu Otelo montado em Serafim, com as armas esquecidas no chão.

— Não, não, não; vocês precisam aprender a lutar com refinamento! — ralhou Sir Caulder com os dois. — Não podem simplesmente socar um ao outro até que alguém se canse.

Os dois meninos se levantaram, sorrindo envergonhados. Um hematoma amarelo brotava no rosto de Serafim, e o lábio de Otelo estava inchado como uma ameixa madura.

— Já que você se deu ao trabalho de fazer Uhtred entalhar essas armas de madeira para praticarmos, você provavelmente deveria usá-las. — Fletcher riu, olhando a espada larga e o machado de batalha de madeira largados no chão.

— Nós só nos empolgamos um pouco — admitiu Otelo, catando o machado e limpando a areia.

Ele brandiu a arma com uma facilidade experiente, girando-a no ar antes de golpeá-la no chão ao seu lado.

— Bem, vocês melhoraram muito depois que começamos a treinar, não posso negar — admitiu Sir Caulder. — Mas Sylva e Fletcher já avançaram a um nível excepcional de esgrima. Considero que vocês já possam fazer frente a alguns dos nobres, mas vão precisar de muito trabalho para superá-los. Bom não é o bastante.

Sir Caulder olhou feio para os dois por mais algum tempo, depois saiu pisando forte em direção à saída.

— A aula de combate acabou por hoje. Vocês podem treinar feitiçaria aqui embaixo, se quiserem. Não vou impedi-los.

O estalar da perna de pau contra a pedra foi se afastando até que ele deixou a arena.

— Bem, esse foi o maior elogio que eu já ouvi dele — observou Serafim, pegando a espada larga no chão. — Ainda assim, não nos falta tempo para melhorarmos; ainda temos uns dois meses. Estou mais preocupado com a prova de demonologia da próxima semana. Com tanto treinamento, eu adormeço assim que abro meus livros!

— Vamos nos sair bem — insistiu Otelo. — Ainda não vi nenhum dos nobres botar o pé na biblioteca, e até mesmo Rory, Genevieve e Atlas passam a maior parte do tempo em Corcillum. Se obtivermos uma nota ruim, todo mundo obterá também.

— Então, vamos praticar feitiçaria? — indagou Sylva, caminhando sobre a areia e acendendo uma esfera de fogo-fátuo. — Por que você não tenta uma bola de fogo desta vez, Fletcher? Vou erguer um escudo ali e você pode usar como alvo.

Fletcher sentiu o rosto ficar vermelho, envergonhado com sua inabilidade em produzir até mesmo o mais básico dos escudos. Ele conseguia disparar ondas de fogo, telecinese ou até mesmo relâmpagos, o que era eficaz, mas gastava muito mana. Para seu desgosto, o rapaz ainda tinha dificuldades em moldá-los num raio ou mesmo uma bola. Energizar um glifo e o feitiço ao mesmo tempo era coisa demais para memorizar de uma só vez. Mesmo assim, ele melhorava lentamente, mesmo que não na velocidade desejada.

— Vocês vão em frente, já estão muito mais avançados do que eu. Vou só treinar aqui do lado, onde não atrapalho...

— Tudo bem, se é isso que você quer — respondeu Sylva, decepcionada. — Rapazes, por que vocês não tentam acertar um alvo móvel?

Ela lançou uma grande esfera de fogo-fátuo no ar, fazendo-a ziguezaguear pela arena num padrão aleatório. Otelo riu e entalhou o símbolo do fogo, soltando uma língua de fogo que moldou numa bola e a lançou no rastro da luz azul. Serafim estava logo atrás.

Fletcher se sentou deprimido na arquibancada, entalhando o símbolo do fogo repetidamente no ar. Ele tinha conseguido, com a prática, acelerar o entalhamento em alguns segundos, tornando-se capaz de formar o glifo mais rápido que qualquer um dos outros. Mas era ali que sua habilidade acabava. O rapaz pingou algum mana e observou um leque de chamas se formar. Com um esforço colossal, ele a compactou numa forma mais ou menos esférica. Fletcher olhou a bola, surpreso, então a lançou contra o fogo-fátuo antes que sua concentração se rompesse.

Ela passou em disparada pela esfera azul, pegando-a de raspão e a apagando.

— Legal! — gritou Fletcher, socando o ar.

Atrás dele, palmas lentas ecoaram da entrada da arena.

— Parabéns, Fletcher, você conseguiu lançar um feitiço — provocou Isadora. — Nossa, você conseguiu executar uma das habilidades mais básicas necessárias a um mago de batalha. Seus pais devem estar tão orgulhosos. Ah... ops.

Fletcher se virou, sua alegria imediatamente substituída pelo ultraje. Isadora lhe acenou delicadamente e desceu saltitando os degraus da arquibancada. Fletcher ficou surpreso ao ver os outros sete calouros entrando atrás dela na arena.

— Enfim, como vocês podem ver, estávamos certos. — Tarquin apontou um dedo acusador contra Sylva, Otelo, Fletcher e Serafim. — Eles estão treinando aqui, em segredo!

— É por isso que vocês nunca estão na sala comum! — exclamou Genevieve, surpresa, jogando o cabelo. — Vocês sempre dizem que estão na biblioteca.

— Mas nós estamos mesmo. — Fletcher tentou apaziguá-la. — Nós só descemos para cá depois, para praticar esgrima com Sir Caulder. Vocês não lembram? Ele ofereceu lições particulares para todos nós depois da primeira aula.

— Isso não parece prática de esgrima para mim — comentou Atlas, apontando o espaço vazio acima da arena onde a bola de fogo de Fletcher tinha apagado o fogo-fátuo de Sylva. — Sir Caulder nem sequer está aqui.

— Por que vocês não nos contaram? — gaguejou Rory. — Vocês nunca me dão respostas diretas quando pergunto o que andaram fazendo.

Fletcher não tinha resposta para isso. Ele se sentia mal em não incluir os outros. Só que teria sido muito difícil de explicar, um risco grande demais de que Tarquin e Isadora descobrissem o que faziam. Não que o segredo tenha ajudado muito, no final das contas.

— Por que eles esconderiam isso de vocês? — ponderou Tarquin em voz alta, com ar teatral. — Talvez porque... não, não pode ser. Pode?

— O que você quer dizer? — indagou Genevieve, com o lábio inferior tremendo.

— Bem, lamento informar, mas parece que os outros plebeus estão treinando em segredo para derrotar vocês — teorizou Tarquin, balançando a cabeça com nojo fingido. — Quero dizer, eles não têm a menor esperança de derrotar os nobres, vamos ser razoáveis. Porém, se puderem envergonhar vocês três na arena, quem sabe não conseguem descolar uma patente?

— Que mentira nojenta! — berrou Fletcher, levantando-se num salto e avançando até Tarquin. — E, se acha que não temos como vencer os nobres, você é mais arrogante do que eu pensava.

— Por que não descobrimos agora mesmo, então? — Tarquin levou seu rosto a alguns poucos centímetros do de Fletcher. — Estamos na arena. Com uma plateia de espectadores. O que você me diz?

Fletcher estava absolutamente furioso, com as mãos coçando de intenções violentas.

— Uma plateia de *testemunhas*, você quer dizer — interrompeu Sylva, puxando seu amigo de volta da beira do abismo. — Aí todo mundo poderá dizer que viu Fletcher participar de um duelo e assim garantir sua expulsão. Você não se importa com a própria carreira?

— Cipião jamais me expulsaria — retrucou Tarquin, veneno escorrendo de suas palavras. — É uma ameaça vazia. Meu pai é o melhor amigo do rei; o processo jamais iria longe. Quanto a um bastardo da ralé, como Fletcher...

Porém, Fletcher agora já percebia o plano de Tarquin, e não lhe daria o gosto.

— Você terá seu duelo, na hora certa. Quando eu puder derrotá-lo com todo mundo assistindo. Vamos ver quem é o melhor conjurador então.

O nobre sorriu e se inclinou ainda mais, até que Fletcher pôde sentir sua respiração no ouvido.

— Vou esperar ansiosamente.

Tarquin então fez uma saída dramática da arena, seguido pelo resto dos nobres. Por um momento, Rory hesitou, com o rosto marcado pela indecisão. Atlas pousou a mão em seu ombro.

— Eles foram flagrados no ato, Rory. Nós não deveríamos ter sido tolos de confiar nessa laia. Um pretendente a nobre, um bastardo, uma elfa e um meio-homem. Não precisamos de amigos desse tipo.

Fletcher se ofendeu com o ataque, então percebeu que, para Atlas dizer "pretendente a nobre", ele só podia ter ouvido a conversa entre Fletcher e Serafim.

— Você andou bisbilhotando, Atlas — acusou o rapaz. — Aquela conversa era particular.

— Ah, sim, ouvi muita coisa nas últimas semanas. Quem você acha que contou de suas atividades extracurriculares a Tarquin e Isadora?

— Dedo-duro — cuspiu Serafim, chutando a areia com raiva. — O que ele lhe prometeu?

— Uma comissão nos Fúrias dos Forsyth, se eu jogar direitinho. Vocês dois deveriam fazer o mesmo — afirmou ele, virando-se para Rory e Genevieve.

— Você confiaria naquelas serpentes? — grunhiu Fletcher. — Eles estão mentindo para você, e farão o mesmo com Rory e Genevieve. Não façam isso, por favor!

Mas era tarde demais; eles já tinham decidido. Um de cada vez, os três deram as costas a Fletcher e foram embora. Até que os quatro ficaram sozinhos de novo.

47

O suor pingava da testa de Fletcher enquanto ele entalhava o símbolo do escudo no ar diante de si. Ele o fixou, remexendo o dedo e observando o sinal seguir todos os seus movimentos.

— Ótimo. Agora a parte difícil — instruiu Sylva, cuja voz ecoava no espaço vazio da arena. Serafim os observava das laterais, pois já terminara seu treinamento naquele dia.

Parecia a Fletcher que sua mente se racharia em duas enquanto ele tentava regular um fluxo de mana, até o símbolo e através dele ao mesmo tempo. O rapaz foi recompensado por um fino fluxo de luz branca que pairava no ar à sua frente.

— Já basta por ora, Fletcher. Agora, molde.

Era fácil puxar o fluido num disco opaco, as incontáveis horas de prática de fogo-fátuo finalmente se fazendo valer. Espalhava-se bem fino e se estilhaçaria após alguns golpes de espada, mas aquilo bastava por enquanto.

Fletcher sugou o escudo de volta pelo dedo e sentiu o próprio corpo se encher de mana outra vez. Com o torneio a apenas horas daquele momento, não era uma boa ideia desperdiçar suas reservas de energia mística.

— Muito bem, Fletcher! Você está tendo sucesso em quase todas as tentativas. Já deve estar melhor que alguns dos veteranos, imagino — encorajou Sylva.

— Eu não dou a mínima para a minha classificação no torneio — resmungou Fletcher. — Só quero derrotar Isadora e Tarquin. E eles são capazes de erguer um escudo em poucos segundos, duas vezes mais espessos que o meu. É a mesma coisa com os feitiços de ataque. Consistência, velocidade e poder, são os fatores que realmente importam segundo Arcturo. Eles me superam em todos os três.

Sylva deu um sorriso solidário e apertou seu ombro.

— Se você tiver que enfrentá-los, eles terão que usar mais mana para derrotar você, o que melhora as nossas chances. Serafim, Otelo e eu já nos equiparamos a eles depois de tanto treinamento. Não teríamos conseguido isso sem a sua ajuda, especialmente com a prática de esgrima. Até Malik diz que você é um bom espadachim, e os Saladin têm fama de ser os melhores esgrimistas do país!

Fletcher deu um sorriso desanimado e foi se sentar ao lado de Serafim. Era quase meia-noite, mas Otelo tinha pedido que eles o aguardassem na arena. Ele desaparecera algumas horas antes, com negócios misteriosos a resolver em Corcillum.

Os últimos meses tinham sido exaustivos, preenchidos com sessões constantes de treino e estudo. A prova de demonologia tinha vindo e se ido, e todos eles passaram com notas altas. Fletcher não sabia bem o que tinha feito seu pulso doer mais, os incessantes treinos de espada ou as intermináveis horas escrevendo redações durante provas que duravam um dia inteiro.

Ele poderia ter suportado esses meses recentes com relativa tranquilidade, se não fosse pela frieza com a qual ele, Sylva, Serafim e Otelo eram tratados pelos antigos amigos. Apesar das tentativas de fazer as pazes, Rory, Genevieve e Atlas ainda estavam chateados, comendo separadamente no café da manhã e os evitando sempre que possível.

— Ah, eles ainda estão aqui — disse Otelo de trás deles. — Temos companhia, pessoal. Animem-se e venham receber uns velhos amigos.

Fletcher se virou e viu Otelo, Athol e Átila parados atrás deles. Levantou-se num salto e foi imediatamente embrulhado num abraço de urso, erguido pelos braços fortes de Athol como se ele não pesasse mais que uma criança.

— Achei que Otelo tinha falado que ia buscar minha encomenda amanhã! —Fletcher riu. Átila sorriu desajeitado e lhe deu um aceno respeitoso de cabeça.

— Os verdadeiros amigos dos anões recebem entregas pessoalmente — retumbou Athol, soltando o rapaz. — Átila trabalhou dia e noite no seu pedido. Agora, com a perna curada, ele decidiu vir junto também.

— Bah, foi um trabalho delicado, mas um prazer de executar — comentou Átila, erguendo o produto de seu trabalho à luz.

Fletcher tinha pensado inicialmente naquilo depois de sua conversa com Arcturo. A pedra de visão que ele recebera só era útil quando Fletcher a segurava junto ao olho. O tapa-olho de Arcturo tinha lhe dado a ideia de prender a pedra ali, deixando suas mãos livres.

— Percebi que o seu conceito de monóculo clássico não daria certo assim que comecei, Fletcher. Ele se soltaria se você lutasse enquanto o usasse. Mas você disse que sua ideia veio do tapa-olho do seu professor. Então poli o cristal até ele ficar transparente, fiz uma moldura de prata e prendi uma tira nela. Experimente só.

A tira de couro do monóculo serviu perfeitamente na cabeça de Fletcher, com a pedra de visão posicionada logo diante de seu olho esquerdo. Ele via através dela quase perfeitamente, apesar do lado esquerdo de sua visão agora estar com uma coloração levemente arroxeada.

— Ficou perfeito! Muitíssimo obrigado! — exclamou Fletcher, maravilhado com a clareza. Se ele iniciasse uma visualização, seria literalmente capaz de ver as coisas do ponto de vista de Ignácio, ficando ao mesmo tempo livre para agir como quisesse.

— Você pode fazer um desses para mim? — indagou Serafim com um toque de inveja. — Eu jamais teria pensado nisso.

— Tarde demais agora — respondeu Átila, puxando a barba diante do elogio. — Mas, se você estiver com o dinheiro e o cristal, ficarei feliz em começar imediatamente.

— Hum, preciso da minha pedra para amanhã. Mas aceitarei sua oferta muito em breve. — Serafim pegou o próprio fragmento de cristal e o fitou com desapontamento.

— Muito impressionante — comentou Sylva, bocejando ao subir as escadas. — Só que o torneio é amanhã cedo, e preciso de uma boa noite de sono. Você vem, Serafim?

— Sim, preciso do meu sono de beleza se eu quiser conquistar o coração de Isadora amanhã — brincou Serafim, mandando uma piscadela de despedida a Fletcher enquanto seguia a elfa. — Boa noite a todos!

Após os passos de ambos desaparecerem no corredor, Athol pigarreou e lançou um olhar apreensivo a Otelo.

— Certo, temos mais um assunto a conversar, Otelo. Átila fez uma nova tatuagem, para cobrir a cicatriz na perna. Sei que você odeia isso, mas trouxe o kit de tatuagem para o caso de você querer fazer uma igual. Depois do ataque fracassado, os Pinkertons estão mais agressivos do que nunca.

Otelo grunhiu enquanto Athol pegava várias agulhas grossas e um pote de tinta negra na mochila.

— Não! Não desta vez. Cheguei à conclusão de que levar a culpa no lugar de Átila só serviu para deixar que ele vivesse uma vida sem consequências. Afinal, essa experiência de ter quase morrido provavelmente lhe ensinou mais lições de vida numa só noite do que ele aprendeu em todos os seus quinze anos de existência. Não é, Átila? — observou Otelo, indicando Fletcher com um aceno de cabeça.

— Eu estava errado quanto aos humanos — resmungou Átila, olhando para os pés. — Mas isso não apaga as muitas atrocidades que sofremos nas mãos deles. Percebi que não é a raça humana que eu odeio, mas o sistema em que vivemos.

— Mas, se nós quisermos mudar esse sistema, precisamos fazê-lo de dentro dele. — Otelo segurou o ombro de Átila. — Você vai se alistar em Vocans no ano que vem? Eu não posso fazer isso sozinho, irmão.

Átila ergueu o rosto, seus olhos brilhando com determinação.

— Eu vou.

Otelo riu com alegria e deu um tapa nas costas do irmão.

— Excelente! Deixe-me mostrar-lhe meu quarto. Você consegue subir as escadas com essa perna?

Os gêmeos saíram de braços dados, Otelo ajudando Átila a mancar pelos degraus e deixar a arena. Suas vozes animadas ecoaram pelo corredor, deixando Fletcher a sós com Athol.

— Como as coisas mudam — comentou o rapaz.

— E como mudam. Meu coração se alegra ao vê-los amigos de novo — concordou Athol, enxugando uma lágrima do olho. — Eles eram inseparáveis quando novos, sempre se metendo em encrencas.

— Átila tem o coração no lugar certo — afirmou Fletcher, pensando no ódio que ele mesmo sentia pelos Forsyth. — Eu não sei se estaria tão disposto a perdoar.

— O perdão não é da natureza dos anões — suspirou Athol, sentando-se e levando uma das agulhas de tatuagem à luz. — Podemos ser teimosos como mulas, incluindo eu. Menos Otelo, porém. Lembro-me bem quando ele se ofereceu para ser testado pela Inquisição, e eu lhe disse que estava se juntando aos nossos inimigos. Você sabe o que ele me respondeu?

— Não, o quê? — indagou Fletcher.

— Ele disse que o maior inimigo de um guerreiro pode ser também seu maior professor. Aquele guri anão tem uma sabedoria que vai muito além de sua idade.

Fletcher contemplou essas palavras, mais uma vez sentindo profunda admiração por Otelo. A dama Fairhaven tinha dito algo similar: *Conhece teu inimigo*. Mas o que ele poderia aprender com os Forsyth, ou com Didric? Talvez, se tivesse acesso ao diário de James Baker, ele pudesse aprender alguma coisa com os orcs. Porém, o livro ainda não tinha voltado da gráfica, onde eles tinham dificuldades em preparar as xilogravuras dos intrincados diagramas que adornavam cada página. Mesmo que a maioria tratasse da anatomia dos demônios que viviam do lado órquico do éter, era impossível saber que outras observações úteis Baker poderia ter anotado naquelas páginas.

— Você não quer uma tatuagem também? Eu fiz as de Otelo e Átila, então sei o que estou fazendo — perguntou Athol, meio de brincadeira.

— Não, não é bem meu estilo — respondeu Fletcher, rindo. — Sem querer ofender, acho que elas são meio brutas. Eu vi até um orc...

O menino paralisou. Em suas memórias, ele viu o orc branco erguendo a mão, com o pentagrama fulgurando violeta na sua palma. Será que poderia ser assim tão simples?

— Você viu um orc com tatuagens? — repetiu Athol lentamente, confuso pelo silêncio abrupto de Fletcher.

— Foi um sonho... — murmurou ele, traçando com o dedo a palma da mão esquerda.

Fletcher sacou o khopesh e começou a desenhar o contorno de uma mão na areia da arena. Seu coração batia loucamente no peito enquanto ele pensava no que estava prestes a fazer.

— Espero que você seja tão bom quanto diz que é, Athol — declarou. — Preciso que esta tatuagem fique perfeita.

48

Fazia um calor intenso na arena, piorado pelas dúzias de tochas que Sir Caulder instalara nos suportes nas paredes. A areia onde os calouros se perfilavam parecia se mover e deslocar sob a luz tremeluzente.

— Só tem mesmo 24 de nós? Achei que seria mais gente — sussurrou Serafim no ouvido de Fletcher.

— Não, é só isso. São 12 calouros e 12 veteranos, com um número igual de plebeus e nobres — respondeu o outro, com voz forçada.

Ele não se sentia bem. Cada bater do seu coração fazia a mão esquerda latejar de dor. Não fora uma experiência agradável com Athol na noite passada, e o rapaz não tivera a chance de testar a teoria ainda. O anão tinha lhe dito para deixar a mão se curar o máximo possível antes de tentar qualquer coisa.

— Olhos adiante! — bradou Sir Caulder atrás deles, fazendo os alunos pularem. — Demonstrem respeito aos generais de Hominum.

Fletcher endireitou a postura à penumbra do corredor de acesso à arena. Primeiro vieram os generais, resplandecentes em seus elegantes uniformes de veludo azul, bordados com fios dourados que subiam pelas mangas até as dragonas. Os peitos eram adornados com uma abundância de medalhas e borlas, e todos os generais seguravam seus bicornes com força junto ao flanco enquanto desciam rigidamente pelos degraus. Eram homens severos, com rostos que evidenciavam penosas experiências. Nenhum deles falou, apenas passaram os olhos pelos cadetes como se avaliassem cavalos num leilão.

— Se eles ficarem impressionados, vão nos oferecer comissões diretamente após o torneio para lutarmos no Exército Real — murmurou Serafim com o canto da boca. — O soldo não é tão bom, mas as promoções chegam mais rápido que nos batalhões nobres, por conta do alto coeficiente de atrito. Assumir o lugar de homens mortos e tudo o mais.

— Silêncio nas fileiras! — ralhou Sir Caulder, mancando até a frente e os desafiando a romper o silêncio. — Posição de sentido! Se eu vir um de vocês se mover um centímetro, vou fazer com que se arrependam!

Mas Fletcher não estava prestando atenção. Um homem tinha entrado na arena e o encarava. A semelhança familiar era inconfundível. Zacarias Forsyth.

Zacarias não era como Fletcher tinha imaginado. O rapaz visualizara um homem com feições frias e tortuosas. Entretanto, o nobre era alto e corpulento, com metade da orelha faltando e um sorriso confiante. Ele descolou o olhar de Fletcher para os filhos, que estavam lado a lado.

— Ora ora, Sir Caulder, deixe que os cadetes relaxem. Haverá tempo mais que suficiente para toda essa cerimônia mais tarde — comentou Zacarias numa voz grave e animada. Ele desceu até a areia e abraçou os dois filhos, bagunçando o cabelo de Tarquin e dando um beijo no rosto de Isadora.

Por algum motivo, Fletcher ficou confuso ao presenciar tal cena. Parecia estranho pensar que alguém poderia adorar Tarquin e Isadora, mesmo que fosse o próprio pai.

— E quem é este rapaz robusto? — trovejou Zacarias, parando diante de Fletcher e o olhando de cima a baixo, notando os cheios cabelos negros e o khopesh em seu cinto.

— É o bastardo, pai; aquele com o demônio Salamandra — afirmou Tarquin, observando o outro menino com desdém.

— É mesmo? — comentou Zacarias, fitando as profundezas dos olhos de Fletcher. O sorriso permaneceu sem vacilar no rosto do nobre, mas o rapaz viu algo mudar no fundo do seu olhar. Algo sombrio e feio que lhe deu vontade de estremecer.

— Vai ser interessante ver do que o seu demônio é capaz. Ora, aposto que ele poderia calcinar o ombro de um homem até o osso, se assim quisesse. — A máscara sorridente continuava lá, mas Fletcher não se permitiu intimidar por aquele brutamontes.

— Ele pode, e já o fez — retrucou Fletcher, com dentes trincados. — Talvez eu possa lhe oferecer uma demonstração algum dia.

O sorriso de Zacarias vacilou, e ele pousou a mão no ombro do menino e apontou para a arquibancada. O lugar estava se enchendo com mais nobres, todos vestindo cores e uniformes que representavam seus batalhões pessoais. Alguns tinham se juntado a Zacarias na areia, abraçando os filhos e falando alto, para a irritação de Sir Caulder.

— Será legal para você ter sua família aqui para lhe dar apoio. Por que você não dá um tchauzinho ao seu pai?

Fletcher ficou paralisado. Berdon estava ali? Não poderia ser! E não era mesmo; Zacarias estava apontando para um casal grisalho, que contemplava o menino com um olhar de puro ódio.

— Tomei a liberdade de informar os Faversham das suas alegações — contou Zacarias, com olhos cheios de malícia. — Até o rei demonstrou interesse especial no seu caso. Afinal, você acusou o lorde Faversham de ter sido infiel à prima do rei mais uma vez, tantos anos depois de todos aqueles problemas com Arcturo e os outros bastardos.

— Eu não aleguei nada disso! — enfureceu-se Fletcher. — Eu jamais...

— Convidei os dois a me acompanhar e assistir pessoalmente. Espero que você não se importe. Arcturo foi mandado para longe, de modo a não se encontrar com o pai e a madrasta, o que faz parte do acordo dele com o velho rei. Isso deixa Rook encarregado do torneio. Um velho amigo da minha família, sabe? Tenho certeza de que ele fará um esforço doloroso para garantir que tudo seja o mais justo possível.

Zacarias piscou para Fletcher e deixou a areia para se sentar com os outros nobres, mas não antes de exibir um sorriso de tubarão a Sylva e Otelo. Fletcher tremia de fúria, cerrando as mãos em punhos apesar da dor que pulsava na palma esquerda.

— Não deixe que ele afete você, Fletcher — sussurrou Serafim. — Vamos arrasar com os Forsyth.

— Sentem-se, sentem-se todos! — trovejou Cipião, chegando pelo corredor e descendo os degraus da arena, seguido por um Rook sorridente. O reitor acenava e saudava generais e nobres igualmente. Conforme os espectadores se assentavam, o silêncio recaiu sobre a arena.

— Enfim, mais um ano, mais uma safra de cadetes prontos para testar suas habilidades na arena — continuou Cipião, abrindo os braços e sorrindo para os alunos. — Este ano é uma ocasião bem incomum. Tradicionalmente, só teríamos mais ou menos uma dúzia de candidatos que se enfrentariam em duelos eliminatórios e assim determinariam um vencedor. Porém, neste ano estendemos a oportunidade tanto aos calouros quanto aos veteranos, o que nos deixa com 24 candidatos a serem avaliados. Vou deixá-los nas mãos capazes do Inquisidor Rook, que lhes explicará as novas regras do torneio.

Cipião se afastou e sentou-se na primeira fila da arena, tendo cumprido seu dever.

— Muito obrigado, reitor. Eu gostaria de aproveitar esta oportunidade para agradecer a todos por terem vindo; sei que seu tempo é precioso. Cada minuto longe das linhas de frente é um minuto em que seus soldados estão privados de sua excelente liderança. Para acelerar as coisas, decidi que haverá uma batalha tripla na primeira rodada, onde apenas um candidato seguirá adiante para a próxima. Não será um duelo tradicional, mas detalhes adicionais serão revelados posteriormente.

Houve murmúrios de curiosidade da plateia, porém nenhuma discordância. Rook esperou que o barulho terminasse antes de continuar.

— A próxima rodada será a eliminação tradicional entre dois cadetes, mas sem feitiços ou demônios. Historicamente, os combatentes do torneio raramente se enfrentam corpo a corpo, preferindo lançar feitiços ou deixar que seus demônios lutem por eles. Parece uma pena desperdiçar todos os anos de aprendizado de esgrima que seus filhos receberam, mesmo antes de vir à academia. Esta segunda rodada evidenciará esta importante perícia.

Desta vez houve acenos de concordância dos nobres nas arquibancadas, mas os generais pareceram menos felizes com o arranjo, franzindo os lábios e assentindo.

— Tenho uma objeção. Tal procedimento dá uma vantagem injusta aos jovens nobres, que receberam aulas particulares de esgrima — afirmou um dos generais, falando diretamente com Cipião. — Nós preferimos uma avaliação justa das habilidades dos cadetes.

— Talvez o senhor prefira que prejudiquemos os nobres, simplesmente porque eles são mais bem preparados? — indagou Rook com um tom de sarcasmo. — Eles também não receberam treinamento em feitiçaria antes de chegar à Cidadela? Talvez seja melhor limitar os testes à prova de demonologia?

Cipião se levantou e se voltou ao general que tinha falado.

— Temo que eu tenha que concordar com o Inquisidor Rook. Também me opus a essa mudança inicialmente, mas logo me lembrei de algo importante. A guerra é injusta; os fracos fracassam e os fortes sobrevivem. Se o torneio for desequilibrado, isso não permitirá uma representação mais precisa de uma batalha real?

— Também determinei uma medida que permitirá que um número igual de nobres e plebeus sigam para a segunda fase — anunciou Rook. — As duas classes não competirão uma com a outra na batalha de três, pois os grupos não se misturarão. Isso satisfaz ao senhor?

— De fato, Inquisidor. Obrigado. — O general se sentou novamente, apesar de continuar com o cenho franzido.

— Ótimo. A terceira e a quarta rodada serão duelos tradicionais, então presumo que não há discordância nenhuma aqui. Agora, a arena deve ser preparada para a primeira fase — afirmou Rook, esfregando as mãos. — Sir Caulder! Leve os cadetes às suas celas!

49

Fletcher estava sentado na escuridão de sua cela de prisão, com o coração saltando como um passarinho engaiolado. Ele acreditara poder assistir às outras lutas, mas as regras determinavam que todos os combatentes deveriam ser mantidos isolados. Parecia que horas já tinham se passado, e a espera, com a antecipação, era uma tortura.

O rapaz fitou a própria mão, traçando as linhas negras profundas desenhadas por Athol. No centro da palma havia um pentagrama, a estrela de cinco pontas inscrita num círculo. Se aquilo funcionasse conforme planejado, Fletcher poderia evocar e infundir Ignácio simplesmente usando a mão, em vez de ser obrigado a posicionar o demônio sobre um couro de conjuração. Só não sabia ainda muito bem como isso poderia ser útil numa batalha.

Tinha deixado o dedo indicador esquerdo em branco, para poder entalhar com ele normalmente, caso precisasse usar outro feitiço. As pontas dos outros dedos foram tatuadas com os quatro símbolos de batalha para telecinese, fogo, relâmpago e escudo. Com alguma sorte, ele seria capaz de disparar mana por cada dedo sem precisar entalhar o glifo no ar.

Um zumbido súbito lhe assustou quando Valens apareceu pairando, passando por entre as barras da cela e pousando no colo do menino.

— Veio assistir, capitã Lovett? — perguntou Fletcher, acariciando a carapaça lisa do besouro.

Valens balançou as antenas e zumbiu animado. De alguma forma, aquilo fez Fletcher se sentir melhor.

— Espero que possa assistir. Será ótimo ter alguém torcendo por mim. Ou zumbindo.

Passos soaram no corredor, e o besouro disparou, escondendo-se num canto escuro da cela.

— Fletcher.

Era Sir Caulder, fitando-o por entre as barras.

— Chegou a hora.

Fletcher estava sobre uma plataforma de madeira no limite da arena, de costas para os espectadores. Um grande couro de conjuração jazia aberto diante dele. Rory e uma plebeia veterana chamada Amber estavam sobre suas próprias plataformas, um de cada lado e equidistantes de Fletcher. O rapaz sentia sobre si os olhares dos Faversham, deixando-o com a nuca toda arrepiada. O olhar de Rory também estava carregado de malícia, como se o retorno à arena o fizesse lembrar da suposta traição de Fletcher. Com um balançar de cabeça, o rapaz se forçou a ignorar tudo aquilo, concentrando-se na tarefa imediata.

O campo de batalha tinha sido coberto de rochas grandes e pontiagudas, como se um enorme rochedo vermelho tivesse sido estilhaçado e espalhado pela areia. No centro exato, havia um pilar gigante de barro, de uns 9 metros de altura. Uma trilha em espiral contornava da base ao topo da coluna como uma serpente, larga o bastante para acomodar um cavalo.

Fletcher ouviu um zunir quase imperceptível acima e olhou para o alto. Valens tinha acabado de sobrevoá-lo, circulando a arena até pousar no teto côncavo, misturando-se às sombras. Fletcher sorriu. Lovett tinha a melhor vista.

— As regras deste desafio são simples — declarou Rook, da lateral. — O primeiro demônio que alcançar o topo do pilar e manter-se ali por dez segundos, vencerá. Vocês podem usar apenas o feitiço de telecinese.

Não podem atacar seus colegas cadetes nem sair de suas plataformas. Se o fizerem, serão sumariamente eliminados. Comecem!

Fletcher caiu de joelhos e pousou a mão no couro, evocando Ignácio com uma explosão de mana. Ele passou a pedra de visão nas costas do demônio. O diabrete soltou um trinado de empolgação e saltou à arena sem hesitar.

Ao seu lado, Amber evocara um Picanço, e Malaqui já estava disparando em direção ao Pilar. Rook tinha escolhido bem os oponentes de Fletcher; demônios voadores, um pequeno e difícil de acertar, o outro grande mas duro de derrubar. Aquilo não seria fácil.

Fletcher ergueu a mão e apontou para Malaqui com um dedo tatuado.

— Espero que isso funcione — sussurrou ele consigo mesmo, inundando o corpo com mana.

O ar tremulou num espaço longo e estreito, e Malaqui foi derrubado, caindo nas rochas abaixo. Tinha dado certo!

— Vai Ignácio, agora!

A Salamandra galopou por entre as pedras, dardejando para um lado e o outro, enquanto Rory e Amber disparavam contra ele freneticamente. A areia entrou em erupção em volta de Ignácio. Rochas eram destroçadas, lançando fragmentos afiadíssimos como estilhaços de bombas. Quando o demônio saltou para a espiral, um impacto cinético de Rory o acertou com força e o atirou para detrás de um afloramento rochoso próximo à base do pilar. Fletcher sentiu um latejar abafado de dor, mas sabia que Ignácio não estava seriamente ferido.

O Picanço já tinha saltado para o chão, preferindo se esconder atrás das pedras a ser derrubado do alto. Fletcher aproveitou para colocar o monóculo, antes que Malaqui fizesse outra tentativa.

Ele viu que Ignácio estava escondido atrás de uma rocha côncava, e que a espiral não estava longe. Porém, se o demônio Salamandra começasse a correr pela trilha, ficaria exposto demais para avançar o bastante. Mesmo que alcançasse o topo, dificilmente ficaria lá em cima por tempo suficiente.

— Temos que caçar os outros demônios, derrotá-los antes que eles tenham uma chance de voar para o alto — murmurou Fletcher, mandando suas intenções para Ignácio. A Salamandra rosnou em concordância, então disparou para a pedra seguinte, procurando os inimigos de baixo enquanto Fletcher observava do alto.

Rory e Amber também espiavam suas pedras de visão, com o olhar saltando entre o cristal e a arena como o rabo de um gato furioso. Fletcher sorriu, impressionado com a imensa eficácia do monóculo. Ele ainda podia ver com os dois olhos, apesar de ter uma imagem fantasmagórica e arroxeada sobreposta ao lado esquerdo da visão.

Ignácio ficou completamente imóvel. O Picanço estava à frente dele, silenciosamente agachado sob a beira de uma grande rocha. Era um Picanço pequeno, mais ou menos do tamanho de uma águia crescida além da conta, mas tinha um físico poderoso, com plumagem brilhante e garras ferozes. Ignácio era capaz de derrotá-lo.

— Fogo — sussurrou Flethcer, sentindo o mana se agitando em suas veias.

O Picanço foi pego num redemoinho de fogo, sendo lançando contra a face de uma rocha. Ele crocitou e agitou as asas, mas Fletcher o golpeou com um impacto cinético, jogando-o ao chão antes que se erguesse no ar.

— Hoje vai ter peru assado! — gritou Cipião, enquanto a plateia ao mesmo tempo comemorava e vaiava.

Ignácio saltou sobre o Picanço fumegante, atacando-o freneticamente com as garras e ferroando-o com a cauda, como um escorpião. O Picanço retribuiu com uma gadanhada, rasgando o flanco do diabrete. A Salamandra guinchou de dor e então empinou-se, pronto para disparar mais chamas contra a ave.

— Não! — gritou Amber, saltando da plataforma. Ignácio se deteve, espantado com o barulho. — Não o machuque! Não o machuque! — exclamou ela, jogando-se sobre a cabeça do Picanço.

— Já chega, Ignácio. Eles estão fora do torneio! — gritou Fletcher.

Mas o rapaz não era o único que estava gritando. A multidão atrás dele urrava, e Fletcher viu que Malaqui estava no topo do pilar, espiando sobre a borda oposta.

Ignácio já corria em direção à coluna, mas não chegaria a tempo. Fletcher disparou um impacto, mas só conseguiu soprar a poeira sobre o pilar. O ângulo não era favorável. Seria um milagre se ele conseguisse até mesmo pegar Malaqui de raspão.

— Dez, nove, oito... — gritou Rook.

Fletcher precisava fazer algo drástico. Deixou a próxima bola de energia cinética crescer até o tamanho de uma toranja, cerrando os dentes enquanto a bombeava com mana.

— Sete, seis, cinco... — continuou Rook, mal escondendo sua alegria.

Fletcher uivou, erguendo sobre a cabeça a esfera que se expandia. Sentia o ar acima de si se distorcer e vibrar. Ele hesitou, com o olhar fixo na figura frágil do Caruncho.

— Quatro, três, dois... — O ritmo se acelerou; Rook percebia o que o menino estava prestes a fazer.

Fletcher lançou a bola através da arena com toda a sua força. O topo do pilar se destroçou como porcelana, arremessando Malaqui para longe num turbilhão estrondoso de poeira e fragmentos de pedra.

— Nããããoooo! — gritou Rory, saltando da plataforma e se ajoelhando na areia. Escavou o corpo ferido do Caruncho de onde ele jazia. O besouro se debatia e estremecia, as seis pernas em convulsão. Rory soluçava, desesperadamente tentando entalhar um feitiço de cura no ar.

— A dama Fairhaven vai cuidar dele — anunciou Cipião, enquanto a plateia começava a murmurar em solidariedade. Fairhaven correu e se ajoelhou ao lado do menino. Ela entalhou o símbolo do coração no ar e começou a fluir luz branca sobre o demônio ferido.

— Seu monstro! — berrou Rory. — Ele está morrendo!

Fletcher sentiu o estômago revirar quando viu uma mancha de sangue escuro na areia onde o Caruncho tinha caído.

— Vamos lá — chamou Sir Caulder, segurando-o pelo braço. — Não há nada que você possa fazer por ele agora.

— Me solte! — gritou Fletcher enquanto era arrastado por Sir Caulder. — Malaqui!

50

Desta vez, Fletcher foi confinado numa cela maior. Era igualmente escura e desagradável, mas ele ficou surpreso ao encontrar Otelo e Sylva nas outras celas com barras de ferro ao lado da sua. Ignácio chilreou com alegria ao vê-los.

— Você conseguiu! — exclamou Sylva, erguendo-se num salto e sorrindo para ele.

— Rory quase me venceu. Era como se o desafio tivesse sido projetado para Carunchos. — Fletcher encarou o chão. Ainda se sentia culpado, e sua mente se voltava sempre a Rory e Malaqui. A imagem da areia manchada de sangue ressurgiu de repente, e ele sentiu uma onda de náusea.

— E *foi* projetado para Carunchos. Você não vê o que Rook fez? — resmungou Otelo, segurando as barras que os separavam. — Ele queria eliminar todos os plebeus poderosos logo no começo, e assim fez com que fosse mais fácil para os mais fracos nos vencer. Se o plano dele tivesse funcionado, os nobres estariam enfrentando Rory, Genevieve e alguns plebeus veteranos com Carunchos na próxima rodada. Rook não separou plebeus e nobres na primeira rodada para ser justo; ele fez isso para que ficasse completamente injusto para nós!

— Bom, ainda bem que ele nos subestimou — respondeu Sylva, com uma expressão de determinação severa no rosto. — Espero que Serafim se classifique também. Vi que ele estava para enfrentar Atlas e um veterano, quando eles passaram pela minha cela.

— Acho melhor torcermos para Tarquin e Isadora *não* se classificarem. Só que, com Rook decidindo com quem eles vão lutar, acho pouco provável — resmungou Otelo, sombrio.

— Então, o que vem agora? — indagou Fletcher, observando Ignácio lamber a ferida no flanco e se perguntando se deveria tentar o feitiço de cura. — Rook falou alguma coisa sobre luta com espadas. Athol fez o favor de afiar meu khopesh ontem à noite. Mas o que nós vamos fazer, cortar um ao outro até que alguém desista?

— Não, perguntei a Cipião como seria na semana passada — explicou Otelo. — O feitiço de barreira protege a pele dos cortes. É como um escudo muito flexível que envolve seu corpo. Os golpes ainda doem demais, mas o corte é contido, como se você estivesse apanhando com uma barra de metal. Uma vez que Rook julgar que você acertou um golpe mortal ou incapacitante, você será proclamado o vencedor.

— Rook de novo. Bem, pelo menos ele não pode ser injusto demais com todo mundo assistindo — resmungou Fletcher, coçando o queixo de Ignácio.

— Esperem aí, eu nunca ouvi falar nesse feitiço. Por que nós não aprendemos a usá-lo? Sei que os orcs costumam usar armas de impacto e não de corte, de qualquer jeito, mas isso certamente muda tudo! — exclamou Sylva.

— Porque você precisa de pelo menos quatro conjuradores poderosos para fornecer uma barreira forte o bastante — explicou Otelo. — Alguns dos nobres terão que fundir seu mana e fornecer uma torrente constante a você durante a batalha inteira. Fora de torneios, o feitiço quase nunca é usado. Exceto quando o rei está no campo de batalha, é claro.

— Entendi. Bem, vamos torcer para que funcione; não estou muito interessado em perder a cabeça esta noite — comentou Fletcher, chamando o diabrete para seu colo.

— Aqui, deixe-me curar Ignácio — murmurou Sylva, percebendo o humor de Fletcher.

— Não, você vai precisar de todo seu mana para derrotar os Forsyth na terceira e quarta rodadas. Ele vai ficar bem — respondeu o rapaz, desejando ser capaz de fazer um feitiço de cura por si só. Infelizmente, o glifo respectivo era geralmente muito instável, e Fletcher estava muito longe de dominá-lo. — Deixa eu dar uma olhada — disse Fletcher para o demônio, erguendo Ignácio para mais perto do rosto.

O arranhão era superficial, bem mais do que ele tinha esperado. De fato, parecia estar desaparecendo diante dos olhos dele. O rapaz ficou sentado, observando com espanto cada vez maior conforme o corte se selava gradualmente.

— Caramba — murmurou Fletcher. — Você é uma caixinha de surpresas.

Ignácio ronronou quando o menino traçou a pele nova com o dedo.

— Tem alguém chegando — anunciou Otelo, voltando para o fundo da cela.

Sir Caulder apareceu, conduzindo Serafim, que parecia bem feliz.

— Ainda não entendo por que os mantêm nessas celas como um bando de criminosos — resmungou Sir Caulder, destrancando a cela em frente à de Fletcher para Serafim. — O mínimo que eu posso fazer é lhes oferecer alguma companhia.

— Você sabe quem vai lutar em seguida? — perguntou Fletcher.

— Sei. Parece que nenhum dos veteranos passou para a próxima rodada. Os pares são Serafim e Tarquin, Sylva e Isadora, Otelo e Rufus, Fletcher e Malik. Todos vocês vão ter muita dificuldade para vencer. Especialmente no seu caso, Fletcher; a sua luta é a primeira, e Malik foi treinado pelo pai. Virei buscá-lo num instante, eles estão organizando voluntários para a barreira do seu oponente.

Ele saiu mancando, ainda resmungando, com o toque da perna de pau ecoando no corredor.

— Olha, se nós já odiamos estas celas, imaginem como aqueles nobres metidos devem estar se sentindo — comentou Serafim, animado.

— Presumo que você tenha vencido, então? — perguntou Fletcher.

— Claro que venci. Farpa nocauteou Bárbaro com alguns espinhos venenosos do dorso dele. Atlas não ficou nada feliz! O Caruncho do veterano só ficou escondido embaixo de uma pedra até tudo acabar. Quem quer que tenha participado da batalha anterior fez uma belo estrago naquele pilar! Metade da coluna estava em ruínas quando chegou a minha vez, sem falar no estado do Caruncho de Rory! Deixou aquele veterano completamente apavorado, sem dúvida alguma.

— Está tudo bem com Rory? — indagou Fletcher, sentindo outra pontada de culpa.

— Ele parecia bem infeliz. Malaqui ainda estava sendo tratado quando eu o vi pela última vez. Os perdedores se sentam com a plateia, então você logo verá por si próprio. Teremos uma bela audiência na próxima rodada, podem ter certeza — afirmou Serafim, ainda sorrindo.

— Você e Sylva precisam vencer Isadora e Tarquin. É por isso que estamos aqui. Foi por isso que eu quase matei Malaqui. Agora comece a levar isso a sério — ralhou Fletcher.

— Desculpa. Eu não quis dizer...

Ouviu-se de novo o eco dos passos de Sir Caulder, deixando a todos num silêncio nervoso.

— Venha, Fletcher, você é o primeiro — afirmou o instrutor numa voz ranzinza.

O instrutor destrancou a cela e, com um último olhar para os outros, Fletcher o seguiu.

— Lembre-se do que falei, Fletcher. Isto não é uma corrida, não é emocional. Sua carreira é a guerra, e tudo isto são apenas negócios. Malik sabe o quanto é impaciente, que suas emoções podem lhe atrapalhar. Ótimo, deixe que ele pense que vai se comportar assim. Use isso ao seu favor.

Com essas palavras de despedida, Sir Caulder o empurrou para a arena.

— Ah, Fletcher. Preciso dizer, ficamos muito impressionados com o seu desempenho na última batalha; surpreendeu a todos! — Colocando a mão em suas costas, Cipão o guiou para a arena cheia de rochas. — Entalhamento incrivelmente rápido, nem vi seu dedo se mexer. Quanto à sua Salamandra, mas que espetáculo! Tenho certeza de que uma primeira-tenência é uma possibilidade real, se um dos generais vir o mesmo potencial que eu vejo!

Fletcher mal ouviu o discurso, fitando o rosto marcado de lágrimas de Rory enquanto o menino abraçava Malaqui junto ao peito. O demônio batia as asas fracamente, mas parecia estar vivo. O alívio inundou Fletcher como uma droga.

— Rory, ele está bem? — gritou ao outro lado da arena.

— Não, e graças a você — gritou Rory de volta. A dor em sua voz era óbvia, mas não havia raiva verdadeira ali; apenas resquícios de medo.

— Me desculpe, Rory — implorou Fletcher, mas o outro lhe deu as costas, ocupando-se do demônio ferido.

Apesar disso, Fletcher se sentia muito melhor. Malaqui ia ficar bem, e isso era a única coisa que importava. Rory mudaria de ideia.

Foi só quando ele viu Malik, de cimitarra na mão, que desabou de volta à realidade.

— Preciso de voluntários para produzir o feitiço de barreira para o cadete Wulf — declarou Cipião à plateia.

— Será meu prazer — bradou Zacarias Forsyth. — E acredito que os Faversham também estão ansiosos para ajudar. Inquisidor Rook, você se juntaria a nós?

Fletcher empalideceu enquanto os Faversham e Zacarias desceram até a beira da arena. O casal não se deu ao trabalho de esconder o ódio em seus olhos. Cipião ia mesmo deixar que eles ficassem responsáveis pela vida dele?

O reitor pigarreou diante de um estardalhaço e os olhou, parecendo desconfiado.

— Por mais que eu respeite sua boa vontade em ignorar as... complexidades entre vocês e Fletcher, lorde e lady Faversham, preciso insistir para que Rook permaneça concentrado no julgamento do torneio. Não, eu assumirei essa responsabilidade.

— Mas, milorde — gaguejou Zacarias. — O senhor está... aposentado, não está?

— O rei foi generoso e me enviou um pergaminho de conjuração na noite passada. — Cipião criou um fogo-fátuo e depois o apagou com o punho. — Sua Majestade acredita que serei necessário na frente órquica em breve, e que fiquei em luto por tempo demais. Estou inclinado a concordar com ele. Preciso deixar para trás a morte do meu primeiro demônio, ocorrida há tantos anos, e seguir adiante. Meu novo filhote de Felídeo ainda está se desenvolvendo, mas tenho certeza de que, com a ajuda de um conjurador tão poderoso quanto você, ficaremos bem. Agora, não ligue para nós, Fletcher. Você sentirá um leve formigamento na sua pele, mas é só. Vamos cuidar de todo o resto.

Os quatro magos de batalha deram as mãos e Cipião começou a desenhar um glifo complexo no ar.

— Vá em frente, Fletcher — disse o reitor. — Malik está esperando.

51

O khopesh estava escorregadio na mão de Fletcher. Ele tentou não pensar no que poderia acontecer se Zacarias ou os Faversham decidissem cortar o mana no momento errado. Um acidente trágico, era o que eles alegariam.

— Vamos lá, Fletcher, não temos o dia inteiro — zombou Rook, indo até o centro da arena. — Temos mais três batalhas só nesta rodada.

Fletcher o ignorou e instruiu Ignácio a se sentar na arquibancada, longe da batalha. Se o demônio interferisse, eles seriam desclassificados.

— Comecem! — declarou Rook, fazendo uma mesura exagerada aos competidores.

Fletcher deu alguns passos à frente, tentando se aclimatar à nova paisagem. Tinham sido treinados na areia plana, mas agora a arena estava coberta de rochas pontiagudas e destroços da primeira rodada.

Enquanto Fletcher circulava, Malik permanecia parado como uma estátua, observando-o. O jovem nobre tinha escolhido bem sua posição, uma área cercada por pedras soltas, nas quais um atacante poderia tropeçar. Fletcher decidiu que não permitiria ao adversário escolher o local do combate.

Em vez disso, ele olhou para a torre, com sua trilha espiral até o topo. Lembrou-se do que Otelo tinha dito, sobre como os anões construíam suas escadarias numa espiral no sentido anti-horário, para que o braço da espada dos atacantes ficasse atrapalhado pelo pilar quando lutavam descendo. Pela mesma lógica, um atacante ficaria igualmente atrapalhado numa trilha no sentido horário quando estivessem subindo!

Fletcher disparou até o pilar e subiu parte do caminho. Ainda de olho em Malik, ele manobrou até ficar logo abaixo do toco partido que ele tinha destroçado alguns minutos antes.

— Venha até mim, se ousar! — desafiou Fletcher com um grito, para deleito dos espectadores.

— Não vou enfrentar você no pilar, Fletcher. — A voz de Malik soava calma e considerada. — Por que você não desce e me encara no meio? Em campo neutro?

Mesmo que a falta de paciência supostamente fosse a fraqueza de Fletcher, ele esperaria até que Malik se aborrecesse. O rapaz não se importava nem um pouco com o que os generais e nobres pensariam dele. Mas Malik ligava. Se os dois ficassem naquele impasse por tempo demais, as reputações de ambos ficariam arruinadas aos olhos da audiência. E, se reputação era o que preocupava Malik, Fletcher usaria isso ao seu favor.

— Então o filho do grande Baybars se recusa a lutar! Talvez os filhos não puxem aos pais na família Saladin.

Malik se ofendeu com as palavras do plebeu, dando um passo raivoso à frente.

— Um Saladin luta em qualquer momento, em qualquer lugar. Já lutamos do deserto às trincheiras, nas selvas mais profundas das terras órquicas. Duvido que você possa dizer o mesmo da sua família.

— Então prove! Venha me mostrar o que um Saladin pode fazer — provocou Fletcher, girando o khopesh com falsa confiança.

Malik não precisou de mais provocações. Ergueu a cimitarra curva e subiu a trilha em passadas longas e calculadas. Mesmo furioso, o rapaz era um espadachim nato. Fletcher esperava que o pilar lhe desse vantagem suficiente.

O primeiro golpe veio assoviando pelo canto, tentando lhe cortar as pernas. Fletcher o aparou na curva do khopesh e o virou para o lado, antes de investir contra a cabeça de Malik. O nobre se abaixou, deixando a arma se chocar contra o pilar.

Malik se afastou um pouco e avançou contra ele diretamente, fintando um corte torto em volta do pilar contra a cabeça do oponente e em seguida atacando novamente as pernas. Fletcher saltou, deixando a cimitarra sibilar sob seus pés. Aterrissando agachado, ele socou e acertou Malik na bochecha, fazendo o nobre recuar alguns passos.

Os dois se encararam com raiva, ofegando. Fletcher tinha sentido a lisura sedosa da barreira no soco. Passou a palma na própria mão e sentiu o mesmo, só que com muito menos intensidade. Provavelmente apenas Cipião canalizava mana corretamente para o feitiço. Ele relegou aquilo para o fundo da mente. Não havia nada que pudesse fazer.

A cimitarra era brandida de um lado ao outro, segurada com leveza pela mão de Malik. Não era muito diferente de um khopesh, com a lâmina curva e a ponta afiada. Com um gesto do pulso, Malik a lançou da mão direita à esquerda.

— Meu pai me ensinou a lutar com a mão esquerda. Será que Sir Caulder já lhe ensinou isso? — rosnou o nobre.

Fletcher o ignorou, mas suor frio lhe escorreu pelas costas. Com a cimitarra na mão esquerda de Malik, o pilar não era mais uma barreira entre eles. Ainda assim, pelo menos ele tinha a vantagem da posição mais elevada.

Malik estocou contra o estômago de Fletcher, que aparou o golpe com a curva do khopesh e forçou a cimitarra ao chão. Eles lutaram, peito contra peito, com a trilha de madeira rangendo sob seus pés.

Fletcher sentia o hálito quente de Malik em seu rosto enquanto o nobre usava sua altura e força para alavancar a lâmina na direção da virilha de Fletcher. Ele fez um esforço para empurrar, mas a espada do inimigo mal estremeceu enquanto lentamente continuava subindo.

O menino sentiu a ponta da cimitarra raspando o lado interno da sua coxa. Era sangue o que escorria pela perna? A lâmina estava a poucos centímetros agora. Em poucos segundos, seria cravada na sua carne.

Fletcher viu a própria vida passando diante dos olhos; imagens de Berdon, Didric, Rotherham. Sua primeira briga. Rotherham dando uma cabeçada em Jakov, um sujeito duas vezes maior que ele.

A ficha caiu. Fletcher olhou para o teto, depois lançou a cabeça para a frente, acertando Malik no nariz com a testa. O nobre cambaleou e caiu, agitando os braços, para o lado.

Malik quicou numa rocha pontiaguda, que o acertou diretamente na barriga. Ficou caído na areia, ofegando como um peixe fora d'água.

— Um golpe mortal! A rocha o teria empalado — gritou Fletcher.

— Não na minha opinião — retrucou Rook com uma careta de desprezo. — Não parece tão afiada assim. Viu, ele já está se levantando!

De fato, Malik estava quase de pé. Ele encarou Fletcher com raiva, respirando fundo, mas com dificuldade.

— Desista! Você está ferido, e eu tenho o terreno elevado! — implorou Fletcher.

Malik não o faria, porém. Fletcher o tinha provocado demais, ferido seu orgulho além da conta. O jovem nobre ergueu a cimitarra com um rugido e golpeou o pilar. O estardalhaço do metal foi alto, mas Fletcher viu fragmentos de barro espirrando.

Malik golpeou de novo, desta vez com mais sucesso. Grandes pedaços de argila vermelha cederam, e a plataforma balançou sob os pés de Fletcher.

— Desista *você*! — gritou Malik.

Mas não houve tempo sequer para uma resposta de Fletcher. Com um estalo, o pilar começou a desabar, finas rachaduras se espalhando pela coluna como relâmpagos bifurcados.

Com apenas segundos de sobra, Fletcher saltou do topo, rezando por uma aterrissagem suave. Enquanto ele rolava e ficava de cócoras na areia, o pilar desmoronou ao seu lado, lançando um turbilhão de pó no ar.

Ele não conseguia ver nada; o pó vermelho recobria seus lábios e língua. Era difícil respirar. Uma sombra passou pela sua esquerda, depois pela direita. Seria Rook? Ou Malik?

Subitamente, seu oponente irrompeu da névoa rubra, gritando de fúria. Ele golpeou forte para baixo, mas Fletcher se esquivou para o lado, sentindo a lâmina pegar seu antebraço de raspão. Malik desapareceu de novo, misturando-se à penumbra ferruginosa.

Fletcher olhou para o braço. Sangrava, mas era só um arranhão. Agora sabia: aquilo era para valer, a barreira era inútil. Bastaria um lapso de concentração, e ele estaria morto.

O menino girou, procurando a sombra mais uma vez. Um vulto se moveu, fora do alcance da sua vista. Fletcher estreitou os olhos, observando a figura embaçada erguer o braço. Uma pedra veio voando do nevoeiro, acertando-o bem na testa. Ele viu estrelas e caiu estatelado no chão, encarando a poeira flutuante.

Fletcher sentiu dificuldade em se manter consciente, apagando e acordando enquanto as bordas da sua visão escureciam. Seria tão fácil se permitir desmaiar.

Uma dor excruciante explodiu na palma da mão dele, trazendo-o de volta do abismo da inconsciência. Deixou a cabeça cair para o lado e viu Valens, mordendo sua mão. Fletcher tossiu e chacoalhou a mão, tentando se soltar das mandíbulas dele. O besouro deu mais uma mordiscada e enfim disparou poeira adentro, tendo cumprido seu papel.

Fletcher começou a se levantar, mas o khopesh lhe foi chutado da mão e um pé pressionou sua garganta.

— Vou nocautear você, Fletcher. Ninguém desrespeita os Saladin. — A voz de Malik soou baixa, como se Fletcher a escutasse de uma grande distância. Ele precisava de ajuda. Ignácio? Não, ele também estava muito longe.

Sua mão buscou uma pedra, qualquer coisa, mas só sentiu areia. Malik ergueu a espada, seus dentes incrivelmente brancos contrastando com a poeira vermelha que recobria a pele. Conforme o pó começava a assentar, Fletcher pôde ver a plateia. Os gritos de empolgação beiravam a histeria.

— Boa noite, Fletcher.

Fletcher lançou um punhado de areia contra o rosto de Malik. O nobre gritou e girou para longe, temporariamente cego. Fletcher se levantou, instável, e com sua última reserva de força, investiu contra Malik, jogando-o no chão. Houve um baque quando a cabeça do nobre se chocou contra a pedra, seguido de silêncio.

Os dois ficaram ali caídos por um tempo, a poeira baixando ao redor como um cobertor morno. Era sereno ficar deitado na terra. Ele mal sentiu as mãos que o ergueram para que ficasse de pé, ou o copo de água que levaram aos seus lábios. Porém, ouviu muito bem as palavras que Cipião gritava.

— Fletcher venceu!

52

— Não vou conseguir, Fletcher. Terá que ser você — implorou Otelo pelas barras da cela vizinha.

O anão estava determinado. Sir Caulder tinha acabado de lhes contar que eles enfrentariam um ao outro na semifinal, e Otelo estava se recusando a lutar.

— Não, Otelo. Usei mana demais na primeira rodada. Não serei capaz de vencer — respondeu o rapaz.

— Bom, muito menos eu; Rufus quebrou a minha maldita perna! Tive sorte em vencê-lo, no final das contas — retrucou o anão, apontando a canela, que tinha sido enfaixada e posta em talas. — Na próxima rodada, vou me render e deixar que você vá à final. Se tivéssemos que lutar um contra o outro, você provavelmente me derrotaria a esta altura, de qualquer maneira. Se eu me desclassificar, não vai ter que usar mana nenhum na terceira rodada.

— Por que não pede à dama Fairhaven que cure a sua perna? — indagou Fletcher.

— O feitiço de cura só funciona em ferimentos na carne, lembra? Se você começar a se meter a curar ossos, eles se soldam tortos. Pode acreditar, eu perguntei. Quero uma chance de dar uma surra em Tarquin tanto quanto você, talvez ainda mais, mas sei que eu não teria a menor chance.

— Olha, talvez não faça a menor diferença no fim — argumentou Fletcher, mostrando uma cela mais adiante. — Tarquin pode ter derrotado Serafim, mas Sylva venceu Isadora. Sylva e Tarquin estão lutando agora mesmo para ver quem vai à final. Se ela vencer, eu me rendo. Os anões precisam que um representante do seu povo seja um dos finalistas; vai impressionar mais os generais. Posso dizer que tenho uma concussão, e seria quase verdade, de qualquer maneira.

Ele esfregou o corte na cabeça, onde a pedra acertara. O ferimento tinha quase sido uma bênção, de certa forma. Quando Cipião viu a pele lacerada, ele percebeu imediatamente que houve trapaça. O reitor sugeriu que Zacarias e os Faversham descansassem e os substituiu com nobres mais imparciais, que protegeriam Fletcher de maneira adequada na próxima luta.

Algo retumbou na cela de Otelo. Salomão estava grunhindo de aflição. Ele perambulou pela cela, em seguida parou para tocar a tala na perna de Otelo. Ignácio trilou em solidariedade, lambendo o rosto do dono com a língua molhada.

— Vou ficar bem, Ignácio. Tarquin não sabe das tatuagens. Ele vai nos subestimar — sussurrou Fletcher.

Sir Caulder bateu com o cajado nas barras da cela, fazendo Fletcher pular.

— Venham, vocês dois. A batalha acabou.

— Sylva venceu? — indagou Fletcher enquanto Sir Caulder destrancava as celas.

— Veja por conta própria — respondeu o velho soldado num tom sombrio.

Dama Fairhaven e Cipião transportavam Sylva numa maca. Seus braços, pernas e rosto estavam cobertos de hematomas negros e azulados, e ela tinha um galo terrível na lateral da cabeça. Sariel cambaleava atrás dela, com o rabo entre as pernas. O pelo dela estava manchado de sangue, e havia um arranhão feio no seu flanco, que corria do focinho à cauda.

— Ele acertou Sylva com um impacto cinético — explicou Cipião ao ver os rostos preocupados dos rapazes. — Ela caiu de mau jeito. Ainda não sabemos a gravidade do estrago.

— Pobre menina, teve que enfrentar os dois gêmeos, um depois do outro — comentou a dama Fairhaven, balançando a cabeça. — Ela usou quase todo seu mana na primeira rodada, e depois precisou de toda a sua força física para derrotar Isadora, então estava exausta quando enfrentou Tarquin. Ela resistiu bravamente, porém. Ninguém vai sair daqui achando que os elfos são fracos — concluiu a enfermeira, com a voz carregada de solidariedade. — Com um ferimento desses na cabeça, não é seguro usar o feitiço de cura, especialmente se ela tiver sofrido um traumatismo craniano. Vamos deixá-la descansar ao lado da capitã Lovett. Se ela acordar, avisaremos a vocês.

Fletcher cerrou os punhos, fitando o corpo ferido na maca.

— Vamos lá.

Ele ajudou o anão a mancar até a arena. Ele se lembrou de quando apoiou Átila da mesma maneira; lembrou-se do sangue que escorria por suas costas enquanto o carregava. As lágrimas no rosto de Otelo ao ver que estavam vivos. Os Forsyth estavam no centro de tudo aquilo, como uma aranha gorda no meio de uma teia de mentiras. Fletcher ia fazê-los pagar pelo que tinham feito.

Otelo mal conseguia ficar de pé quando chegaram à arena. Seu rosto estava esverdeado, com gotas de suor salpicando-lhe a testa. O anão tinha razão; ele não duraria dois segundos numa luta com Tarquin. Fletcher era a única esperança deles agora.

— As regras são simples — declarou Rook, caminhando entre os dois cadetes. — Demônios não podem atacar conjuradores, já que o feitiço de barreira é ineficaz contra ataques demoníacos. Meu Minotauro ajudará a manter suas criaturas longe de seus oponentes, caso elas se empolguem.

Foi aí que Fletcher notou o monstro com cabeça de touro espreitando detrás do pilar caído. Tinha 2,10 metros de altura, com chifres curvos afiados e pelagem crespa tão negra quanto os cabelos do menino. Seus cascos fendidos deixavam sulcos redondos na areia conforme a criatura andava de um lado ao outro, como se mal conseguisse conter sua raiva. As mãos seriam idênticas às de um homem, não fossem as garras negras e grossas que se estendiam dos dedos. Um par de olhos avermelhados encararam o menino com ódio, então o Minotauro se virou, borrifando o ar com uma fungada de desprezo.

— Sim, é belo espécime, não é? — Rook notou o olhar de Fletcher. — Caliban tem um nível de realização de onze, então deve ser capaz de conter qualquer demônio teimoso sem dificuldades. Vocês foram avisados.

O Inquisidor continuou falando, dando a volta na arena, com as mãos unidas às costas.

— Se um de vocês sair da arena, perde. Se o seu demônio for nocauteado ou sair da arena, você perde. Se você matar o demônio do seu oponente, será desclassificado e também expulso. Não lutamos até a morte aqui, e os demônios são um recurso precioso. Então, avisem para que sejam cuidadosos. Eles podem ferir, mas não aleijar. Eles podem machucar, mas não matar.

— E quanto a nós, podemos matar? — zombou Tarquin, da lateral. Ele estava sentado numa das plataformas desmanteladas, acariciando uma das cabeças de Trébio.

— Não, continuam valendo as mesmas regras da sua última batalha, mestre Tarquin — respondeu Rook, sorrindo para o jovem nobre. — Se você acertar um feitiço ou golpe poderoso o suficiente para ser considerado um golpe mortal, vencerá. O feitiço de barreira impedirá que vocês sejam eletrocutados, queimados ou cortados, entretanto ainda sentirão muita dor se forem atingidos; como eu sei que você está ciente, Tarquin, depois de ter acabado com a elfa.

— Sim, ela de fato pareceu estar agonizando de tanta dor — comentou o jovem nobre, com um sorriso zombeteiro. — Porém eu logo acabei com o sofrimento dela. Sou tão generoso.

— Está bem, vamos acabar logo com isso — resmungou Fletcher, entre dentes. Otelo já estava mancando para a lateral da arena.

— Comecem! — bradou Rook.

Fletcher sorriu para Rook e observou enquanto Otelo saía da arena e caía para o chão.

— Ah, não — gritou Tarquin de forma exageradamente dramática. — Eu estava torcendo *tanto* para poder lutar contra o meio-homem. Derrotar dois sub-humanos num só dia, isso sim teria sido um privilégio.

— Cale sua boca imunda e venha me enfrentar, Tarquin. Vamos começar com a final, agora mesmo.

Tarquin revirou os olhos e desceu para a arena.

— Ah, muito bem, vamos logo com isso.

— As barreiras estão erguidas? — indagou Cipião, erguendo uma das mãos.

— Estão, reitor — respondeu um nobre da plateia.

— Neste ca...

— Comecem! — berrou Rook.

Tarquin já estava lançando bolas de fogo antes que Fletcher tivesse sequer ouvido a voz de Rook. O menino se abaixou atrás de uma rocha bem a tempo, sentindo o calor quando um dos projéteis chamuscou-lhe o cabelo.

— Ignácio, esconda-se! — sussurrou Fletcher, mandando a Salamandra em disparada para o meio da montoeira de pedras. Trébio era um demônio poderoso, mas uma bola de fogo bem posicionada de Ignácio poderia acabar com a batalha imediatamente. O diabrete só teria que evitar as cabeças serpentinas.

Uma bola cinética se chocou contra a rocha, esfarelando o lado oposto a Fletcher.

— Venha, Fletcher, quero brincar — bradou Tarquin.

— Eu estava só me aquecendo — bradou o garoto de volta, ativando um escudo oval com um impulso de mana. Sentia suas reservas sendo drenadas, e sabia, graças aos estudos, que Hidras tinham níveis muito altos de mana. Se ele e Tarquin se enfrentassem golpe a golpe, a luta não acabaria bem.

Fletcher rolou de trás da rocha, disparando para a cobertura do pilar caído. Seu escudo rachou ao ser atingido por uma bola de fogo, mas felizmente foi uma das pequenas, sem a menor chance de derrubá-lo no chão.

— E que tal esta aqui? — provocou Tarquin, lançando uma segunda bola de fogo às costas de Fletcher.

Esta se chocou contra o escudo como um aríete, jogando o rapaz para longe. Enquanto ele lutava para se levantar, Tarquin acertou mais uma, derrubando-o novamente no solo.

— Qual é; achei que você fosse deixar essa batalha interessante — riu o nobre enquanto Fletcher se encolhia atrás de uma pedra. — Pelo menos faça durar um pouco mais. Trébio, encontre a Salamandra. Eu quero *ferir*!

Fletcher aproveitou a oportunidade para colocar o monóculo. Ignácio estava do outro lado da arena, tentando se esgueirar por trás de Trébio. A tarefa era quase impossível, com três cabeças cobrindo todos os ângulos.

— Parte para cima, Ignácio — sussurrou Fletcher. — Você consegue acabar com ele.

A Salamandra disparou, correndo em direção à Hidra. Saltou de pedra em pedra, evitando as cabeças que tentavam mordê-lo com intenções malignas. Com uma última investida, Ignácio deslizou para debaixo de Trébio, liberando um tornado de chamas contra o ventre desprotegido da Hidra.

Trébio rugiu quando as chamas lhe queimaram a carne. Ele girou e pisoteou, mas Ignácio era tenaz, dardejando por entre as garras dançantes e chicoteando o demônio com línguas de fogo.

— Já chega! — rugiu Tarquin, apontando o dedo para os demônios que lutavam. Uma bola cinética voou sob Trébio, jogando Ignácio de cabeça para baixo no centro da arena. O diabrete ficou ali caído, como um brinquedo partido no chão de um quarto de criança.

— Acredito que esta partida esteja encerrada. — Rook riu enquanto o Minotauro perambulava até Ignácio e o cutucava com o casco.

— Isso mesmo! — gritou Zacarias da arquibancada.

Trébio sibilou, pisando firme até o demônio caído. Parou a um metro dele, baixando as três cabeças e lançando suas línguas bífidas sobre o vulto deitado.

Mas Fletcher não sentia tristeza nem desapontamento. Ele captava a mente da Salamandra, suas intenções.

— Isso mesmo, Ignácio — murmurou Fletcher. — Lute sujo. Combate de cavalheiros é para cavalheiros.

Fletcher absorveu o escudo de volta para seu corpo. Com a manobra que estava prestes a fazer, teria apenas uma chance de acertar. O plano ia contra tudo que Arcturo lhes ensinara sobre duelos, mas era um risco que valeria muito a pena.

— Muito bem, Tarquin. Vamos ver o que você acha de ser atingido pelos três feitiços de uma vez — sussurrou Fletcher, energizando os três dedos com feitiços de ataque. — Espero que você esteja pronto, Ignácio.

O garoto se levantou num salto e saiu correndo a toda a velocidade pela arena. Ignácio ganhou vida com um berro, saltando para o alto com uma onda de fogo trovejante.

A Hidra urrou e se empinou sobre as patas traseiras, em seguida desabou sobre Ignácio com força letal. Uma fração de segundo antes que fosse esmagado, o diabrete se dissipou em luz branca, infundido pelo pentagrama na palma de Fletcher.

Percebendo o que o outro tinha feito, Tarquin ergueu um escudo apressado. E bem a tempo, pois o rapaz lançou uma espiral de relâmpago, fogo e energia cinética que fez o nobre deslizar até o limite da arena, deixando sulcos profundos na terra com os pés.

O escudo rachou e se deformou, mas Tarquin estava conseguindo resistir, alimentando grossas tiras de luz branca para reparar o dano. Fletcher dobrou a força do ataque, inundando seu corpo de mana e o empurrando à espiral de energia que continha o oponente. Seus dedos ardiam de dor e o ar ao redor do raio se distorcia, zumbindo com intensidade enquanto forquilhas de relâmpago estilhaçavam rochas em fragmentos cintilantes. A areia abaixo se tornou um canal de vidro derretido, borbulhando como lava.

Ignácio estava com ele agora, mandando cada última gota de energia e encorajamento. Fletcher rugiu, colocando tudo de si numa erupção final de mana, drenando tudo que lhes restava nas reservas. Uma onda de choque virou o mundo de cabeça para baixo quando o escudo explodiu.

Fletcher girou e rolou no ar, empurrado por um borrifo de poeira e pedras. Em seguida, viu-se deitado de costas, fitando o teto. As trevas o engoliram.

53

— Fletcher, acorde. — A voz de Otelo parecia estar distante. Alguém lhe tocou o rosto.

— Você conseguiu, Fletcher — sussurrou o anão. — Você o derrotou.

— Eu venci? — indagou o rapaz, confuso. Ele abriu os olhos.

O rosto de Otelo o encarava de cima para baixo, com olhos verdes faiscando de alegria.

— Você nos deixou no chinelo. Tarquin bateu no teto quando o escudo dele cedeu, literalmente. Se Zacarias não tivesse aparado a queda com um colchão cinético, o maldito provavelmente estaria aqui conosco agora.

Fletcher se sentou e notou que estavam na enfermaria. Lovett e Sylva jaziam nas camas ao seu lado, ambas imóveis e silenciosas. Sariel estava enrodilhada debaixo do leito da mestra, roncando suavemente. Valens tinha se aninhado no pelo macio do Canídeo, igualmente isolado do mundo.

— Como ela está? — perguntou Fletcher, estendendo o braço até a outra cama e afastando uma mecha de cabelo do rosto da elfa.

— Dama Fairhaven disse que ela vai ficar bem. Mas terá que sarar por conta própria, assim como eu. Ficou com o braço partido em dois lugares.

Otelo contemplou a elfa com emoções complexas no rosto, em seguida agarrou sua mão.

— Não teríamos conseguido sem ela, sabe. Sylva derrotou Isadora e enfraqueceu Tarquin, correndo um grande risco. Ela poderia ter se rendido, que nem eu. Em vez disso, decidiu lutar, mesmo sabendo que não venceria — murmurou o anão.

— Ela é duas vezes o guerreiro que eu sou — respondeu Fletcher, observando a respiração da garota.

— Foram vocês dois que conseguiram, no fim — continuou Otelo, em um tom decepcionado. — Queria poder dizer ao meu pai que fui eu. Queria que os Forsyth soubessem que foram os anões que lhes custaram a vitória.

— Otelo, os anões me deram as ferramentas necessárias para vencer e, se não fosse por você, eu teria gastado todo o meu mana enfrentando Rufus na semifinal — afirmou Fletcher, encarando o amigo nos olhos. — Fomos nós três que conseguimos. Até Serafim desempenhou seu papel. Aposto que ele não foi um adversário fácil na luta contra Tarquin. Só queria que Sylva estivesse acordada para comemorar nossa vitória.

— Ela logo estará — assegurou Otelo, esfregando o cansaço dos olhos. — É a primeira coisa que vou lhe dizer. Raios, ela provavelmente receberá ofertas de comissões assim que acordar.

— Tenho certeza de que você também, Otelo. Os recrutas anões vão precisar de líderes. Ao chegar à semifinal, você provou seu valor. Não se esqueça do motivo pelo qual você veio até aqui: provar ao mundo que os anões são aliados valorosos — disse Fletcher.

— É verdade — concordou Otelo, com um sorriso. — Não tinha pensado nisso. Cipião certamente deixará Átila se alistar em Vocans agora; ele é meu gêmeo, afinal. A primeira coisa que vou fazer depois disto é aprender como a Inquisição testa os candidatos a adeptos. Vamos precisar de magos de batalha nos exércitos enânicos.

— Pode contar com isso. Vou mencionar o assunto na reunião do conselho imediatamente, se puder — respondeu Fletcher.

Ele sentiu uma pontada de ansiedade ao imaginar uma longa mesa num salão escuro, cercada pelos homens mais poderosos do reino. Zacarias estaria lá, tentando desacreditá-lo a cada oportunidade. Mesmo com os gêmeos Forsyth derrotados, Fletcher ainda teria que lidar com o pai deles.

Passos ecoaram na escadaria, até que o rosto animado de Serafim surgiu à porta.

— Pessoal, a dama Fairhaven disse que eu já poderia vir aqui buscar vocês, se conseguirem descer. Eles vão começar a distribuir as comissões em breve. Vamos lá! — O rapaz desapareceu logo em seguida, e os dois ouviram sua correria escada abaixo.

— Alguém acha que vai se dar muito bem. — Otelo riu. — Ei, me ajude a descer? Não posso botar nenhum peso nessa droga de perna.

— Eu juro que parece que passei metade da minha vida servindo de muleta para anões feridos — brincou Fletcher.

Ele passou as pernas para fora da cama e se levantou. Houve um momento de tontura, que logo passou depois de algumas profundas respirações.

— Nós devemos parecer um belo par — comentou Fletcher, passando o braço em volta dos ombros de Otelo. — Acho que vou precisar da sua ajuda tanto quanto você da minha.

Ele estremeceu ao suportar o peso de Otelo, o próprio corpo dolorido protestando contra o esforço.

Eles mancaram pelas escadas e corredores, parando para descansar a cada poucos passos.

— Vamos, você não pode perder a sua promoção a capitão — disse Otelo.

À lembrança da sua capitania, os troféus de guerra e armas que decoravam os corredores da academia subitamente adquiriram um novo sentido para Fletcher. Mais cedo ou mais tarde, um orc poderia estar brandindo uma daquelas armas assustadoras na direção de sua cabeça.

O átrio estava repleto de nobres e generais quando eles chegaram, todos fitando o par conforme eles mancavam salão adentro. Alguns chegavam a ter medo em seus olhos.

— Genialidade pura e autêntica! — bradou Cipião, caminhando a passos largos em sua direção. — Se tatuar para pular o entalhe; usar uma pedra de visualização como monóculo. Grandes saltos na tecnologia dos magos de batalha; como jamais havíamos pensado nisso?

Atrás dele, Fletcher pôde ver Tarquin ser repreendido pelo pai, com a cabeça baixa e envergonhado. Os demais aprendizes sentavam-se em bancos trazidos do refeitório, esperando em silêncio pela cerimônia.

— Fique tranquilo, perguntarei sobre essa história de tatuagens mais tarde. Agora, general Kavanagh, se puder trazer a papelada para Fletcher assinar... Quando é o conselho do rei, no próximo mês? Precisaremos de um professor para ensiná-lo sobre as políticas de Hominum nesse meio-tempo; como um plebeu, ele não deve saber muita coisa. — Cipião zumbia ao redor de Fletcher como uma mãe superprotetora, limpando a poeira de seus ombros.

O rapaz corrigiu a postura e vasculhou a sala, encontrando o olhar de generais e nobres com uma expressão firme. Orgulhoso, admirou a proeza que ele e seus amigos haviam alcançado.

Sylva e Otelo tinham provado aos escalões mais elevados de Hominum que seus povos eram forças a serem reconhecidas. A elevação de Serafim à nobreza seria uma transição suave, agora que ele tinha demonstrado sua tenacidade na arena. Quanto a Fletcher, ele estava basicamente feliz por ter evitado que os Forsyth conquistassem mais um lugar no conselho, e por ter garantido a si mesmo um futuro promissor. Só desejava que Berdon estivesse ali para ver.

O rapaz apertou o ombro de Otelo e apontou para os generais e nobres.

— Um desses homens vai lhe dar uma comissão hoje. Você tem alguma preferência?

— Desde que não seja Zacarias ou os Faversham — riu Otelo em resposta. — Você deveria ter visto a cara deles quando derrotei Rufus.

As portas principais se abriram de rompante, lançando uma rajada de vento pelo átrio. Três vultos se postavam na entrada, contornados pela luz do exterior, até que as portas de carvalho se fecharam de novo.

Quando os olhos de Fletcher se ajustaram à escuridão, ele ficou alarmado ao notar que os três homens eram Rook, Turner e Murphy. O Inquisidor sorria com ironia enquanto caminhava até os dois.

O coração de Fletcher saltou quando ele viu que Turner segurava um par de grilhões nas mãos.

— Otelo — exclamou ele. — Os Pinkertons!

— Qual é o significado disto? — bradou Cipião enquanto os Pinkertons abriam caminho entre os nobres. — Este é um evento particular.

— Estamos aqui para buscá-lo — afirmou Murphy, indicando Fletcher e Otelo. — Temos um mandado urgente para a prisão dele.

Fletcher entrou na frente do anão, cambaleante.

— Se você o quiser, terá que passar por mim primeiro.

Murphy deu um passo à frente, sorrindo maliciosamente.

— Fletcher Wulf — anunciou ele, atando os grilhões aos pulsos de Fletcher. — Você está preso pela tentativa de assassinato de Didric Cavell.

O rapaz ficou paralisado conforme o significado das palavras ficava claro para ele.

— Tire as mãos dele — bradou Otelo, tentando se pôr entre os dois. — Isto é um engano!

Turner bateu na mão aberta no anão, derrubando-o no chão.

— Controle-se, anão, ou será preso por desacato à autoridade — cuspiu, cutucando-o com o pé. Rook passou por cima do cadete caído e agarrou o colarinho de Fletcher, puxando-o para perto.

— Este seu passeiozinho acabou, Fletcher — rosnou Rook, com o hálito quente na orelha do rapaz. — Você vai voltar a Pelego.

Demonologia

Caruncho — Nível 1 (Rory (Malaqui), Genevieve (Azura) e Lovett (Valens))

Os Carunchos são os demônios mais comuns na região de Hominum do éter, e também a fonte de alimento de várias espécies demoníacas. Mesmo que haja muitas variedades menores de Carunchos, todas similares a insetos, os Carunchos Escaravelhos são os mais poderosos de todo o gênero. Eles são como grandes besouros voadores, variando do castanho fosco ao colorido brilhante. Quando inteiramente crescidos, desenvolvem uma arma para complementar suas poderosas mandíbulas: um ferrão cruel que pode paralisar temporariamente seus inimigos. Muitos conjuradores usam Carunchos como batedores para explorar o éter antes de mandar um demônio mais poderoso para caçar.

Lutra — Nível 4 (Rufus e Atlas (Bárbaro))

Este demônio do tamanho de um cão é muito semelhante a uma lontra supercrescida, com uma cauda espinhosa como uma maça-estrela e dois enormes dentes incisivos. Geralmente são encontradas nos lagos e rios do éter, pois gostam particularmente de nadar.

Picanço — Nível 4 (Amber)

Estes demônios com aspecto de ave cruzam anualmente a parte de Hominum do éter durante sua migração, tornando incursões extremamente perigosas durante uma semana do ano. Bem conhecidos pelas longas penas negras, a envergadura de suas asas é equivalente à altura de um homem, com as plumas das extremidades descoloridas. O bico de um Picanço é cruelmente curvado, com uma barbela em vermelho brilhante na garganta e uma crista vermelha no alto da cabeça, como um galo.

Salamandra — Nível 5 (Fletcher (Ignácio))

Salamandras são extremamente raras e não existem na região de Hominum do éter. Não se conhece muito sobre seu hábitat ou história, mas há evidência de que os orcs as capturavam no passado. São do tamanho de um furão, com um corpo similarmente ágil e flexível, e membros longos o bastante para que sejam capazes de avançar como um lobo da montanha, em vez das corridinhas de um lagarto. Sua pele é de um vermelho profundo, a cor de um bom vinho tinto, com olhos grandes de brilho âmbar, redondos como os de uma coruja. Salamandras não têm dentes de verdade, mas seu focinho termina numa ponta afiada, quase como o bico de uma tartaruga do rio.

Matriarca Picanço — Nível 6

A Matriarca Picanço é a líder maternal de uma revoada de Picanços. Quase duas vezes maior que o picanço médio, esses demônios não devem ser subestimados. Não é raro que uma Matriarca capture filhotes de Canídeo, quando a oportunidade se apresenta.

Cascanho — Nível 6 (Serafim (Farpa))

Este demônio com forma de texugo tem pele grossa quase indistinguível da casca das árvores, vantagem que ele usa para se camuflar nas selvas do éter. Apesar de ser relativamente comum, sua tendência a se esconder no topo dos troncos de árvores, além da crista de farpas venenosas que disparam da espinha dorsal, tornam difícil sua captura. A dieta desses demônios consiste exclusivamente em vegetação, que esmagam em suas bocas cheias de placas.

Vulpídeo — Nível 6 (Penélope)

Um parente próximo e um tanto menor do Canídeo, este demônio com aparência de raposa tem três caudas e é conhecido pela agilidade e rapidez.

Canídeo — Nível 7 (Sylva (Sariel) e Arcturo (Sacarissa))

Um demônio canino com quatro olhos, garras letais, rabo de raposa e uma crista espessa de pelos que corre pela espinha. O tamanho desses demônios varia entre o de um cachorro grande e um pequeno pônei.

Felídeo — Nível 7 (Isadora (Tamil) e Cipião*)

Este gato-demônio bípede tem a estatura e a inteligência de um chimpanzé. Suas raças variam entre leonino, tigrino e leopardino, que são semelhantes a leões, tigres e leopardos, respectivamente.

Anubídeo — Nível 8 (Malik e seu pai, Baybars)

Outro parente distante do Canídeo, este raro demônio anda sobre duas pernas e tem a cabeça de um chacal. Ao contrário dos outros membros da família, ele tem apenas dois olhos.

---

* O primeiro Felídeo de Cipião morreu. Ele recentemente foi presenteado com um novo filhote da mesma espécie.

Golem — Nível 8 (Otelo (Salomão))

Este raro demônio da classe elemental pode ser formado por vários tipos diferentes de minerais, incluindo argila, lama e areia, sendo o mais poderoso no golem de pedra. Filhotes de Golens tem pouco mais de um metro, mas ao longo do tempo podem alcançar três metros de altura. Têm aparência mais ou menos humanoide, porém possuem apenas um enorme dedo e um polegar opositor nas mãos.

Hidra — Nível 8 (Tarquin)

Uma Hidra é um grande demônio com três cabeças de cobra em pescoços longos e flexíveis. Seu corpo é similar ao de um lagarto monitor, com mais ou menos o mesmo tamanho de um Canídeo grande. Esses demônios já foram outrora comuns na parte de Hominum do éter, mas agora são extremamente raros.

Grifo — Nível 10 (Lovett (Lisandro))

Este raro demônio ocasionalmente aparece na parte de Hominum do éter. Do tamanho de um cavalo, tem o corpo, a cauda e as patas traseiras de um leão e a cabeça, as asas e as garras de uma águia.

Minotauro — Nível 11 (Rook)

Esses demônios humanoides são altos, peludos e musculosos. Têm a cabeça de um touro e cascos fendidos no lugar dos pés. Ao contrário dos Golens, eles têm mãos com garras capazes de manipular armas, mesmo que seja uma tarefa difícil ensiná-los a usá-las. É muito raro encontrar um deles na parte de Hominum do éter.

Este livro foi composto na tipografia
Minion Pro, em corpo 11,5/15,6, e impresso em
papel off-set no Sistema Digital Instant Duplex
da Divisão Gráfica da Distribuidora Record.